LA QUÍMICA DE LA MUERTE

SIMON BECKETT
LA QUÍMICA DE LA MUERTE

Prólogo de Rodrigo Fresán

Traducción de David Paradela

roja&negra

El papel utilizado para la impresión de este libro ha sido fabricado a partir de madera procedente de bosques y plantaciones gestionadas con los más altos estándares ambientales, lo que garantiza una explotación de los recursos sostenible con el medio ambiente y beneficiosa para las personas. Por este motivo, Greenpeace acredita que este libro cumple los requisitos ambientales y sociales necesarios para ser considerado un libro «amigo de los bosques». El proyecto «libros amigos de los bosques» promueve la conservación y el uso sostenible de los bosques, en especial de los bosques primarios, los últimos bosques vírgenes del planeta.

Título original: *The Chemistry of Death*

Primera edición: octubre de 2009

© 2006, Simon Beckett
© 2005, Círculo de Lectores, S. A. (Sociedad Unipersonal). Licencia editorial por cortesía de Círculo de Lectores, S. A.
© 2009, David Paradela, por la traducción. Traducción cedida por Círculo de Lectores, S. A.
© 2009, de la presente edición en castellano para todo el mundo:
Random House Mondadori, S. A.
Travessera de Gràcia, 47-49. 08021 Barcelona
© 2009, Rodrigo Fresán, por el prólogo

Printed in Spain – Impreso en España

ISBN: 978-84-397-2207-6
Depósito legal: B-31.765-2009

Compuesto en Fotocomposición 2000, S. A.
Impreso en Liberdúplex, S. L. U.
Sant Llorenç d'Hortons (Barcelona)

Encuadernado en Reinbook

GM 22076

ÍNDICE

El cuerpo y el delito, *por Rodrigo Fresán*   9

LA QUÍMICA DE LA MUERTE 15

Epílogo 349

Agradecimientos 357

EL CUERPO Y EL DELITO

por Rodrigo Fresán

UNO En un principio, todo empezaba y terminaba en la pura deducción. Había pistas, sí, y hasta alguna persecución. Pero el peso de la prueba y de las pruebas pasaba más por lo que veía el cerebro y no por lo que se veía en el cerebro una vez removida la tapa del cráneo. Me explico mejor: en el principio, los cuerpos muertos no se abrían para averiguar qué era lo que les había quitado la vida –cortesía de un bala o un puñal o un hacha o de lo que sea– sino, simple y rápidamente, luego de pensarlo mucho o en el calor del momento, para quitarles la vida. Tajos y agujeros para que la sangre corriera libre y sin nadie que la alcanzara para ponerla bajo la pupila sin párpados de un microscopio y después levantara la vista y dijera cosas rarísimas.

Después llegó la novedad ésa de las huellas digitales: todas diferentes y, por lo tanto, la llave única para girar e identificar a aquel que pensaba que había entrado para salirse con la suya.

Y, ahora, ya saben: los laboratorios, la bata del científico suplantando a la gabardina del detective privado luego de que, en 1986, se cerrara el primer caso a partir del análisis del ADN.

Nada ha vuelto a ser igual desde entonces.

Y nada salvo los teléfonos –y los teléfonos móviles también son los culpables de la alteración sin pasaje de vuelta en las conversaciones de una trama policíaca– ha evolucionado más que los *thrillers* en los últimos tiempos. Atrás, muy atrás, ha quedado la pericia *unplugged* y casi artesanal de Sherlock Holmes y Hercules Poirot. Y –de seguir la cosa así, acordarse del inolvidable Philip K. Dick– pronto será posible atrapar al asesino incluso antes de que cometa el crimen. Aunque, en realidad, matar a otro sin ser descubierto será ya tan difícil que solo quedará el suicidio.

DOS Vivimos en el Era de Watson. En tiempos en que el testigo/secundario se ha tomado la revancha y ascendido a primer plano y se ríe en la cara del detective o inspector de policía que ya no sabe muy bien qué hacer con sus puños y su revólver. Todos ellos, supongo, se quedan en el bar de la esquina, pidiendo un gimlet detrás de otro mientras esperan los resultados de análisis que se les harán ilegibles y como escritos en el idioma de otro planeta.

Así, la ciencia por encima de la pasión y ya Henry James advirtió en su momento que «las novelas de detectives no son tanto un *work of art* como un *work of science*».

Y, atención, sir Arthur Conan Doyle era de profesión médico.

Y, ahora que lo recuerdo, Holmes ya ofrece una pequeña conferencia sobre las pistas que ofrece la hemoglobina al inicio de *Estudio en escarlata*, su primera aparición.

Y Agatha Christie dedicó mucho tiempo a documentarse sobre diferentes venenos y sus aplicaciones.

Ahora, no se puede vivir (no se puede morir) sin tener cerca a un patólogo, a un forense, a un antropólogo de cadáveres recién hechos y ahí están y aquí vienen –tras los pasos del hoy definitivamente pasado de moda Quincy de la serie de televisión *Quincy M. E.*– la Temperance «Bones» Brennan de Kathy Reichs, la doctora Kay Scarpetta de Patricia Cornwell, los múltiples explotadores de la *franchise* turístico-geográfica *CSI* (¿para cuándo un *CSI Marbella*?) y hasta el criminal Dexter Morgan de Jeff Lindsay, por no citar a esa obvia variación sobre Sherlock Holmes que es el doctor Gregory House moviéndose por esa enorme escena del crimen que, en el fondo, es todo hospital.

Y leo que hay ya todo un movimiento de escritores de novelas policiales que proponen regresar al pasado, escribir misterios que transcurran en tiempos en los que el misterio todavía era misterioso y difícil de ser destilado en una fórmula exacta, volver a esos días y a esas noches en que matar era, sí, tanto más divertido. Tiempos en que matar era un hobby y no una profesión.

TRES Y la otra noche vi en el History Channel un documental sobre los nuevos científicos criminalistas. Allí, en la pantalla, un hombre más parecido a Philip Marlowe que a Albert Einstein suspiraba agotado: «Vienen los familiares y nos dicen que estamos demorando demasiado en hallar al culpable... Nos exigen que utilicemos cosas como el lector cromático de partículas aceleradas y cripto-psicosomáticas o cosas por el estilo... Y nosotros tenemos que sentarlos, servirles un vaso de agua, y explicarles que ese aparato que vieron en alguno de esos *CSI* no existe y que los crímenes no suelen resolverse en los cincuenta minutos que dura un episodio de un show televisivo... Yo ya no veo esos programas porque me ponen muy nervioso. Las falsedades que se dicen y se hacen. Me dan ganas de arrojar el televisor por la ventana sin antes ponerme guantes para no dejar huellas, ja».

El desconsuelo de este hombre es fácil de comprender. Basta con detenerse frente a un episodio de *CSI* o de *Bones* o de *House*. ¿De qué habla toda esa gente? ¿Son seres normales? ¿Van al baño y no pueden evitar recoger muestras? ¿Hacen el amor y, automáticamente, fantasean acerca de la fusión de diferentes fluidos corporales?

Bienvenido sea –por fin, por suerte– David Hunter.

CUATRO David Hunter es el protagonista de la muy exitosa –a nivel de crítica y de ventas– *La química de la muerte* y de sus secuelas *Written in the Bone* y *Whispers of the Dead*.

Y David Hunter –con gran inteligencia y mucha astucia– ofrece lo mejor de ambos mundos. Porque, de acuerdo, David Hunter *también* es un experto forense. Pero quiere dejar de serlo y opta por oficiar de médico y ocuparse ya no de los muertos sino de los vivos. Y Hunter –como el Charlie Parker de John Connolly– huye del inolvidable recuerdo de una tremenda tragedia familiar y abandona la metrópoli *high-tech* para volver a empezar o intentar seguir en un remoto pueblito de Norfolk llamado Manham.

Y, ya se sabe, pueblo chico equivale a infierno grande.

Y de algún modo –sin necesidad de ser un policial de época– *La química de la muerte* recupera y renueva uno de los motivos clásicos del género: el muy *british* asesinato pastoral, el *village green mistery*, donde el tiempo transcurre de otra manera, la tensión aumenta sin prisa pero sin pausa. Y en el que la opresiva aldea funciona como habitación cerrada, cerradísima, donde todos se conocen demasiado desde hace demasiado tiempo. Y allí, de pronto, llega alguien de afuera. Y, por supuesto, las cosas se complican y los acontecimientos se precipitan y aparece una mujer muerta y desaparece una mujer viva. Y enseguida el alguna vez cazador (que no en vano se apellida Hunter) comprende que le ha tocado el rol de presa en la cacería.

CINCO El escritor y periodista Simon Beckett (Sheffield, 1968) creó a David Hunter luego de documentarse para un artículo sobre medicina forense para *The Daily Telegraph* y de una visita a la célebre «Body Farm», el prestigioso laboratorio criminalístico en Tennessee, USA.

Beckett –quien alguna vez fue profesor en España y percusionista en varias fracasadas bandas de rock y hasta pensó en estudiar bioquímica antes de sentarse a escribir– ya había firmado varios policiales psicologistas de los que no le gusta hablar demasiado; pero no cuesta afirmar que su verdadera historia comienza con la llegada de David Hunter a Manham, Norfolk.

Allí no es que Hunter sea feliz –no puede serlo, imposible enterrar a sus muertos– pero se las arregla para llevar una existencia normal hasta que, a los tres años de su llegada, es «desenmascarado» como «experto». Y tiene que volver al trabajo. Y buena parte del atractivo de *La química de la muerte* (los adictos a los detalles sobre la descomposición de cadáveres recibirán su generosa y potente dosis, a no preocuparse) pasa por ver cómo un *outsider* calificado tiene que arreglárselas para hacer lo suyo en un ambiente mucho más primitivo, oscuro y oscurantista que, por momentos, recuerda a la Dublín de los años cincuenta en la que se mueve Quirke, aquel otro forense creado por Benjamin Black alias John Banville.

Y acaso lo más importante: Beckett considera a *El largo adiós* de Raymond Chandler la piedra fundamental de su formación, admira (se hace más que obvio en los detalles más íntimos de *La química de la muerte*) a Patricia Highsmith, y no se siente particularmente un *forensic crime writer* más allá de la profesión de su personaje.

«Lo que a mí me interesa es el carácter y las motivaciones psicológicas. La ciencia está ahí, de acuerdo. Pero no lo es todo. Yo quería un personaje que estuviera tocado moralmente, con fallas y vulnerable en más de un sentido. No me interesaba escribir sobre una fría y siempre lógica máquina procesadora de datos», dijo Beckett en una entrevista.

De este modo —acaso lo más interesante— lo que practica Beckett en *La química de la muerte* es una suerte de autopsia al cuerpo vivo de Hunter. Y es así como en *Written in the Bone* y en la recién publicada *Whispers of the Dead* vamos conociendo —como si se fueran haciendo sucesivos cortes con una pluma-bisturí— nuevos y reveladores detalles sobre el pasado y la personalidad del héroe. Una vez más, moviéndose por la atmósfera hostil de lugares pequeños donde todo cabe (las escocesas Islas Hébridas en *Written in the Bone* y la ya mencionada Body Farm y las Smoky Mountains en *Whispers of the Dead*) y, por suerte, antes que nada y después de todo, aquí y allá y en todas partes, lo más importante para Beckett y Hunter sigue siendo descubrir quién lo mató y no cómo murió.

Y estén seguros de que nada le interesa menos a los muertos que saber cómo fue que los mataron.

Porque a la hora de la verdad —más allá de métodos— todos morimos iguales y de la misma manera: para siempre.

LA QUÍMICA DE LA MUERTE

Para Hilary

1

El cuerpo humano empieza a descomponerse cuatro minutos después de la muerte. Lo que hasta entonces era un recipiente de vida atraviesa su última metamorfosis fagocitándose a sí mismo. Las células se disuelven. El tejido se vuelve líquido y después gas. Inanimado, el cuerpo se convierte en un inmóvil festín para otros organismos. Primero las bacterias, después los insectos. Moscas. Ponen huevos, que no tardan en abrirse. Las larvas se alimentan de ese caldo rico en nutrientes, luego migran. Lo abandonan de forma ordenada, avanzando en perfecta procesión, siempre hacia el sur. A veces hacia el sureste o el suroeste, pero nunca hacia el norte. Nadie sabe por qué.

A estas alturas las proteínas de los músculos ya se han descompuesto, produciendo un potente caldo químico. Este caldo es letal para la vegetación y mata la hierba al mismo tiempo que las larvas avanzan por ella, formando un macabro cordón umbilical. Dadas las condiciones apropiadas –clima seco y cálido, ausencia de lluvia–, ese ondulante desfile de invertebrados amarillentos puede llegar a alcanzar varios metros. Resulta un espectáculo curioso. Y, para la persona curiosa, ¿qué más natural que seguir el rastro hasta su origen? Así mismo fue cómo los hermanos Yates encontraron los restos de Sally Palmer.

Neil y Sam dieron con el rastro de gusanos a la entrada del bosque de Farnham, en la parte donde bordea el pantano. Era la segunda semana de julio y parecía que el verano no iba a acabar nunca. Hacía un calor eterno que había arrancado el color de los árboles y caldeado la tierra hasta tornarla dura como el hueso. Los muchachos iban de camino a Willow Hole, un estanque de juncos que hacía las veces de piscina municipal. Allí los esperaban sus amigos, con los que pasarían la tarde del domingo lanzándose en bomba sobre el agua tibia y verdosa desde un árbol cercano. O por lo menos, eso pensaban.

Me los imagino aburridos y apáticos, narcotizados por el calor, irritables el uno con el otro. Neil, de once años, tres más que su hermano, camina ligeramente por delante de Sam para hacer evidente su irritación. Lleva un palo en la mano, con el cual golpea los tallos y las ramas que encuentra a su paso. Sam se afana detrás de él, sorbiéndose la nariz de vez en cuando. No a causa de ningún resfriado veraniego, sino por la alergia al polen, que también le congestiona los ojos. Un antihistamínico suave lo aliviaría, pero eso todavía no lo sabe. En verano siempre se sorbe los mocos. Siempre tras los pasos de su hermano mayor, camina con la cabeza gacha, razón por la cual es él y no Neil quien descubre el rastro de gusanos.

Se detiene y se queda observándolos antes de gritarle a Neil que vuelva. Neil lo hace de mala gana y solo porque tiene la impresión de que Sam ha descubierto algo. Intenta fingir indiferencia, pero el sinuoso desfile de los gusanos lo intriga tanto como a su hermano. Ambos se agachan junto a las larvas, se apartan el cabello oscuro de la cara y arrugan la nariz por el olor a amoníaco. Aunque después nunca han alcanzado a recordar de quién fue la idea de ir a ver de dónde procedían, yo me imagino que fue de Neil. Seguir los gusanos era una buena forma de confirmar una vez más su autoridad. De modo que es Neil quien se adelanta y se dirige hacia la hierba amarillenta del pantano, de donde salen las larvas. Sam lo sigue.

¿Sintieron el olor al acercarse? Probablemente. Debía de ser lo bastante fuerte incluso para penetrar en la nariz taponada de Sam. Además, es posible que supieran a qué era debido. Los muchachos de campo están familiarizados con el ciclo de la vida y la muerte. Tal vez el zumbido somnoliento de las moscas en medio de aquel calor les diera aún más pistas. Sin embargo, el cuerpo que encontraron no era de una oveja ni de un ciervo, ni siquiera de un perro, como hubieran podido esperar. Desnuda, por más que irreconocible a la luz del sol, Sally Palmer parecía moverse por efecto de la infestación que hervía bajo su piel, desbordándose por la boca y la nariz así como por otros orificios menos naturales abiertos en su cuerpo. Los gusanos que salían de ella formaban un cúmulo en el suelo antes de alejarse formando la línea que ahora se perdía por detrás de los hermanos Yates.

Supongo que no importa cuál de los dos echó a correr antes, aunque me imagino que debió de ser Neil. Como siempre, Sam debió de salir tras él, intentando no quedarse rezagado mientras corrían hacia su casa primero y hacia la comisaría después.

Para llegar finalmente hasta mí.

Le di a Sam un sedante y un antihistamínico para aliviarle la alergia. De todos modos, en ese momento no era el único que tenía los ojos congestionados. También Neil estaba conmocionado por el hallazgo, aunque empezaba a recuperar su desenvoltura juvenil. Por eso fue él y no Sam quien me explicó lo ocurrido, transformando ya el crudo recuerdo en algo más aceptable: en un relato que poder narrar una y otra vez. Más tarde, cuando los trágicos hechos de aquel verano prodigiosamente caluroso empezaron a quedar atrás, años después, Neil seguía repitiéndolo, identificado en la mente de todos como aquel por cuyo descubrimiento había empezado todo.

Pero no fue por eso. Lo que pasa es que, hasta entonces, no nos habíamos dado cuenta de lo que habitaba entre nosotros.

2

Yo había llegado a Manham a última hora de una húmeda tarde de marzo, tres años antes. Cuando me apeé en la estación del ferrocarril –poco más que un pequeño andén en medio de la nada–, me encontré con un paisaje bañado por la lluvia y en apariencia carente tanto de vida humana como de contornos. Me quedé ahí parado con la maleta, observando a mi alrededor, sin notar apenas que la lluvia me resbalaba por el cuello de la camisa. En torno a mí se extendían marismas y pantanos cuya topografía interrumpían tan solo algunas zonas boscosas hacia el horizonte.

Era la primera vez que estaba en los Broads y la primera vez que pisaba Norfolk. Todo me resultaba espectacularmente extraño. Observé la vastedad del terreno, inspiré el aire húmedo y frío, y noté que algo en mi interior se sacudía de forma casi imperceptible. Era un paraje inhóspito, pero no era Londres, y con eso bastaba.

Nadie había ido a recogerme. No había contratado ningún tipo de transporte desde la estación. No había hecho planes. Había vendido el coche y el resto de mis cosas sin detenerme a pensar cómo llegar al pueblo. Por entonces, todavía me costaba pensar con claridad. Y si lo hubiese pensado, mi arrogancia urbanita habría dado por hecho que habría taxis, alguna tienda, algo. Pero no había parada de taxis, ni siquiera una cabina telefónica. Por un momento, lamenté haberme deshecho del móvil, luego cogí la maleta y empecé a caminar hacia la carretera. Una vez allí, solo había dos opciones: izquierda o derecha. Me dirigí a la izquierda sin vacilar. Por ningún motivo en especial. Al cabo de unos cientos de metros llegué a un cruce donde había un letrero de madera casi ilegible. Estaba torcido de tal modo que parecía señalar algún punto debajo de la tierra húmeda. Por lo menos sabía que iba en la dirección correcta.

La luz empezaba a apagarse cuando por fin llegué al pueblo. De camino, me había cruzado con un par de coches, pero no se habían detenido. Aparte de eso, los primeros indicios de vida fueron unas pocas granjas situadas a cierta distancia de la carretera, aisladas las unas respecto de las otras. A través de la incipiente oscuridad pude ver frente a mí el campanario de una iglesia que parecía medio enterrada en un campo. Allí empezaba una acera. Era estrecha y resbalaba a causa de la lluvia, pero era mejor que el arcén y los setos por los que había caminado desde la estación. Tras un recodo de la carretera apareció el pueblo, oculto casi hasta que uno se daba de bruces con él.

La imagen no era precisamente de postal. Estaba demasiado poblado, era demasiado grande para encajar con la imagen de las aldeas de la campiña inglesa. En las afueras se veían unas cuantas casas de antes de la guerra, pero poco después empezaban unos caserones de piedra con paredes hechas con cantos de sílex. Según avanzaba hacia el corazón del pueblo, los caserones eran más viejos, cada paso me hacía retroceder un poco más en la historia. Empapados por la llovizna, se apiñaban los unos sobre los otros y sus ventanas inertes me devolvían mi imagen suspicaz e inexpresiva.

Más adelante, a los lados de la carretera empezaron a aparecer tiendas cerradas, y detrás de estas, a través de la húmeda penumbra, más casas. Pasé por delante de una escuela y de un pub, y entonces llegué a un prado. Los narcisos resplandecían y sus pétalos amarillos golpeados por las gotas de agua turbaban con su color un mundo de tonos sepia. Torcido sobre la hierba, un gigantesco castaño de Indias extendía sus negras ramas desnudas. Detrás, rodeada por un cementerio de lápidas inclinadas y cubiertas de musgo, estaba la iglesia normanda cuyo campanario había divisado desde la carretera. Al igual que los caserones más viejos, sus paredes estaban hechas de sílex; piedras duras, grandes como puños, que desafiaban a los elementos. La argamasa que las unía acusaba los efectos de la intemperie y los años, y la puerta y las ventanas se habían combado por efecto de los cambios producidos en el suelo a lo largo de los siglos.

Me detuve. Vi que, a lo lejos, la carretera daba paso a más casas. Estaba claro que Manham era aquello y poco más. En algunas ventanas se veía una luz encendida, pero no había ningún otro signo de vida. Me quedé quieto bajo la lluvia, sin saber adónde ir. En ese momento oí un ruido y vi a dos jardineros trabajando en el cementerio. Ajenos a la lluvia y la falta de luz, estaban rastrillando y arreglando la hierba que crecía alrededor de las viejas lápidas. No dejaron de trabajar ni al acercarme a ellos.

—¿Sabrían decirme dónde está la consulta del médico? —pregunté con el agua resbalándome por la cara.

Cesaron su trabajo y se quedaron mirándome; a pesar de la diferencia de edad eran tan parecidos que por fuerza tenían que ser abuelo y nieto. Ambos rostros tenían la misma expresión plácida e indiferente y la misma mirada serena en sus ojos azul aciano. El mayor señaló en dirección a un estrecho callejón flanqueado por árboles al fondo del prado.

—Recto por ahí.

El acento me confirmó que ya no estaba en Londres: su forma de pronunciar las vocales sonaba extraña en mis oídos. Les di las gracias, pero ellos ya habían vuelto a ponerse manos a la obra. Tomé el callejón, las ramas que lo cubrían amplificaban el sonido de la lluvia. Recorridos varios metros, llegué ante una gran cancela que cerraba una entrada para coches. Clavado a uno de los postes de la puerta había un letrero en el que se leía: «Bank House». Debajo, una placa de bronce rezaba: «Dr. H. Maitland». De la entrada partía una ligera rampa que subía por un jardín bien cuidado en el que crecían unos cuantos tejos hasta desembocar en el patio de una imponente mansión de estilo georgiano. Me limpié el barro de los zapatos con una barra de hierro fundido colocada junto a la entrada principal, levanté la pesada aldaba y llamé con fuerza. Estaba a punto de llamar de nuevo cuando se abrió la puerta.

Una mujer de mediana edad, algo entrada en carnes y con el pelo de color plomo, me miró.

—¿Sí?

—Vengo a ver al doctor Maitland.

—La consulta está cerrada —respondió ella arrugando el entrecejo—. Y me temo que por el momento el doctor no visita a domicilio.

—No... lo que quiero decir es que está esperándome. —No hubo respuesta. Pensé en el desaliñado aspecto que debía de tener tras una hora caminando bajo la lluvia—. Vengo por el puesto. Me llamo David Hunter.

Su rostro se encendió de repente.

—¡Oh, cuánto lo siento! No había caído. Creía que... Entre, por favor —dijo a la par que retrocedía para dejarme pasar—. Cielo santo, está empapado. ¿Lleva mucho rato caminando?

—Desde la estación de tren.

—¿Desde la estación de tren? ¡Pero si está a varios kilómetros! —exclamó mientras me ayudaba con el abrigo—. ¿Por qué no llamó para avisar de cuándo llegaba su tren? Podríamos haber mandado a alguien a recogerlo.

No contesté. La verdad era que ni se me había ocurrido.

—Pase al salón. El fuego está encendido. No, deje la maleta —dijo dándose la vuelta tras colgar el abrigo. Sonreía. Me di cuenta de que su rostro estaba tenso y de que lo que me había parecido laconismo era tan solo fatiga—. Nadie va a robársela.

Me acompañó a una sala amplia revestida de madera. Delante de la hoguera, en la que ardía una pila de leños, había un sillón de piel estilo Chesterfield algo gastado. La alfombra era persa y, aunque vieja, todavía bonita. Alrededor se veían las tablas del suelo, barnizadas en tono oscuro. La estancia desprendía un agradable olor a pino y a humo de leña.

—Por favor, siéntese. Le diré al doctor Maitland que ha venido. ¿Le apetece una taza de té?

Otro indicio de que ya no estaba en la ciudad. Allí me habrían ofrecido café. Le di las gracias y, cuando se marchó, me quedé mirando el fuego. Después del frío, el calor me estaba adormeciendo. Fuera había oscurecido por completo y la lluvia repiqueteaba en los cristales de las ventanas, de estilo francés. El Chesterfield era blando y cómodo. Noté que los párpados se me empezaban a cerrar y, justo cuando estaba a punto de cabecear, me levanté con un movimiento repentino. De pronto me sentía exhausto, estaba agotado tanto física como mentalmente, pero el miedo a quedarme dormido era aún mayor.

Seguía de pie frente al fuego cuando la mujer regresó.

—¿Quiere pasar? El doctor Maitland está en el estudio.

La seguí a través del vestíbulo; nuestros pasos hacían crujir el suelo de madera. Llamó con suavidad a la puerta del fondo y la abrió haciendo un gesto rutinario, sin esperar respuesta. Una vez más, sonrió mientras retrocedía para dejarme pasar.

—Enseguida traigo el té —dijo cerrando la puerta.

Dentro había un hombre sentado a una mesa. Nos quedamos mirándonos durante unos instantes. Incluso sentado se adivinaba que era alto y de constitución robusta; en la cara se le marcaban unas profundas líneas de expresión y la espesa cabellera era más blanca que gris. Las cejas negras excluían cualquier atisbo de debilidad y los ojos tenían una mirada aguda y atenta. Se posaron sobre mí, y noté algo que no supe cómo describir. Por primera vez me turbaba el hecho de no encontrarme en las mejores condiciones.

—¡Por Dios bendito, está usted empapado! —tronó con voz áspera aunque amistosa.

—He venido caminando desde la estación. No había taxis.

Resopló y dijo:

—Bienvenido al maravilloso Manham. Debió avisarme de que llegaba un día antes, habría hecho que fueran a buscarlo a la estación.

—¿Un día antes? —repetí.

—Eso he dicho. No lo esperaba hasta mañana.

En ese momento entendí por qué todas las tiendas estaban cerradas. Era domingo. No me había percatado de hasta qué punto se me había atrofiado la percepción del tiempo. Él fingió no darse cuenta del embarazo que me provocaba la confusión.

—No importa, el caso es que está aquí. Así tendrá más tiempo para instalarse. Me llamo Henry Maitland. Encantado de conocerlo.

Me tendió la mano sin levantarse. Fue entonces cuando reparé en que estaba sentado en una silla de ruedas. Me adelanté para estrecharle la mano, pero no tan rápido como para que él no se percatara de mi titubeo y esbozara una sonrisa irónica.

—Ahora ya sabe por qué puse el anuncio.

Se refería al que había publicado en las páginas de clasificados de *The Times*, un anuncio pequeño que habría sido fácil pasar por alto. Sin embargo, por alguna razón, mi mirada fue a caer directamente sobre él. Un médico rural buscaba médico generalista para contrato temporal. Seis meses, alojamiento incluido. Lo que me atrajo, más que nada, fue el lugar. No ardía precisamente en deseos de irme a trabajar a Norfolk, pero era la ocasión para salir de Londres. Contesté sin mucha esperanza ni entusiasmo, de modo que cuando, a la semana siguiente, me llegó la carta, yo esperaba una cordial negativa. En cambio, me encontré con que me ofrecía el puesto. Tuve que leer la carta dos veces para asimilarlo. En otras circunstancias me habría preguntado dónde estaba la trampa. Claro que en otras circunstancias no habría solicitado el puesto.

Escribí a vuelta de correo diciendo que aceptaba.

En ese momento, al ver a mi empleador, me dije que ya era tarde para preguntarme en qué me había metido. Como si leyera mi mente, apoyó las manos en las piernas.

—Accidente de coche —dijo sin incomodidad ni autocompasión—. Puede que con el tiempo recupere un poco de movilidad, pero hasta entonces no puedo valerme por mí mismo. He tenido varios suplentes en el último año y pico, pero ya estoy harto. Una cara distinta todas las semanas; eso no le hace bien a nadie. Pronto se dará cuenta de que por aquí la gente no es muy amante de los cambios. —Alcanzó la pipa y el tabaco que tenía encima de la mesa—. ¿Le molesta que fume?

—No, si no lo hace.

Rió.

–Buena respuesta. Pero yo no soy paciente suyo, no lo olvide.

Hizo una pausa mientras acercaba una cerilla a la cazoleta.

–Bien –dijo mientras aspiraba–. Será un gran cambio para alguien acostumbrado a trabajar en la universidad, ¿no es así? Además, esto no tiene nada que ver con Londres –añadió mirándome por encima de la pipa. Esperé a que preguntara más detalles de mi anterior trabajo, pero no lo hizo–. ¿Ha cambiado de opinión? Ahora es el momento de decirlo.

–No –contesté.

Él asintió satisfecho.

–Estupendo, pues. Por el momento se instalará aquí. Le diré a Janice que le enseñe su cuarto. Tendremos ocasión de hablar mientras cenamos. Puede empezar mañana mismo. La consulta abre a las nueve.

–¿Puedo preguntarle una cosa? –Él me miró enarcando las cejas–. ¿Por qué me ha elegido a mí?

Llevaba tiempo dándole vueltas, aunque tampoco me angustiaba tanto como para renunciar al puesto.

–Parecía adecuado. Tenía buenas calificaciones, excelentes referencias y, además, estaba dispuesto a venir a trabajar en medio de la nada a cambio de una miseria.

–Pensaba que antes me haría una entrevista.

Hizo un gesto negativo con la pipa que lo dejó envuelto en humo.

–Las entrevistas llevan tiempo. Yo quería a alguien que pudiera empezar lo antes posible. Me fío de mi intuición.

Hablaba con una confianza que encontré tranquilizadora. No fue hasta mucho después, cuando ya no había duda de que me quedaría, que, entre risas y whiskies de malta, admitió que yo había sido el único candidato.

Pero en ese momento, algo tan obvio ni siquiera se me había pasado por la cabeza.

–Le dije que no tenía mucha experiencia como médico generalista. ¿Cómo sabe que estoy capacitado?

—¿Usted cree que lo está?

Me tomé un tiempo antes de contestar; en realidad todavía no me lo había planteado seriamente. Había emprendido el viaje sin pensarlo mucho. Quería escapar de un lugar y una gente cuya presencia se me hacía demasiado dolorosa. Volví a pensar en mi aspecto. Un día antes y empapado como una esponja. «¿Es que no te queda ni una pizca de sentido común?»

—Sí —dije.

—Entonces ya está —dijo con severidad, aunque no sin cierta satisfacción—. Además, solo es un trabajo temporal. Y yo lo supervisaré.

Apretó un botón de la mesa. Se oyó un timbre a lo lejos, en alguna parte de la casa.

—Normalmente la cena es a las ocho, siempre y cuando los pacientes lo permitan. Puede descansar hasta entonces. ¿Ha traído su equipaje o lo ha mandado enviar?

—Lo he traído conmigo. Lo he dejado con su esposa.

Hizo un gesto de sorpresa y sonrió con una turbación inesperada.

—Janice es el ama de llaves —dijo—. Soy viudo.

El calor de la habitación pareció replegarse sobre mí. Haciendo un gesto de asentimiento, dije:

—Yo también.

Así fue cómo me convertí en el médico de Manham. Tres años después fui uno de los primeros en oír lo que los hermanos Yates habían descubierto en el bosque de Farnham. Como es natural, nadie sabía de quién podía tratarse, por lo menos en ese momento. Dado su estado, los muchachos no eran capaces de decir si el cuerpo pertenecía a un hombre o a una mujer. Ya en su casa, ni siquiera estaban seguros de si estaba desnudo o no. En determinado momento, Sam llegó a asegurar que tenía alas, pero luego empezó a dudar y calló; en el rostro de Neil no había expresión alguna. Fuera lo que fuese, no se parecía a nada con lo que pudieran establecer una semejanza y el recuerdo empezaba a difuminarse. Lo único en lo que estaban de acuerdo era en que era humano y estaba muerto. A pesar de que su descripción de la riada de gusanos apuntaba la presencia de heridas, conocía muy bien las tretas que emplea la muerte. No había motivos para pensar lo peor.

No en ese momento.

Por eso parecía tan extraña la convicción de la madre de los muchachos. Linda Yates estaba sentada en el pequeño salón de su casa rodeando con un brazo al hijo menor, quien, acurrucado a su lado, miraba la televisión sin verla. El padre, que era granjero, todavía estaba trabajando. Me había llamado en cuanto los niños habían vuelto a casa, agitados y jadeantes. Aunque era domingo por la tarde, en un lugar tan pequeño y aislado como Manham uno nunca está fuera de servicio.

La policía no había llegado todavía. Estaba claro que no veían motivos para apresurarse, pero yo me sentí en el deber de quedarme. Le había suministrado a Sam un sedante, tan suave casi como un placebo, y contra mi voluntad había escuchado la historia de boca de su hermano. Había intentado no oírle. Sabía muy bien qué debían de haber visto.

Y no hacía ninguna falta que nadie me lo recordara.

La ventana del salón estaba abierta de par en par, pero por la habitación no corría ni un soplo de aire. Fuera había una luz deslumbrante, casi blanquecina a aquella hora de la tarde.

—Es Sally Palmer —dijo Linda Yates sin motivo aparente.

La miré sorprendido. Sally Palmer vivía sola en una pequeña granja a la entrada del pueblo. Era una mujer atractiva, en la treintena; había llegado a Manham unos años antes que yo tras heredar la granja de su tío. Todavía tenía unas cuantas cabras, y los lazos de sangre con el pueblo la hacían menos extraña de lo que habría sido en otras circunstancias; desde luego, menos que yo, incluso después de tres años. No obstante, el hecho de ganarse la vida escribiendo la hacía distinta, y suscitaba entre sus vecinos una mezcla de temor y desconfianza.

Que yo supiera, nadie la había echado en falta.

—¿Qué le hace pensar eso?

—Porque he soñado con ella.

No era la respuesta que esperaba. Miré a los niños. Sam estaba más tranquilo y parecía ausente, pero Neil miraba a su madre y yo pensé que cualquier cosa que dijéramos daría la vuelta al pueblo en cuanto el muchacho saliera de casa. La madre interpretó mi silencio como escepticismo.

—Estaba llorando en una parada de autobús. Yo le preguntaba qué había pasado, pero ella no decía nada. Entonces miré a la carretera y, cuando me di la vuelta otra vez, había desaparecido.

No sabía qué decir.

—Si soñamos, es por algo —continuó—. Y ahora ha pasado esto.

—Por favor, Linda, todavía no sabemos quién es. Podría ser cualquiera.

Me miró dando a entender que me equivocaba, pero que no tenía intención de discutir. Fue un alivio oír los golpes en la puerta que anunciaban la llegada de la policía.

Eran dos, ejemplo ambos del típico policía rural. El mayor de ellos era rubicundo y de vez en cuando subrayaba sus palabras con un jovial guiño de ojos, cosa que, dada la situación, parecía fuera de lugar.

—O sea que creéis que habéis encontrado un cuerpo, ¿verdad? —preguntó con voz alegre, lanzándome una mirada como si acabara de contar un chiste que escapase a la comprensión de los niños.

Sam seguía acurrucado junto a su madre, pero Neil respondía entre murmullos, intimidado por la presencia en su casa de aquella pareja de hombres uniformados.

Al poco rato, el agente cerró el bloc de notas.

—Bien, será mejor que vayamos a echarle un vistazo. A ver, chicos, ¿quién nos acompaña?

Sam escondió la cabeza en el regazo de su madre. Neil no dijo nada, pero palideció. Hablar era una cosa. Volver allí, otra. La madre se giró hacia mí con cara de preocupación.

—No creo que sea una buena idea —dije.

De hecho me parecía pésima, pero había tenido bastante trato con la policía como para saber que la diplomacia suele ser preferible a la confrontación.

—¿Y cómo vamos a encontrarlo si ninguno de los dos conoce la zona? —preguntó.

—En el coche tengo un mapa. Les indicaré cómo llegar.

El agente no disimuló su disconformidad. Salimos, entornando los ojos por el repentino resplandor. La casa estaba al final de una fila de pequeñas casas de piedra y teníamos los coches aparcados en la misma calle. Saqué el mapa de mi Land Rover y lo desplegué sobre el capó. La superficie metálica estaba caliente por el sol.

—Queda a unos cuatro kilómetros y medio. Hay que ir en coche hasta aquí y luego seguir a pie por los pantanos hasta el bosque. Por lo que dicen, el cuerpo tiene que estar por aquí.

Señalé una zona del mapa.

—Tengo una idea mejor. Si no quiere que nos acompañen los chicos, ¿por qué no nos lleva usted? —gruñó el policía forzando una sonrisa—. Parece conocer el terreno.

Por su cara vi que no me dejaría alternativa, así que les dije que me siguieran y arrancamos. El habitáculo del viejo Land Rover olía a plástico caliente. Bajé el cristal de las ventanillas cuanto pude. El volante me quemaba las manos. Cuando vi que tenía los nudillos blancos hice un esfuerzo por relajarme.

La carretera era estrecha y sinuosa, pero no íbamos lejos. Aparqué en un semicírculo de tierra lleno de rodadas, dejando la puerta del acompañante a poca distancia de los setos. El coche patrulla se detuvo detrás de mí. La pareja de agentes se apeó y el mayor se subió los pantalones por encima de la barriga. El más joven, quemado por el sol y con la piel irritada tras el afeitado, se quedó detrás.

—Hay una pista que atraviesa el pantano —les dije—. Los acompañaré hasta el bosque, luego no tienen más que seguirla. Ha de estar a un centenar de metros.

El mayor se enjugó el sudor de la frente. Las axilas de su camisa blanca estaban húmedas y desprendían un olor acre. Miró hacia el bosque distante con los ojos entrecerrados y sacudió la cabeza.

–Hace demasiado calor. ¿No quiere enseñarnos dónde cree usted que es?

Su tono era entre serio y burlón.

–Una vez en el bosque su intuición es tan buena como la mía –dije–. Basta con buscar los gusanos.

El joven se echó a reír, pero dejó de hacerlo cuando el otro le lanzó una mirada torva.

–¿De todos modos no debería encargarse un equipo de forenses? –pregunté.

–No creo que les haga mucha gracia que los molestemos por un ciervo putrefacto –bramó–. Porque siempre acaba siendo algo así.

–Los chicos no opinan lo mismo.

–Entonces supongo que lo mejor será que lo vea por mí mismo, si no le importa. –Y, girándose hacia su compañero, añadió–: Vamos, acabemos de una vez.

Pasaron por una abertura entre los setos y echaron a andar en dirección al bosque. No me habían pedido que esperara y yo no veía necesidad de quedarme allí. Los había llevado hasta el lugar; el resto era asunto suyo.

Sin embargo, no me marché. Volví al Land Rover y saqué una botella de agua de debajo del asiento. Estaba tibia, pero tenía la boca seca. Me puse las gafas de sol y, mirando hacia el bosque al que se dirigían los agentes, me apoyé en el guardabarros lleno de polvo. El pantano los ocultaba a mi vista. El calor hacía que el aire pareciera vaporoso, metálico, y no dejaba de oírse el zumbar de los insectos. Pasaron un par de libélulas. Di otro trago de agua y miré el reloj. Ese día no tenía consulta, pero había cosas mejores que hacer que quedarse en un arcén esperando a ver qué encontraban ese par de policías. Probablemente tuvieran razón y lo que los niños habían visto fuera tan solo un animal muerto. La imaginación y el miedo habrían hecho lo demás.

Aun así, no me marché.

Poco después vi regresar a los dos hombres. Sus camisas blancas destacaban en medio del color verde amarillento de la hierba. Antes de que llegaran advertí que estaban pálidos. El más joven lucía una mancha de vómito todavía fresca, pero no parecía haberse dado cuenta. Sin decir nada, le tendí la botella de agua. La cogió mirándome agradecido.

El mayor no se atrevía a mirarme.

—No había ni una señal dentro del maldito bosque —masculló dirigiéndose al coche.

Intentaba mostrarse bronco como antes, pero no lo conseguía.

—Entonces no era un ciervo —dije.

Él clavó en mí una mirada sombría.

—Creo que ya no lo necesitamos.

Esperó a que me subiera al Land Rover para llamar. Cuando arranqué tenía la radio en la mano. El otro agente se miraba los pies con la botella de agua colgando de la mano.

Volví a la consulta. Mil pensamientos bullían en mi mente, pero había levantado un muro que los mantenía a raya como moscas atrapadas tras una malla. Me esforzaba por no pensar en nada, pero las moscas murmuraban su mensaje en mi subconsciente. Llegué al desvío que había de llevarme al pueblo y a la consulta. Me disponía a poner el intermitente, pero no llegué a hacerlo. Sin pensarlo siquiera, tomé una decisión que alteraría el rumbo de las semanas siguientes, una decisión que cambiaría mi vida y la de otras personas.

Seguí adelante. Hacia la granja de Sally Palmer.

3

La granja estaba rodeada de árboles por un lado y de marjales por el otro. El Land Rover avanzaba por la accidentada pista que llevaba a la casa levantando una polvareda tras de sí. Aparqué en unos adoquines que eran todo cuanto quedaba del patio y salí del coche. Había un granero de metal corrugado que brillaba al sol. La granja propiamente dicha era blanca y, aunque la pintura estaba ya algo sucia y desconchada, el reflejo de la luz todavía deslumbraba. A cada lado de la puerta principal había unas jardineras de color verde, la única nota de color en medio de tanta claridad.

Normalmente, cuando Sally estaba en casa, Bess, su border collie, se ponía a ladrar antes de que diera tiempo a llamar a la puerta. Ese día no hubo ladridos. Tampoco se veía signo alguno de vida a través de las ventanas, pero eso no tenía por qué querer decir nada. Me acerqué a la puerta y llamé. Una vez ahí, el motivo de mi visita empezó a parecerme francamente estúpido. Miré hacia el horizonte mientras esperaba, intentando pensar qué podía decir si me abría. Se me ocurrió que siempre podía contarle la verdad, solo que entonces quedaría como un supersticioso, como Linda Yates. Además, podía ser que me malinterpretara y creyera que mi visita obedecía a algo más que a esa molesta inquietud a la que no encontraba explicación.

Sally y yo habíamos tenido, si bien no una historia, sí algo más que una relación entre conocidos. Durante una temporada nos habíamos visto con frecuencia, aunque en realidad nada tenía de extraño: ambos éramos forasteros trasplantados de Londres, y como tales compartíamos nuestro pasado en la metrópoli. Además, tenía mi edad y era de esa clase de personas con las que no cuesta hacer migas. Y era atractiva. Me lo había pasado bastante bien las pocas veces que nos habíamos visto en el pub para tomar algo.

Pero la cosa no había ido a mayores. Cuando empecé a notar que tal vez esperaba algo más de mí, me distancié. Al principio pareció sorprendida, pero como nunca se había presentado la ocasión de dar un paso más allá, no hubo rencores ni situaciones incómodas. Cuando coincidíamos en alguna parte intercambiábamos unas palabras, pero eso era todo.

Yo ponía mucho cuidado en no pasar de ahí.

Volví a llamar a la puerta. Recuerdo que hasta sentí alivio al ver que no abría. Parecía claro que no estaba en casa, lo que me ahorraba tener que dar explicaciones por la visita. Y es que ni yo mismo sabía a qué había ido. No era supersticioso y, a diferencia de Linda Yates, no creía en las premoniciones. Aunque ella no había dicho que se tratara exactamente de una premonición. Solo un sueño. Y yo sabía muy bien cuán sugerentes pueden ser los sueños. Sugerentes y engañosos.

Me aparté de la puerta y de los derroteros que empezaban a seguir mis pensamientos. Era perfectamente normal que no estuviera en casa, pensé, molesto conmigo mismo. ¿Qué demonios me habría pasado por la cabeza? Que un excursionista o un observador de aves hubiera muerto no era motivo para dejar volar la imaginación.

Estaba a punto de subir al Land Rover cuando me detuve. Había algo que me inquietaba, pero hasta que me di la vuelta no supe qué era. Tardé unos instantes en darme cuenta. Las jardineras. Las plantas estaban marrones y muertas.

Sally jamás las habría dejado en ese estado.

Me acerqué y vi que la tierra de las jardineras estaba dura y seca. Nadie las había regado en días. Tal vez meses. Golpeé en la puerta y la llamé por el nombre. Al no obtener respuesta, probé el picaporte.

No estaba cerrada con llave. Quizá hubiera perdido la costumbre desde que vivía allí, pero ella era de ciudad, como yo, y hay costumbres que nunca se pierden. Intenté abrir pero la puerta se quedó trabada en el montón de sobres que había del otro lado. Cuando entré y pasé por encima de ellos para ir a la cocina, se desmoronaron como una avalancha en miniatura. Todo estaba tal como recordaba: paredes de alegre color limón, muebles rústicos y algún que otro detalle que delataba que no había logrado deshacerse totalmente del influjo urbano, como el exprimidor eléctrico, la cafetera de acero inoxidable y el botellero bien surtido de vino.

Aparte del montón de correo, no se veía nada extraño. Se percibía, no obstante, cierto olor a humedad, a espacio cerrado, unido a un olor dulzón, como de fruta picada, procedente de una vasija de barro colocada sobre el viejo aparador de pino, un *memento mori* en versión bodegón con plátanos, manzanas y naranjas cubiertas de moho. Del jarrón de encima de la mesa colgaban unas flores muertas e irreconocibles. Junto a la pila había un cajón abierto, como si Sally se hubiera visto sorprendida en el acto de coger algo de dentro. Tuve el impulso de cerrarlo, pero lo dejé tal como estaba.

Quizá se hubiera tomado unas vacaciones, me dije a mí mismo. O quizá había estado demasiado ocupada para preocuparse de tirar la fruta podrida y las flores. Había muchas explicaciones posibles, pero creo que en ese momento, como Linda Yates, yo sabía ya la verdad.

Se me ocurrió examinar el resto de la casa, pero preferí no hacerlo. Empezaba a verla como potencial escenario de un crimen y no iba a ser yo quien contaminara posibles pruebas. Volví afuera. Sally guardaba las cabras en un cercado en la parte trasera, y me bastó un vistazo para darme cuenta de que algo grave había ocurrido. Las pocas que seguían en pie presentaban un aspecto escuálido y débil, y la mayoría estaban tendidas boca abajo inconscientes o muertas. Habían acabado prácticamente con la hierba del cercado, y cuando fui a ver el abrevadero me lo encontré seco. Tirada en el suelo estaba la manguera que por lo visto servía para llenarlo. La introduje en el abrevadero y reseguí el tubo hasta el grifo. Cuando el agua empezó a manar, un par de cabras se acercaron tambaleándose y se pusieron a beber.

En cuanto llamara a la policía, haría venir al veterinario. Saqué el teléfono, pero no daba señal. En Manham la cobertura era algo irregular, lo que hacía que los teléfonos móviles fueran impredecibles en el mejor de los casos. Me alejé del cercado y vi que volvían a aparecer las barritas de la cobertura. Me disponía a llamar cuando me fijé en que detrás de un arado medio oxidado había un pequeño bulto oscuro. Fui a ver qué era. Estaba tenso porque, extrañamente, creía saber de qué se trataba.

El cuerpo de Bess, el border collie de Sally, yacía sobre la hierba seca. Parecía encogido y tenía el pelo sucio y apelmazado. Espanté a las moscas que se habían acercado a inspeccionar mi carne fresca y me di la vuelta no sin antes ver que el perro tenía la cabeza casi cortada.

El calor pareció intensificarse de repente. Sin darme cuenta, las piernas me llevaron hasta el Land Rover. Resistí la necesidad que sentía de arrancar y marcharme. En vez de ello, volví a sacar el teléfono. Mientras esperaba a que la policía respondiera a mi llamada, miré hacia el bosque del que acababa de llegar.

«Otra vez no. Aquí no.»

Oí una vocecita al otro lado del teléfono. Contesté dando la espalda al bosque y a la casa.

—Quiero denunciar una desaparición —dije.

El inspector de policía era un tipo achaparrado y de apariencia agresiva llamado Mackenzie. Debía de ser un año o dos mayor que yo, pero lo primero que me llamó la atención fueron sus hombros inusualmente anchos. En comparación con ellos, la parte inferior del cuerpo parecía desproporcionada: sus cortas piernas terminaban en unos pies ridículamente minúsculos. Si no hubiese sido por el desigual perfil de la barriga, diríase que se trataba de un levantador de pesas de dibujos animados. Por lo demás, su aspecto intemperante hacía imposible no tomarlo en serio.

Esperé junto al coche mientras Mackenzie y un sargento de paisano inspeccionaban el perro. Procedían sin prisa, casi con despreocupación, aunque el hecho de que se hubiera personado el inspector jefe del equipo de investigación en vez de un agente de uniforme demostraba que se tomaban el asunto en serio. Volvió a mi lado cuando el sargento entraba en la casa a examinar las habitaciones.

—Explíqueme otra vez por qué ha venido.

Olía a loción de afeitado y a sudor; también a menta, pero menos. Sus escasos cabellos rojizos dejaban entrever un cuero cabelludo quemado por el sol, pero si sentía alguna molestia, no se le notaba.

—Pasaba por aquí. Se me ocurrió acercarme a saludar.

—¿Una visita de cortesía?

—Quería ver qué tal estaba.

No tenía ninguna intención de mezclar a Linda Yates a menos que fuera necesario. Como médico, tenía que suponer que si me había contado aquello, era porque confiaba en el secreto profesional; de todos modos no creo que un policía diera gran importancia a un sueño. Yo mismo no debería haberme dejado llevar por esa confidencia. Solo que, fundada o no, el caso era que Sally no estaba allí.

—¿Cuándo vio por última vez a la señorita Palmer?

Pensé un poco.

—Hará unas dos semanas.

—¿Puede ser un poco más preciso?

—Recuerdo haberla visto en la barbacoa de verano del pub hace un par de semanas.

—¿Fue con usted?

—No. Pero estuvimos charlando.

No mucho. «Hola, ¿qué tal? Bien, nos vemos.» Nada significativo, pese a ser sus últimas palabras. Si es que lo eran, rectifiqué para mis adentros. Aunque ya no me cabía duda.

—De modo que no la había visto desde entonces y hoy se le ha ocurrido pasar a saludarla.

—He oído que han encontrado un cuerpo. Quería asegurarme de que estaba bien.

—¿Por qué está tan seguro de que el cuerpo pertenece a una mujer?

—No lo estoy. Simplemente he pensado que no perdía nada por venir a ver cómo estaba Sally.

—¿Qué relación tienen?

—De amigos, supongo.

—¿Íntimos?

—No exactamente.

—¿Se acuesta con ella?

—No.

—¿Y en el pasado?

Estuve tentado de decirle que no era asunto suyo, pero en realidad sí que lo era. El derecho a la intimidad no cuenta gran cosa en este tipo de situaciones, y eso yo lo sabía muy bien.

—No.

Se quedó mirándome sin decir nada. Yo le aguanté la mirada. Acabó sacándose del bolsillo un paquete de grageas de menta. Se introdujo una en la boca con gesto parsimonioso y entonces me fijé en que tenía un extraño lunar en el cuello.

Se guardó las grageas sin ofrecerme ninguna.

—De modo que no tenían relaciones. Buenos amigos y punto, ¿no?

—Nos conocíamos, eso es todo.

—Y aun así se ha sentido en la obligación de pasar por aquí a ver si estaba bien. Nadie más lo ha hecho.

—Ella vive aquí sola. Está bastante aislada, incluso tratándose de un pueblo como este.

—¿Por qué no ha telefoneado?

La pregunta me cogió desprevenido.

—No se me ha ocurrido.

—¿Ella tiene móvil?

Le dije que sí.

—¿Tiene su número?

Lo tenía en la memoria del teléfono. Lo busqué aun a sabiendas de cuál sería la siguiente pregunta y sintiéndome como un estúpido por no habérseme ocurrido a mí.

—¿Llamo? —propuse, antes de que pudiera decir nada.

—¿Por qué no?

Podía sentir su mirada mientras esperaba la conexión. Me pregunté qué podía decir en caso de que contestara. Aunque estaba seguro de que no contestaría.

En ese momento se abrió la ventana del dormitorio y se asomó el sargento.

—Señor, hay un bolso con un teléfono que suena.

Desde donde estábamos se oía un débil sonido electrónico. Colgué. Dentro, dejó de oírse el tono de llamada. Mackenzie le hizo una señal con la cabeza al sargento.

—No pasa nada, éramos nosotros. Sigue con lo tuyo.

El sargento desapareció y Mackenzie se frotó la barbilla.

—Eso no prueba nada —dijo.

Yo no contesté.

—Por Dios, qué asco de calor —continuó, dando un suspiro. Era la primera señal de fastidio que daba—. Venga, apartémonos del sol.

Nos pusimos a la sombra de la casa.

—¿Sabe si la señorita Palmer tiene familia? —preguntó—. ¿Alguien que pueda saber dónde está?

—No estoy seguro. Sé que heredó la casa, pero que yo sepa no tiene más familia en la zona.

—¿Y amigos? Aparte de usted.

Tal vez era una pregunta con trampa, pero era difícil decirlo.

—Conocía a gente del pueblo. Pero no sé exactamente a quién.

—¿Algún novio? —preguntó, atento a mi reacción.

—Eso no lo sé. Lo siento.

Miró el reloj y soltó un gruñido.

—¿Y ahora qué? —pregunté—. ¿Comprobarán si el ADN del cuerpo encaja con el que encuentren en la casa?

—Parece saber mucho sobre el tema —dijo mirándome fijamente.

Noté que me ruborizaba.

—En realidad no.

Fue un alivio que no siguiera preguntando.

—De todos modos todavía no sabemos si esto es el escenario de un crimen. Lo único que tenemos es una mujer que podría estar desaparecida o podría no estarlo. No hay nada que la relacione con el cuerpo que han encontrado.

—¿Y qué pasa con el perro?

—Podría haberlo matado otro animal.

—Por lo que he podido ver, la herida que tiene en el cuello parece un corte, no un mordisco. Ha sido hecho con un objeto cortante.

Volvió a mirarme con atención y me maldije por haber hablado más de la cuenta. Allí yo era un médico. Nada más.

—Veremos qué dicen los forenses —replicó—. Pero aunque lo sea, podría haberlo matado ella misma.

—No lo dirá en serio.

Me pareció que iba a contestar algo enseguida, pero luego lo reconsideró.

—No, no lo digo en serio. Pero tampoco voy a aventurar conclusiones.

La puerta de la casa se abrió y apareció el sargento haciendo un gesto negativo con la cabeza.

—Nada. Pero las luces del vestíbulo y el salón estaban encendidas.

Mackenzie asintió como si lo hubiera estado esperando de antemano.

—No queremos entretenerlo más, doctor Hunter —dijo girándose hacia mí—. Mandaré a alguien para que le tome declaración. Y le agradecería que no hablase de esto con nadie.

—Por supuesto que no.

El simple hecho de que lo insinuara me ofendía, pero intenté que no se me notara. Luego se puso a hablar con el sargento y aproveché para darme la vuelta, pero no llegué a marcharme.

—Solo una cosa —dije. Mackenzie se giró y me miró con impaciencia—. Es ese lunar que tiene en el cuello. Posiblemente no sea nada, pero no estaría de más echarle un vistazo.

Dicho eso, me dirigí al coche y ellos se quedaron observándome.

Durante el camino de vuelta estuve totalmente absorto. La carretera atravesaba Manham Water, un lago poco profundo (o *broad,* como los llaman en la región) que cada año cedía algo más de terreno a los cañaverales. Sus aguas estaban quietas como un espejo, hendidas tan solo por el vuelo de las ocas que se posaban en ellas. Ni el lago ni los arroyos y acequias que cortaban los marjales eran navegables y, como cerca de Manham no había ningún río, los barcos y turistas que visitaban el resto de los Broads en verano ni siquiera se acercaban por el pueblo. Aunque distaba solo unos pocos kilómetros de sus vecinos, parecía pertenecer a otra parte de Norfolk, más vieja y menos acogedora. Los bosques, ciénagas y marjales mal drenados que lo rodeaban convertían el lugar en un auténtico páramo, tanto en sentido literal como figurado. Aparte de algún observador de aves ocasional, el pueblo estaba abandonado a su suerte, hundiéndose cada día un poco más en su aislamiento como un viejo misántropo.

En contra de lo acostumbrado, esa tarde la luz del sol daba a Manham un aspecto casi alegre. Los parterres de la iglesia y el prado eran como puñetazos de color y su brillo resultaba incluso molesto. Eran uno de los pocos motivos de orgullo del pueblo, y el viejo George Mason y su nieto Tom, los dos jardineros con los que me había encontrado a mi llegada, los cuidaban con mucho escrúpulo. Hasta la Piedra de la Mártir, en la linde del prado, había sido ornada con guirnaldas de flores por los niños de la escuela. Todos los años se decoraba la vieja piedra en la que se supone que en el siglo XVI una mujer fue lapidada hasta la muerte por sus vecinos. Cuenta la leyenda que había curado a un niño con parálisis y que por ello fue acusada de brujería. Henry bromeaba diciendo que solo en Manham podía martirizarse a alguien por hacer una buena acción y que debía servirnos de ejemplo a ambos.

No me apetecía volver a casa, así que me fui a la consulta. Iba a menudo, aun cuando no hubiera necesidad. A veces en casa me sentía solo; en la consulta, en cambio, y a falta de otra cosa, siempre tenía el consuelo del trabajo. Entré por la puerta trasera que conducía a la pequeña clínica. Una galería llena de plantas que Janice cuidaba con fruición hacía las veces de recepción y sala de espera, aunque el ambiente que se respiraba era cargado y húmedo. Parte de la planta baja comprendía las dependencias privadas de Henry, pero estaban al otro lado de la casa, que era lo bastante grande para que cupiéramos todos. Yo ocupaba ahora su viejo gabinete y, cuando me encerraba en él, el olor a madera antigua y a cera tenían en mí un efecto sedante. Pese a haber trabajado en el gabinete casi cada día desde mi llegada, la huella de Henry seguía siendo más palpable que la mía a causa del cuadro con la escena de caza, el escritorio de tapa corrediza y el sillón de piel estilo capitán. Sus viejos libros y revistas de medicina llenaban los anaqueles, pero también había lecturas menos propias de un médico rural: volúmenes de Kant, de Nietzsche y una balda entera ocupada por libros de psicología, uno de los pasatiempos de Henry. Mi única aportación al gabinete era la pantalla de ordenador de encima del escritorio, una innovación a la que Henry había accedido a regañadientes tras meses de intentar convencerlo.

La lesión nunca lo dejó reincorporarse plenamente al trabajo. Al igual que la silla de ruedas, mi contrato había ido adquiriendo carácter de permanencia con el tiempo. Al principio lo renovó, pero cuando fue consciente de que no volvería a ejercer en solitario, lo cambió por un contrato de asociación. Incluso el Land Rover Defender que conducía había sido suyo. Era un viejo todoterreno automático, adquirido tras el accidente de coche que lo había dejado parapléjico y había matado a su mujer, Diana. Su compra había sido una forma de reafirmarse cuando todavía vivía con la esperanza de volver a conducir… y caminar. Pero la esperanza no se cumplió. Ni se cumpliría, en opinión de los médicos.

—Imbéciles. Les dan una bata blanca y se creen Dios —solía decir en tono de mofa.

Al final, sin embargo, incluso Henry tuvo que darles la razón. Así fue cómo me quedé no solo con el Land Rover sino también con su parte del trabajo. Al comienzo nos repartíamos las tareas a partes más o menos iguales, pero cada vez tenía que delegar más cosas en mí. Eso no evitaba que a ojos de los pacientes él siguiera siendo «el doctor de verdad», pero pronto dejó de importarme. Para la gente de Manham yo era todavía un recién llegado, y tal vez lo sería siempre.

Intenté visitar unas páginas web sobre medicina, pero hacía demasiado calor y no conseguía concentrarme. Me levanté y abrí las ventanas. El ventilador de la mesa runruneaba, removiendo el aire espeso sin enfriarlo. Incluso con las ventanas abiertas, la diferencia era puramente psicológica. Me quedé mirando el jardín. Estaba reseco, como todo; los arbustos y la hierba estaban visiblemente marchitos. El lago llegaba hasta el borde del jardín, separado de él tan solo por un muro de contención incapaz de retener las inevitables crecidas del invierno. Amarrado a un pequeño embarcadero estaba el viejo bote de Henry. No era más que un bote de remos, pero era todo cuanto permitía la poca profundidad de Manham Water. No era el Solent precisamente, y de hecho algunas zonas no eran lo bastante profundas o tenían demasiados juncos para ser practicables, pero a ambos nos gustaba salir a navegar.

Sin embargo, ese no era un buen día para izar velas. Las aguas del lago no se movían lo más mínimo. Desde donde yo me encontraba, solo se veía un distante grupo de juncos que separaban el agua del cielo. Todo lo demás era agua y ausencia, un vacío que, según el estado de ánimo, podía resultar relajante o desolador.

Ese día no me parecía en absoluto relajante.

—Creí haberte oído.

Me di la vuelta y vi a Henry entrando en la estancia impulsándose con la silla de ruedas.

—Estaba arreglando un par de cosas —dije volviendo a poner mis pensamientos en orden.

—Esto parece un horno —murmuró mientras se detenía delante del ventilador.

De no ser porque no podía valerse de las piernas, era la viva imagen de la salud: pelo blanco, rostro moreno y ojos vivos y oscuros.

—¿Qué es eso de que los Yates han encontrado un cadáver? Janice no hablaba de otra cosa a la hora del almuerzo.

Por lo común, los domingos Janice servía lo mismo que se hubiera cocinado para ella. Henry insistía en que era capaz de prepararse el almuerzo de los domingos él solo, pero la verdad es que no ponía mucho empeño por su parte. Janice era una buena cocinera y yo sospechaba que sus sentimientos para con Henry excedían los de una simple ama de llaves. Era soltera y algo me hacía pensar que el poco aprecio que le tenía a la difunta esposa de Henry respondía sobre todo a los celos, aunque más de una vez había insinuado algo acerca de un antiguo escándalo. Yo le había dejado bien claro que no me interesaban los detalles. Aunque el matrimonio de Henry no hubiera sido el idilio que él parecía recordar, no tenía ningún interés en escarbar en las habladurías.

Por lo demás, no me sorprendía que Janice supiera lo del cuerpo. A esas alturas, la noticia debía de ir de boca en boca por medio pueblo.

—Estaba en el bosque de Farnham —dije.

—Un observador de pájaros, seguramente, de esos que van por ahí triscando con la mochila con este calor.

—Seguramente.

Henry enarcó las cejas al oír el tono de mi voz.

—¿Qué insinúas? ¡No me digas que tenemos un asesinato, eso le daría un poco de vida al pueblo! —Su sonrisa desapareció cuando vio que yo no me sumaba a la broma—. Algo me dice que no debería bromear.

Le conté lo de mi visita a la casa de Sally Palmer, con la esperanza de que, al explicárselo, la posibilidad me parecería más remota. Pero no fue así.

—Dios bendito —exclamó Henry cuando terminé—. ¿Y la policía piensa que puede ser ella?

—Ni lo afirman ni lo niegan. Supongo que todavía no pueden saberlo con seguridad.

—Señor, qué desgracia.

—Puede que no sea ella.

—Claro, puede que no —admitió, aunque pude ver que sus esperanzas eran tantas como las mías—. En fin, no sé tú, pero yo necesito un trago.

—Ahora no, gracias.

—¿Te reservas para el Lamb?

El Black Lamb era el único pub del pueblo. Iba allí a menudo, pero sabía que esa noche el tema de conversación no sería de mi agrado.

—No, creo que esta noche me quedaré en casa —respondí.

Mi vivienda era una vieja construcción de piedra en las afueras del pueblo. La compré cuando parecía seguro que, después de todo, iba a quedarme algo más de seis meses. Henry me había invitado a quedarme a vivir en su casa, y Dios sabe que en Bank House había espacio para todos. Solo la bodega ya era más grande que mi hogar. Pero necesitaba mudarme a una casa propia para tener la sensación de que podía echar raíces y dejar de sentirme un simple inquilino. Por otra parte, por más que me gustara mi nuevo trabajo, no quería vivir con él a todas horas. A veces me apetecía cerrar la puerta y marcharme con la esperanza de que el teléfono no volviera a sonar, por lo menos durante unas horas.

Ese era uno de esos días. De camino a casa pasé con el coche por delante del sendero de la iglesia, donde un grupo de gente acudía al servicio de vísperas. Scarsdale, el párroco, estaba en la puerta de la iglesia. Era un hombre adusto y entrado en años por el que me costaba mucho fingir aprecio. Llevaba años en el pueblo y contaba con una congregación modesta pero fiel. Levanté la mano para saludar a Judith Sutton, una viuda que vivía con su hijo Rupert, quien pese a ser ya adulto y grande como una mole caminaba siempre dos pasos por detrás de su autoritaria madre, que en ese momento estaba hablando con Lee y Marjory Goodchild, una remilgada pareja de hipocondríacos que se presentaban en la consulta de forma periódica. Por lo visto, creían que podía estar a su servicio las veinticuatro horas del día, y crucé los dedos para que la pareja no me hiciera detener para una consulta informal.

Pero esa tarde no me pararon ni ellos ni nadie. Aparqué en el espacio de tierra reseca junto a mi casa y me metí dentro. Olía un poco a cerrado, así que abrí las ventanas todo lo que daban de sí y saqué una cerveza de la nevera. Puede que no me apeteciera ir al Lamb, pero necesitaba un trago. Lo necesitaba tanto que guardé otra vez la cerveza y me preparé un gin-tonic.

Puse un poco de hielo en el vaso, añadí una rodaja de limón y me lo bebí ante la mesita de madera del jardín trasero. Fijé la mirada en el bosque, del otro lado del campo, y si bien la vista no era tan espectacular como desde la consulta, su efecto tampoco era tan sobrecogedor. Me tomé mi tiempo antes de apurar el gin-tonic y luego me preparé una tortilla que también me comí fuera. Por fin el calor empezaba a remitir. Me quedé sentado a la mesa contemplando cómo el cielo se oscurecía y las estrellas empezaban a aparecer tímidamente. Pensé en qué debía de estar pasando a unos pocos kilómetros de casa, en el trasiego que debía de haber a esas horas en el apacible trozo de bosque en el que los hermanos Yates habían hecho su hallazgo. Intenté imaginarme a Sally Palmer, a salvo y riendo en alguna parte, como si por el hecho de imaginarlo tuviera que hacerse realidad. Sin embargo, algo me borraba su imagen.

Quería postergar el momento de irme a la cama e intentar dormir, así que me quedé ahí hasta que el cielo se hubo vuelto de color índigo, atravesado solo por el brillo de las estrellas que parpadeaban en lo alto, como un improbable mosaico de motas de luz muertas tiempo atrás.

Me desperté sobresaltado, bañado en sudor y jadeando. Miré a mi alrededor, pero no tenía ni idea de dónde estaba. Entonces me di cuenta de que estaba desnudo junto a la ventana abierta del dormitorio, medio asomado y con la repisa clavándoseme en el muslo. Me aparté dando unos pasos inseguros y me senté en la cama.

El revoltijo de sábanas blancas parecía brillar en la oscuridad. Mientras esperaba a que el corazón recuperara su ritmo normal empezaron a secárseme las lágrimas que tenía en las mejillas.

Había vuelto a tener uno de esos sueños.

Había sido de los malos. Como siempre, me había parecido tan real que el despertar parecía la ilusión, y el sueño, la realidad. Eso era lo más perverso. Porque en el sueño, Kara y Alice, mi mujer y mi hija de seis años, estaban vivas. Podía verlas, hablarles y tocarlas. En el sueño podía pensar que todavía teníamos un futuro, no solo un pasado.

Esos sueños me producían pánico. No en el sentido en que se tiene miedo de una pesadilla, porque los sueños en sí no tenían nada de temible. No, al contrario.

Me producían pánico porque tenía que despertarme.

Y entonces el pesar y la ausencia parecían tan cercanos como el primer día. A veces me despertaba en otro lugar. Mi cuerpo sonámbulo se movía sin yo tener conciencia de ello y acababa encontrándome frente a una ventana, como ese día, o en lo alto de una empinada escalera, incapaz de recordar cómo había llegado hasta allí ni a qué impulso inconsciente había obedecido.

Pese al calor empalagoso del aire nocturno, sentí un estremecimiento. Fuera se oían los solitarios aullidos de un zorro. Pasado un rato, me tumbé y me quedé mirando el techo hasta que las sombras se difuminaron y la oscuridad desapareció.

4

La niebla cubría todavía los marjales cuando la joven cerró la puerta tras de sí y salió a correr como cada mañana. Lyn Metcalf corría con paso atlético. El tirón de los gemelos estaba curándose satisfactoriamente, pero de todos modos prefería no forzar y dar pasos largos y suaves. Al cabo de un trecho, dobló por un camino lleno de maleza que atravesaba los marjales en dirección al lago.

Los tallos de hierba, todavía húmeda y fría por el rocío, le rozaban las piernas al correr. Respiró hondo, recreándose en la sensación. Fuera o no lunes por la mañana, no se le ocurría una manera mejor de empezar una nueva semana. Era su momento preferido del día; no debía preocuparse aún por los balances de los granjeros y pequeños empresarios que dependían de su asesoramiento, el día no había perdido todavía su carga de optimismo, la gente no había tenido aún ocasión de estropearlo. Todo estaba fresco y claro, todo se reducía a trotar rítmicamente con los pies sobre la tierra y a respirar con regularidad.

A sus treinta y un años, Lyn estaba orgullosa de su estado físico y de la disciplina con que se mantenía en forma, lo que le permitía lucir figura cuando vestía shorts ajustados y camiseta corta, aunque esto no lo habría admitido nunca delante de nadie. Además, disfrutaba haciendo ejercicio, y eso ayudaba. Disfrutaba retándose, comprobando hasta dónde era capaz de llegar y yendo un paso más allá. Si había algo mejor para empezar el día que calzarse un par de zapatillas y correr unos kilómetros mientras el resto del mundo se sacudía el sueño de encima, ella no lo había descubierto todavía.

«De acuerdo, el sexo, por supuesto.» De todos modos, últimamente había perdido el impulso. No es que hubiese dejado de gustarle; el simple hecho de ver a Marcus duchándose para quitarse de encima el polvo de yeso, con el agua alisando el vello de su cuerpo como el de una nutria, todavía le producía sacudidas en el vientre. Pero cuando lo hacían con alguna finalidad aparte del puro placer, el goce disminuía para ambos. Sobre todo al ver que no producía frutos.

Por el momento.

Pasó por encima de una profunda rodada sin perder el paso, poniendo atención en no alterar el ritmo. «Perder el ritmo –pensó con amargura–. Ojalá.» Cuando de ritmos se trataba, su cuerpo funcionaba con la puntualidad de un reloj. Hasta entonces, todos los meses sin falta llegaba el maldito flujo de sangre, terminaba un ciclo y empezaba otra decepción. Según los médicos, ninguno de los dos tenía ningún problema. Algunas personas necesitan más tiempo que otras; nadie sabe por qué. Su consejo era que siguieran intentándolo. Y eso mismo hacían, al principio con ganas, riéndose de que los médicos les dieran consentimiento para hacer algo que de todos modos les reportaba placer a ambos. Marcus bromeaba diciendo que lo hacía por prescripción facultativa. Pero poco a poco las bromas fueron desapareciendo y su lugar pasó a ocuparlo algo que, si bien no era desesperación –todavía–, llevaba en sí su semilla. Ese sentimiento estaba empezando a invadirlo todo y a contaminar otros aspectos de la relación.

Desde luego ninguno de los dos lo reconocía, pero era algo que estaba ahí. Lyn era consciente de que a Marcus le costaba aceptar que ella ganara más con su pequeña asesoría que él con la construcción. Todavía no había habido reproches, pero tenía miedo de que no tardaran en llegar, tanto por parte de Marcus como por la suya propia. Se habían dicho el uno al otro que no había nada de qué preocuparse, de que no había ninguna prisa, pero llevaban años intentándolo. Cuatro años más y cumpliría treinta y cinco, la que para ella siempre había sido la edad límite. Hizo una suma rápida: «Eso significa otras cuarenta y ocho menstruaciones». Cuarenta y ocho potenciales decepciones. Aunque ese mes las cosas eran distintas. Ese mes la decepción llevaba tres días de retraso.

Reprimió el arrebato de esperanza que empezaba a sentir. Aún era demasiado pronto. Ni siquiera le había dicho a Marcus que no le había llegado el período. No valía la pena darle vanas esperanzas. Esperaría unos días más, luego se haría la prueba. Solo con pensarlo los nervios se le acumulaban en la boca del estómago. «Corre, no pienses», se dijo a sí misma con severidad.

El sol empezaba a levantarse, tiñendo el cielo frente a ella. El camino pasaba junto a un terraplén y atravesaba unos cañaverales en dirección a una oscura arboleda. La niebla se arremolinaba despacio sobre el agua, como si estuviera a punto de arder. El sonido de un pez al saltar rompió el silencio con un chapoteo invisible. Le encantaba todo aquello. Le encantaba el verano y el paisaje. Aunque había nacido allí, había estudiado fuera y había viajado al extranjero, pero siempre había vuelto. El país de Dios, que decía su padre. Ella no creía en Dios, no exactamente, pero sabía lo que quería decir.

Estaba llegando a su parte favorita del recorrido. El camino se desviaba hacia el bosque y Lyn lo siguió. Aminoró un poco el paso a medida que se adentraba en las sombras proyectadas por los árboles. Con tan poca luz no era difícil tropezar con una raíz. La lesión de la pierna se había debido a uno de esos traspiés y se había pasado casi dos meses sin poder correr.

El sol bajo empezaba a atravesar la oscuridad, convirtiendo la bóveda de hojas en una reluciente celosía. El bosque era viejo en esa parte, las enredaderas comprimían los troncos de los árboles y el terreno se volvía traicionero y cenagoso. Los más incautos corrían peligro de perderse en sus profundidades por la maraña de sinuosos senderos que se extendía en todas direcciones. Al principio de mudarse a la casa, Lyn había cometido la imprudencia de explorar uno de ellos durante una de sus carreras matutinas; durante horas estuvo dando vueltas hasta dar por pura casualidad con un ramal que le resultaba familiar. Al volver por fin a casa, había encontrado a Marcus hecho un manojo de nervios, además de bastante enfadado. Desde entonces entraba y salía siempre por el mismo camino.

El punto intermedio en su ruta de nueve kilómetros y medio era un pequeño claro en cuyo centro se levantaba un antiguo monolito. Tal vez en el pasado hubiera formado parte de un crónlech o quizá fuera tan solo un pilar. Nadie sabía más. La hierba y los líquenes lo habían colonizado y su historia y sus secretos llevaban tiempo olvidados pero, con todo, resultaba un buen indicador y Lyn había adquirido la costumbre de pasar la mano por su rugosa superficie antes de emprender el camino de vuelta. No quedaba ya mucho para el claro, unos pocos minutos a lo sumo. Respirando con profundidad y a intervalos regulares, Lyn pensó en el desayuno para obligarse a correr más deprisa.

No sabía con certeza en qué momento había empezado su inquietud. Era más bien como un presentimiento que se iba haciendo palpable, un malestar subliminal que acababa por emerger a la conciencia. De pronto, el bosque parecía sumido en un silencio antinatural. Opresivo. Tanta quietud hacía que sus pasos resonaran con demasiada fuerza sobre el sendero. Intentó apartar ese pensamiento de su cabeza, pero no solo persistió sino que se hizo más intenso. Sentía el impulso de mirar a su alrededor, pero logró reprimirlo. ¿Qué demonios le ocurría? Llevaba dos años haciendo ese trayecto casi a diario y nunca antes la había inquietado nada.

Ese día era distinto. Sentía un picor en la nuca, como si alguien la estuviera observando. «No seas ridícula», se dijo a sí misma, pero la necesidad de volver la vista atrás era cada vez más imperiosa. Mantenía la mirada fija en el camino. El único ser vivo que jamás había visto por ahí había sido un ciervo, pero por alguna razón le parecía que esta vez no se trataba de ningún ciervo. «Porque no se trata de nada en absoluto. No es nada. Es tu imaginación. El período se te ha retrasado tres días y estás empezando a ponerte nerviosa.»

Los temores se alejaron mientras lo pensaba, pero solo por un instante. Lanzó una mirada fugaz que le permitió apenas ver las oscuras ramas y el camino que serpenteaba hasta perderse de vista, y entonces sus pies dieron con algo y tropezó. Conservó el equilibrio gracias a que extendió los brazos para hacer contrapeso, pero el corazón le latía a toda velocidad. «¡Idiota!» Ya estaba delante del claro, un oasis bañado de luz en medio del bosque impenetrable. Apretó el paso, pasó la mano por la superficie rugosa del monolito y dio la vuelta sin detenerse.

Nada. Solo los árboles y sus amenazadoras sombras.

«A ver, ¿qué te esperabas? ¿Duendecillos?» Sin embargo, no abandonó el claro. No se oía ni el trino de los pájaros ni el zumbido de los insectos. El bosque parecía contener la respiración como si meditara en silencio. De repente a Lyn le daba miedo volver a entrar en él, abandonando el santuario del claro para perderse de nuevo entre el follaje. «¿Y qué vas a hacer? ¿Quedarte aquí todo el día?»

Sin darse tiempo para pensar, se apartó del monolito. En cinco minutos volvería a estar fuera del bosque. Campo abierto, agua fresca, cielo azul. Pensó en todo eso, y aunque la inquietud no desapareció, se hizo menos angustiante. El sol estaba subiendo y las sombras empezaban a clarear en el bosque. Justo empezaba a tranquilizarse cuando vio algo en el suelo frente a ella.

Avanzó unos pocos metros. Tirado en medio del sendero, como si de una ofrenda se tratara, había un conejo muerto. No, no era un conejo. Era una liebre, y tenía el pelaje manchado de sangre.

Antes no estaba ahí.

Lyn dio un rápido vistazo a su alrededor, pero los árboles no le dieron ninguna pista de dónde había salido. Pasó por su lado y echó a correr de nuevo. Un zorro, se dijo a sí misma mientras recuperaba el ritmo. Debía de haberlo asustado. Aunque, asustado o no, un zorro nunca habría abandonado a su presa. Además, por su aspecto no daba la impresión de que la liebre hubiera sido abandonada sin más. Por la posición en que estaba parecía...

Parecía intencionado.

Pero eso era una estupidez. Se lo quitó de la cabeza y siguió adelante. Pronto estuvo fuera del bosque, en campo abierto y frente al lago. La inquietud que había sentido momentos antes disminuía a cada zancada. A la luz del día todo aquello se le antojaba absurdo. Vergonzoso, incluso.

Más tarde, su marido, Marcus, recordaría que estaba escuchando las noticias en la radio cuando ella entró en casa. Mientras ponía el pan en la tostadora y cortaba un plátano a rodajas le dijo a Lyn que habían encontrado un cuerpo a unos pocos kilómetros. Ya entonces debió de parecerle que había alguna conexión, porque a continuación ella le explicó lo de la liebre muerta. Inmediatamente después se echó a reír del miedo que había pasado. Cuando el pan saltó de la tostadora, el incidente había perdido ya toda importancia para ambos.

Cuando salió de la ducha, ni siquiera volvieron a mencionarlo.

5

Estaba con la consulta de la mañana cuando se presentó Mackenzie. Janice me dio la noticia al mismo tiempo que me hacía entrega de las notas para la visita siguiente. La intriga le hacía abrir mucho los ojos.

—Ha venido a verlo un policía. Dice que es el inspector jefe Mackenzie.

Por algún motivo no me sorprendió. Leí las notas sobre el paciente. Ann Benchley, una anciana de ochenta años con artritis crónica. Una paciente habitual.

—¿Cuántos quedan por visitar? —pregunté, como si nada.

—Esta y tres más.

—Dígale que no tardaré. Y dígale a la señora Benchley que puede pasar.

Janice parecía contrariada pero no dijo nada. A esas alturas dudaba de que alguien en el pueblo no supiera que el día anterior se había encontrado un cadáver, aunque por el momento nadie lo había relacionado con Sally Palmer. Me pregunté durante cuánto tiempo las cosas seguirían así.

Fingí estudiar las notas hasta que Janice se hubo marchado. Sabía que Mackenzie no habría venido a menos que el asunto fuera importante y estaba casi seguro de que ninguno de los casos de esa mañana eran urgentes. No sabía por qué quería hacerlo esperar, a no ser por cierta reticencia a escuchar lo que tuviera que decirme.

Intenté no pensar en ello mientras visitaba a la paciente. Puse cara de comprensión mientras la señora Benchley me enseñaba sus nudosas manos, hice los ruiditos tranquilizadores y en todo caso inútiles que ella esperaba de mí, le firmé una receta y sonreí ligeramente al verla salir, renqueante y satisfecha. No podía seguir esperando.

—Dígale que entre —le dije a Janice.

—No parece muy contento —me advirtió.

En efecto, Mackenzie no parecía muy contento. Tenía la cara roja de enfado, la mandíbula adelantada y una expresión de pocos amigos en el rostro.

—Gracias por recibirme, doctor Hunter —dijo disimulando apenas el tono sarcástico.

Llevaba una carpeta de piel que se colocó sobre el regazo al sentarse frente a mí, sin esperar a que yo lo invitara a hacerlo.

—¿Qué puedo hacer por usted, inspector?

—Quisiera poner en claro un par de puntos.

—¿Han identificado el cuerpo?

—Todavía no.

Sacó el paquete de grageas y se llevó una a la boca. Esperé. Había conocido a demasiados policías como para impacientarme con sus estratagemas.

—Creía que ya no quedaban lugares como este. Ya me entiende, consultas pequeñas, de médico de familia, con visitas a domicilio y toda la pesca —dijo mirando alrededor. Sus ojos se detuvieron en los anaqueles—. Muchos libros de psicología, por lo que veo. ¿Le interesa?

—No son míos, son de mi colega.

—Ah. ¿Y a cuántos pacientes atienden entre los dos?

Me pregunté adónde querría ir a parar.

—En total quinientos; seiscientos, quizá.

—¿Tantos?

—El pueblo es pequeño, pero la región es muy amplia.

Hizo un gesto de asentimiento, como si fuera una charla normal y corriente.

—No es como ejercer en la ciudad.

—Supongo que no.

—¿Echa de menos Londres?

Entonces vi sus intenciones. Tampoco eso me sorprendió, pero noté como si acabara de caerme un peso sobre los hombros.

—Creo que es mejor que me diga qué quiere.

—Tras nuestra charla de ayer fui a informarme un poco. Cosas de policías —dijo mirándome con calma—. Tiene usted un currículum asombroso, doctor Hunter. Desde luego, no es el del típico médico de pueblo.

Abrió la carpeta y fingió que hojeaba los folios de su interior.

—Se licenció en medicina y empezó el doctorado en antropología. Era un estudiante prometedor, a juzgar por lo que pone aquí. Luego pasó una temporada en Estados Unidos, en la Universidad de Tennessee, y volvió a Gran Bretaña como especialista en antropología forense. —Ladeó la cabeza—. ¿Sabe una cosa? Ni siquiera estaba muy seguro de qué era eso de antropología forense, y eso que hace veinte años que soy policía. Lo de «forense» podía imaginármelo, pero ¿antropología? Siempre había creído que consistía en estudiar huesos antiguos. Como los arqueólogos. Hay que ver cómo a veces se nos pasan las cosas por alto.

—No quiero meterle prisa, pero tengo pacientes esperando.

—Oh, no le robaré más tiempo del necesario. En internet también he encontrado unos cuantos artículos escritos por usted. Los títulos son interesantes —dijo sacando un folio—: «Entomología aplicada al cronotanatodiagnóstico», «Química de la descomposición humana». Suena a alta especialización —apostilló bajando el folio—. He llamado a un amigo que es inspector de la Policía Metropolitana de Londres y me ha dicho que había oído hablar de usted, y que, sorpresa, sorpresa, por lo visto había colaborado como asesor de varios cuerpos de policía en unos cuantos casos de asesinato en Inglaterra, Escocia e incluso Irlanda del Norte. Mi contacto me ha dicho que es usted uno de los pocos antropólogos forenses registrados del país. Ha trabajado en fosas comunes de Irak, Bosnia, Congo... Según él, en lo que respecta a restos humanos es usted el experto número uno. No solo se encarga de identificarlos, sino que determina cuánto tiempo llevan muertos y la causa de la muerte.

Por lo que me ha dicho, su labor empieza donde acaba la de los patólogos.

—¿A qué viene esto?

—Viene a que no puedo evitar preguntarme por qué ayer no me dijo nada de todo eso. Usted sabía que habíamos encontrado un cuerpo, sabía que había indicios de que pudiera ser una mujer del pueblo y sabía que queríamos identificarlo lo antes posible. —Mantenía el tono de voz, pero su cara estaba más roja que antes—. A mi amigo de la Metropolitana le ha hecho mucha gracia. Y ahora aquí estamos, yo, el investigador jefe de un caso de asesinato, y usted, uno de los peritos forenses más importantes del país, haciéndose pasar por médico de familia.

No me dejé impresionar por el hecho de que por fin hubiera mencionado la palabra «asesinato».

—Soy médico de familia.

—Pero no solo eso, ¿verdad? ¿A qué tanto secretismo?

—Porque lo que yo hiciera en el pasado no importa. Ahora soy médico.

Mackenzie me escrutaba como si dudara de si lo decía en serio o no.

—Después de hablar con mi amigo he hecho otras llamadas. Sé que lleva tres años ejerciendo como médico. Dejó la antropología forense y se vino aquí después de que su mujer y su hija fallecieran en un accidente de coche. El conductor del otro coche iba borracho pero salió ileso.

Yo seguía sentado sin moverme. Mackenzie tuvo el detalle de mostrarse afectado.

—No quiero abrir viejas heridas, y tal vez si ayer me hubiera contado la verdad no me habría visto obligado a hacerlo. Lo que en definitiva quiero decir es que necesitamos su ayuda.

Sabía que esperaba que yo le preguntara qué clase de ayuda, pero no dije nada y él continuó.

—El estado del cadáver hace que sea difícil identificarlo. Sabemos que se trata de una mujer, pero nada más. Hasta que no sepamos quién es no podemos seguir adelante. No se puede abrir una investigación por homicidio a menos que sepamos con certeza quién es la víctima.

—Ha dicho «con certeza». Están bastante seguros de quién es, ¿verdad? —pregunté.

—Todavía no hemos localizado a Sally Palmer.

Era lo que esperaba, pero aun así me afectó oír su confirmación.

—Varias personas recuerdan haberla visto en la barbacoa del pub, pero hasta ahora no hemos encontrado a nadie que recuerde haberla visto desde entonces —continuó Mackenzie—. De eso hace casi quince días. Hemos tomado algunas muestras de ADN del cuerpo y de la casa, pero los resultados tardarán una semana.

—¿Y mediante las huellas dactilares?

—Imposible. No sabemos si es debido a la descomposición o a que se las han arrancado de forma deliberada.

—Entonces con el historial dental.

—No quedan suficientes dientes para poder sacar una muestra —dijo sacudiendo la cabeza.

—¿Se los han roto?

—Podría decirse así. Podrían haberlo hecho a propósito para que no pudiéramos identificar el cuerpo, o tal vez sea resultado de las lesiones; aún no lo sabemos.

—Entonces, ¿se trata de un homicidio? —pregunté frotándome los ojos.

—Oh, sí, eso sí lo sabemos —dijo con tono sombrío—. El cuerpo está demasiado descompuesto para saber si también abusaron de ella, pero es bastante probable. Luego la mataron.

—¿Cómo?

Sin decir nada, sacó de la carpeta un sobre de grandes proporciones y lo dejó sobre la mesa. De él sobresalían los bordes brillantes de unas fotografías. Antes de darme cuenta de lo que estaba haciendo, mi mano ya estaba a punto de cogerlas, pero al final aparté el sobre.

—No gracias.

—Pensaba que querría verlo por sí mismo.

—Ya le he dicho que no puedo ayudarles.

—¿No puede o no quiere?

—Lo siento —zanjé, sacudiendo la cabeza.

Se me quedó mirando un momento y entonces se puso en pie de repente.

—Gracias por su tiempo, doctor Hunter —dijo con frialdad.

—Olvida esto —dije alargándole el sobre.

—Quédeselo. Quizá quiera verlas en otro momento.

Se marchó y yo me quedé con el sobre en la mano. No tenía más que sacar las fotografías, pero en vez de hacerlo abrí un cajón y guardé el sobre. Cerré el cajón y le dije a Janice que hiciera pasar al siguiente paciente.

La presencia del sobre me acompañó el resto de la mañana. En cada conversación, en cada visita, podía sentirlo como si me llamara. Cuando el último paciente hubo cerrado la puerta intenté distraerme tomando notas. Una vez hube terminado, me levanté y fui a mirar por la ventana. Dos visitas a domicilio y tendría la tarde para mí. Si se levantaba un poco de viento, podría salir con la barca por el lago, pero si el tiempo no cambiaba, me quedaría tan inmóvil en el agua como lo estaba en ese momento en tierra firme.

Había sentido una extraña indiferencia mientras Mackenzie sacaba a relucir mi pasado. Era como si hablara de otra persona. Y en cierto modo así era. Había sido otro David Hunter el que se había adentrado en los arcanos de la química de la muerte, el que había asistido al producto final de la combinación entre violencia, casualidad y naturaleza. Mi oficio consistía en mirar cráneos preciándome de saber cosas cuya existencia conocían tan solo unas pocas personas. Lo que le ocurría al cuerpo humano cuando la vida lo había abandonado no tenía misterios para mí. Estaba familiarizado con la descomposición en todas sus formas, podía analizar su progresión en relación con el tiempo, el suelo o la época del año. Un oficio macabro, sí, pero necesario. Me complacía como un mago averiguando cuándo, cómo y quién. En ningún momento olvidaba que habían sido personas, pero para mí eso solo tenía un valor abstracto. Mi trato con ellos tenía lugar en la muerte, no en la vida.

De repente me habían arrebatado a las dos personas a las que adoraba por encima de cualquier cosa en el mundo. Mi mujer y mi hija se habían esfumado en un abrir y cerrar de ojos por culpa de un borracho que, además, salió ileso del accidente. Kara y Alice, dos seres vivos y vitales, convertidas ambas, en un instante, en materia orgánica inerte. Yo conocía —y muy bien— la metamorfosis física que tendría lugar en ellas en cuestión de una hora. Pero eso no bastaba para contestar a la simple pregunta que me obsesionaba y a la que ni con toda mi ciencia era capaz de hallar respuesta: ¿adónde habían ido?, ¿qué había sido de la vida que llevaban dentro?, ¿cómo era posible que su vida, su espíritu, simplemente dejara de existir?

Lo ignoraba. Y ese desconocimiento era más de lo que yo podía tolerar. Mis colegas y amigos se mostraron comprensivos, pero apenas me di cuenta. Con sumo gusto me habría refugiado en el trabajo, pero mi oficio me recordaba constantemente su pérdida y las preguntas que no podía contestar.

Así que huí. Di la espalda a todo lo que había aprendido, refresqué mi antigua formación como médico y me escondí en este pueblo, lejos de todo. Si bien no podía decirse que hubiera emprendido una nueva vida, sí había comenzado otra etapa. Una etapa marcada por el trato con los vivos en vez de con los muertos y durante la que, al menos, podría intentar posponer esa transformación última, por más que siguiera siendo igual de incapaz de comprenderla. Y había funcionado.

Hasta entonces.

Fui al escritorio y abrí el cajón. Saqué las fotografías, manteniéndolas boca abajo. Las miraría y se las devolvería a Mackenzie. Pensé que al hacerlo no me estaba comprometiendo a nada, así que les di la vuelta.

No sabía qué clase de sentimientos podían asaltarme, pero si con algo no había contado era con esa sensación de familiaridad. No tanto por lo que reflejaban las imágenes —Dios sabe que eran terribles—, sino porque, al verlas, fue como retroceder en el tiempo. Sin ni siquiera darme cuenta, comencé a analizarlas en busca de indicios.

Eran seis fotografías, tomadas desde ángulos y puntos de vista distintos. Las hojeé rápidamente y volví a empezar para examinarlas una por una con más detenimiento. El cuerpo estaba desnudo y boca abajo, los brazos extendidos por encima de la cabeza como si se dispusiera a zambullirse en la alta hierba del marjal. Por las fotografías se hacía imposible determinar el sexo. La piel morena colgaba como cuero mal cosido, pero no fue eso lo que me llamó la atención. Sam tenía razón. Había dicho que el cuerpo tenía alas, y así era. La espalda presentaba dos profundos cortes a lado y lado de la columna vertebral.

En los cortes habían sido clavadas unas alas blancas de cisne que conferían al cuerpo aspecto de un ángel caído y putrefacto.

El contraste con la piel medio descompuesta era de una obscenidad escalofriante. Me quedé un rato observándolas y luego pasé a estudiar el cuerpo propiamente dicho. Los gusanos brotaban de las heridas como granos de arroz. Aparte de los dos grandes cortes de los omoplatos, había varios más pequeños en la espalda, los brazos y las piernas. La descomposición estaba bastante avanzada; el calor y la humedad debían de haber acelerado el proceso, y los animales y los insectos, más todavía. No obstante, cada elemento de la escena era una historia por contar y, una a una, podían revelar cuánto tiempo llevaba allí el cuerpo.

Las últimas tres fotografías eran del cadáver boca arriba. Por ese lado, tanto el cuerpo como los miembros presentaban la misma clase de cortes y la cara era una masa informe de huesos astillados. Debajo podía verse el cartílago de la garganta, más resistente a la descomposición que el débil tejido superficial. Se la habían abierto de un corte. Pensé en Bess, el border collie de Sally, cuyo cuello había sido seccionado de forma parecida. Miré las fotografías una vez más. Cuando me di cuenta de que estaba buscando en ellas algo que hiciera reconocible el cadáver, las dejé sobre la mesa. Ni me había movido aún cuando oí un golpe en la puerta.

Era Henry.

—Janice me ha dicho que ha venido la policía. ¿Algún campesino que se desahoga con las ovejas?

—Es por lo de ayer.

—Ah —dijo relajando el tono de voz—. ¿Algún problema?

—No, ninguno.

Lo cual no era del todo cierto. Me resultaba incómodo ocultarle cosas a Henry, pero no me apetecía relatarle los detalles de mi pasado. Él sabía que yo había estudiado antropología, el campo era lo bastante amplio para no tener que entrar en detalles desagradables. Lo de la especialidad en medicina forense y mis colaboraciones con la policía prefería callármelo. No era algo de lo que me apeteciera hablar.

No por el momento.

Sus ojos cayeron sobre las fotografías de la mesa. Estaba demasiado lejos para distinguir detalles, pero igualmente sentí que me había descubierto. Cuando las guardé de nuevo en el sobre me miró enarcando las cejas.

—¿Podemos hablar de esto más tarde? —dije.

—Claro. No pretendía entrometerme.

—No he querido decir eso. Es solo que... ahora necesito pensar.

—¿Te encuentras bien? Pareces un poco... preocupado.

—No, estoy bien.

Hizo un gesto de asentimiento, pero su mirada seguía reflejando preocupación.

—¿Qué te parece si salimos con el bote un día de estos? A los dos nos irá bien un poco de ejercicio.

Aunque necesitaba ayuda para entrar y salir de la barca, la minusvalía de Henry no le impedía remar o manejar las velas una vez a bordo.

—Hecho. Pero necesito unos días.

Me di cuenta de que habría querido hacerme más preguntas, pero en vez de ello, se dirigió con la silla de ruedas hacia la puerta.

—Cuando quieras. Ya sabes dónde estoy.

Cuando se hubo marchado, volví a sentarme en el sillón y cerré los ojos. «Yo no quería esto.» En realidad, nadie lo quería. La muerta la que menos. Pensé en las fotografías y caí en la cuenta de que, al igual que ella, no tenía elección.

Mackenzie había dejado su tarjeta entre las fotografías, pero no pude dar con él ni en la comisaría ni en el móvil. Le dejé sendos mensajes diciendo que me llamara y colgué. No sabría decir si el hecho de haber tomado una resolución me hacía sentir mejor, pero, en cualquier caso, era como si me hubieran quitado un peso de encima.

Me quedaban por hacer las visitas a domicilio. Solo eran dos y no se trataba de casos importantes: un niño con paperas y un anciano postrado en la cama que se negaba a comer. Cuando terminé era la hora del almuerzo. Conducía de vuelta al pueblo intentando decidirme entre irme a casa o al pub cuando sonó el teléfono.

Descolgué, pero era Janice, que llamaba para decirme que habían telefoneado del colegio. Estaban preocupados por Sam Yates y querían saber si podía ir a verlo. Dije que sí. Me apetecía hacer algo constructivo mientras esperaba la llamada de Mackenzie.

Ya en Manham, la presencia de agentes de policía en las calles no dejaba olvidar lo sucedido. Sus uniformes contrastaban con el colorido de las flores del cementerio y el prado, y por todas partes se respiraba una agitación no por silenciosa menos perceptible. Al menos en la escuela todo parecía normal. Aunque los adolescentes tenían que desplazarse ocho kilómetros hasta el instituto más cercano, Manham disponía todavía de una escuela primaria, instalada en una antigua capilla reconvertida. El sol caía a plomo en el patio, que bullía con los gritos de los niños. Era la última semana antes de las largas vacaciones de verano, y la impaciencia parecía incrementar la habitual histeria de la hora del almuerzo. Una niña chocó contra mis piernas mientras escapaba de otra que la perseguía. Se alejaron corriendo, tan ocupadas con su juego que apenas se percataron de mi presencia.

Al entrar en la secretaría volví a notar esa familiar sensación de vacío. Betty, la secretaria, sonrió al oírme llamar en la puerta abierta.

—Hola. ¿Viene por Sam?

Era una mujer menuda de expresión cordial que había vivido toda su vida en el pueblo. Soltera desde siempre, vivía con su hermano y trataba a los alumnos como si fueran su propia familia.

—¿Qué tal está? —pregunté.

—No se encuentra muy bien —dijo ella arrugando la nariz—. Está en la enfermería, puede pasar.

Llamar «enfermería» a lo que en realidad era un cuarto con un lavamanos, un sillón y botiquín parecía algo excesivo. Sam estaba sentado en el sillón con la cabeza gacha y los pies colgando. Estaba pálido y parecía a punto de romper a llorar.

A su lado había una mujer joven que intentaba distraerlo hablándole con voz dulce y enseñándole un libro. Cuando me vio entrar se calló e hizo un gesto de alivio.

—Hola, soy el doctor Hunter —le dije, y miré al muchacho con una sonrisa—. ¿Qué tal estás, Sam?

—Está un poco cansado —dijo la mujer contestando por él—. Parece ser que esta noche ha tenido pesadillas, ¿verdad, Sam?

Hablaba con naturalidad, se mostraba tranquila pero sin llegar a ser condescendiente. Supuse que era la maestra, pero nunca la había visto y su acento era demasiado suave para ser de la zona. Sam tenía la barbilla pegada al pecho. Me puse en cuclillas para ponerme a su altura.

—¿Es verdad, Sam? ¿Qué clase de pesadillas? —Después de ver las fotografías, podía imaginármelo. Sam seguía con la cabeza gacha sin decir nada—. Bien, te echaré un vistazo.

No esperaba encontrarle ningún problema físico, y de hecho no lo había. Quizá tuviera la temperatura un poco alta, pero nada más. Lo despeiné un poco con la mano al levantarme.

—Fuerte como un roble. ¿Me dejas que hable un momento a solas con tu maestra?

—¡No! —exclamó él asustado.

—No pasa nada —dijo ella con una mirada tranquilizadora—. Estaremos aquí fuera. Dejaré la puerta abierta y vuelvo enseguida, ¿de acuerdo?

Le tendió el libro, pero al principio el chiquillo no le hizo caso, hasta que al fin lo cogió con un gesto brusco. Salimos al pasillo. La maestra dejó la puerta entornada como había prometido, pero nos colocamos a una distancia a la que no pudiera oírnos.

—Siento molestarlo, pero no sabía qué más hacer —dijo en voz baja—. Antes estaba totalmente histérico. Parecía otra persona.

Volví a pensar en las fotografías.

—Supongo que sabe lo que pasó ayer.

—Todo el mundo lo sabe —dijo haciendo una mueca de disgusto—. Ese es el problema, que todos los niños quieren que se lo cuente. Es demasiado para el crío.

—¿Ha mandado llamar a los padres?

—Lo he intentado, pero no contestan en ninguno de los números de contacto que tengo —dijo encogiéndose de hombros como si se disculpara—. Por eso he pensado que lo mejor era llamarlo a usted. Estaba preocupada.

Eso saltaba a la vista. Le habría echado unos treinta. Su pelo corto parecía rubio natural, aunque era unos cuantos tonos más claro que las cejas, que en ese momento estaban fruncidas por la intranquilidad. Tenía algunas pecas, disimuladas por un bronceado artificial.

—El trauma ha sido muy fuerte. Puede que tarde un tiempo en superarlo —dije.

—Pobre Sam. Y por si fuera poco, justo a las puertas de las vacaciones. —Y mirando hacia la puerta abierta añadió—: ¿Cree que necesitará ayuda?

Eso mismo me lo había preguntado yo. Si en un par de días no mejoraba, tendría que mandarlo al especialista. De todos modos, yo mismo había pasado por eso y sabía que, a veces, hurgar en las heridas no sirve más que para agravar la hemorragia. Tal vez mi decisión fuera discutible, pero prefería darle a Sam la oportunidad de recuperarse por sí solo.

—Veremos cómo evoluciona. Quizá a finales de esta semana ya esté jugando como los demás.

—Esperemos.

—Creo que de momento lo mejor es que se vaya a su casa —le dije—. ¿Ha llamado al colegio del hermano? Quizá sepan cómo ponerse en contacto con los padres.

—No, no se nos había ocurrido —respondió, como molesta consigo misma.

—Mientras tanto, ¿puede quedarse alguien con él?

—Yo misma. Buscaré quien me sustituya. —En ese momento me miró abriendo mucho los ojos—. Oh, perdóneme, tendría que habérselo dicho, soy su profesora.

—Ya me lo había imaginado —repliqué sonriendo.

—Ni siquiera me he presentado, ¿verdad? —Se sonrojó y las pecas se hicieron más evidentes—. Jenny, Jenny Hammond.

Me tendió la mano con timidez. Estaba caliente y seca. Recordé haber oído que ese curso había llegado una nueva maestra, pero era la primera vez que la veía. O eso me parecía.

—Creo que lo he visto una o dos veces por el Lamb —dijo.

—Es muy posible. La oferta nocturna no es que sea muy variada por aquí.

—Ya me he dado cuenta —dijo sonriendo—. Pero por eso decide uno venir a un sitio como este, ¿no? Para olvidarse de todo. —Debí de hacer algún gesto con la cara, porque luego añadió—: Perdón, me ha parecido que no era de por aquí, por eso...

—Tranquila, no soy de por aquí.

Parecía menos incómoda, pero solo un poco.

—En fin, será mejor que vuelva con Sam.

Entré con ella para despedirme del muchacho y asegurarme de que no necesitaba un sedante. Por la tarde iría a verlo otra vez y le diría a la madre que no lo llevara a la escuela durante unos días, hasta que el recuerdo se hubiera asentado y fuera capaz de soportar las preguntas de los compañeros.

Acababa de subirme al Land Rover cuando el teléfono volvió a sonar. Esta vez era Mackenzie.

—Me ha dejado un mensaje —dijo sin saludar.

Le hablé a toda velocidad como si tuviera prisa por sacudirme de encima las palabras.

—Le ayudaré a identificar a la víctima, pero solo eso. No pienso involucrarme más, ¿de acuerdo?

—Lo que usted diga. —No parecía muy entusiasmado, aunque mi oferta tampoco era para estarlo—. ¿Cómo quiere que lo hagamos?

—Necesito ver el lugar donde fue encontrado el cuerpo.

—Se lo han llevado ya a la morgue, pero podemos vernos ahí dentro de una hora...

—No, no quiero ver el cuerpo. Solo el lugar donde lo encontraron.

—¿Por qué? —Hasta por teléfono se notaba su exasperación—. ¿De qué le va a servir eso?

Noté que se me secaba la boca.

—Tengo que buscar hojas.

6

La garza sobrevolaba el marjal sin un objetivo claro, deslizándose por la fría corriente de aire. Parecía demasiado pesada para mantenerse en lo alto, un auténtico gigante en comparación con otra ave acuática sobre la que pasó su sombra. Torciendo las alas, descendió en dirección al lago y las batió dos veces para frenar antes de aterrizar. Sacudiendo la cabeza con arrogancia, se abrió paso hacia los bajos del lago y entonces se quedó inmóvil, como una estatua de patas rojas.

Aparté la vista de ella al oír acercarse a Mackenzie.

—Tenga —dijo tendiéndome una bolsa de plástico cerrada—. Póngaselo.

Saqué el peto de papel de la bolsa y me lo puse, con cuidado de no rasgar el fino material al introducir los pies y las piernas. Apenas me lo hube abrochado empecé a sudar. Esa húmeda incomodidad me resultaba inquietantemente familiar.

Era como volver atrás en el tiempo.

No había podido evitar una sensación de *déjà vu* desde el momento en que me encontré con Mackenzie en el mismo tramo de carretera al que había acompañado a los dos agentes el día anterior. Ese día, el tramo estaba lleno de coches patrulla y grandes camiones que hacían las veces de centro de operaciones móvil. Ya con el peto y los cobertores de papel para los zapatos, tomamos en silencio por el sendero que atravesaba el marjal, delimitado por dos cintas policiales que corrían paralelas. Sabía que quería preguntarme por lo que iba a hacer, y sabía también que para él dejarme entrever su curiosidad era un signo de debilidad. Por mi parte no me estaba reprimiendo por jugar a ver quién puede más, simplemente postergaba el momento de preguntarme a mí mismo qué hacía allí.

La zona donde había sido hallado el cuerpo estaba acordonada con más cinta. En el interior, los investigadores iban de un lado al otro por la hierba. Todos vestían petos blancos que los hacían parecer iguales y anónimos. Al verlos me sobresaltó otra inesperada oleada de recuerdos.

—¿Quién tiene el maldito Vicks? —preguntó Mackenzie sin dirigirse a nadie en especial.

Una mujer le tendió un frasco de pomada; él se puso un poco bajo la nariz y luego me lo tendió a mí.

—Aunque el cuerpo ya no esté, sigue oliendo fatal.

Hubo un tiempo en que estaba tan acostumbrado a los olores inherentes a mi profesión que ya no me molestaban. Pero eso era cosa del pasado. Me unté la crema Vicks con olor mentolado sobre el labio superior y enfundé las manos en un par de guantes de goma.

—Hay una mascarilla, si la quiere —dijo Mackenzie.

Yo negué con la cabeza enseguida. Nunca me había gustado llevar mascarilla a menos que fuera necesario.

—Entonces vamos —ordenó.

Se agachó para pasar por debajo de la cinta y yo hice lo mismo. Los agentes estaban peinando la escena del crimen. Unos cuantos marcadores repartidos por el suelo señalaban los puntos donde habían encontrado posibles pistas. Yo sabía que la mayor parte terminarían siendo irrelevantes: envoltorios de caramelos, colillas y fragmentos de huesos de animal sin relación con el caso. Pero a esas alturas de la investigación, nadie sabía qué era importante y qué no. Lo guardarían todo en bolsitas y más tarde lo examinarían.

Recibimos un par de miradas curiosas, pero mi atención estaba fija en el trozo de terreno de la parte central. La hierba de esa zona estaba negra y muerta, casi como si la hubieran quemado. Lo que la había matado, sin embargo, no había sido el calor. Me fijé también en otra cosa: un olor inconfundible que traspasaba incluso el olor a mentol.

Mackenzie se llevó una gragea a la boca y se guardó el paquete sin ofrecer ninguna.

—Les presento al doctor Hunter —les dijo al resto de los agentes mientras partía el caramelo con los dientes—. Es antropólogo forense y va a ayudarnos a identificar el cuerpo.

—Pues le va a costar un poco —dijo uno—, porque el cuerpo ya no está aquí.

Hubo risas. Era su trabajo y les molestaba que alguien se inmiscuyera en él. Sobre todo un civil. Una actitud con la que ya me había encontrado antes.

—El doctor Hunter está aquí a petición del superintendente Ryan. Como es natural, le brindarán toda la ayuda que necesite.

Mackenzie hablaba con un tono particular y, por la expresión de los presentes, deduje que la orden no les había sentado muy bien. A mí me daba lo mismo, y de hecho ya me había agachado junto a la mancha de hierba muerta.

Conservaba vagamente la forma del cuerpo que había estado encima. Una silueta de podredumbre. Todavía quedaban algunos gusanos, y unas cuantas plumas blancas manchaban aquí y allá los tallos negros de hierba como copos de nieve.

Examiné una de las plumas.

—¿Sabemos si las plumas son de cisne?

—Eso pensamos —dijo uno de los agentes—. Se las hemos enviado a un ornitólogo para que lo averigüe.

—¿Y las muestras del suelo?

—Ya están en el laboratorio.

Un análisis del contenido en hierro del suelo podía determinar la cantidad de sangre absorbida. Si a la víctima le habían rebanado la garganta en ese mismo lugar, el porcentaje de hierro sería alto; si no, una de dos: o la herida era posterior a la muerte o la habían matado en otro lugar y después habían abandonado el cuerpo allí.

—¿Insectos?

—Oiga, no es la primera vez que hacemos esto.

—Ya lo sé. Solo quiero saber hasta dónde han llegado.

El tipo suspiró con fuerza.

—Sí, hemos tomado muestras de insectos.

—¿Y qué han encontrado?

—Los llaman gusanos —respondió resoplando.

Levanté la vista hacia él.

—¿Y las pupas?

—¿Qué les pasa?

—¿De qué color eran? ¿Blancas? ¿Oscuras? ¿Había capullos vacíos?

El tipo se limitó a parpadear mirándome con cara de pocos amigos. Ya nadie se reía.

—¿Y escarabajos? ¿Había muchos en el cuerpo?

Me miraba como si estuviera loco.

—¡Esto es la investigación de un crimen, no una clase de biología!

Era de los de la vieja escuela. Las nuevas generaciones de investigadores forenses eran gente ávida de aprender nuevas técnicas, gente abierta a cualquier saber que pudiera revelárseles útil. Sin embargo, todavía quedaban unos pocos que desconfiaban de todo lo que no encajara con su experiencia previa. De vez en cuando me topaba con alguno. Por lo visto todavía quedaban.

—El ciclo de vida de los insectos es distinto según la especie —dije dirigiéndome a Mackenzie—. La mayoría de estas larvas son de moscarda. Moscas azules y verdes. Dado que el cuerpo presentaba heridas abiertas, es de esperar que los insectos hayan acudido a él enseguida. Si era de día, habrán empezado a poner huevos al cabo de una hora.

Revolví un poco entre la tierra, saqué un gusano que no se movía y me lo puse en la palma de la mano.

—Este está a punto de convertirse en crisálida. Cuanto más viejos, más oscuros. Por el color de este, yo diría que tiene siete u ocho días. No veo restos de crisálida por ninguna parte, lo que indica que las pupas todavía no se han abierto. El ciclo completo de la moscarda es de catorce días, lo cual sugiere que el cuerpo lleva aquí menos tiempo.

Dejé el gusano de nuevo entre la hierba. El resto de los agentes había dejado de trabajar y estaba escuchando.

—Bien, veamos. Por la actividad de los insectos, podría fijarse la fecha de la muerte de forma provisional en una horquilla de entre una y dos semanas. Supongo que saben qué es esto —añadí señalando una sustancia entre blanca y amarillenta adherida a algunos tallos de hierba.

—Producto de la descomposición —dijo con frialdad el agente de antes.

—Exacto —dije—. Se llama adipocira. Grasa de cadáver, como la llaman algunos. Básicamente se trata de jabón formado a partir de los ácidos grasos liberados por el cuerpo al descomponerse las proteínas de los músculos. Es lo que hace aumentar el nivel de alcalinos del suelo, que a su vez es lo que mata la hierba. Si se fijan, verán que se desmenuza, lo que sugiere una descomposición bastante rápida, ya que cuando es lenta la adipocira suele ser más dúctil. No tiene nada de extraño tratándose de un cuerpo a la intemperie, con este calor y las numerosas heridas abiertas por donde podían colonizarlo las bacterias. De todos modos, no hay mucha cera, lo que de nuevo encaja con la idea de que hace menos de dos semanas de la muerte.

Se hizo un silencio.

—¿Cuánto menos? —preguntó Mackenzie, rompiéndolo.

—Imposible decirlo sin saber más. —Miré las plantas de alrededor con un encogimiento de hombros—. Es una suposición, pero, aun teniendo en cuenta la descomposición rápida, yo diría que quizá nueve o diez días. De haber pasado mucho más tiempo sometido a este calor, no habrían encontrado más que el esqueleto.

Mientras hablaba no dejaba de examinar la hierba en busca de algo que esperaba encontrar.

—¿Hacia dónde miraba el cuerpo? —pregunté al investigador.

—¿Cómo que hacia dónde miraba?

—¿Hacia dónde apuntaba la cabeza?

Me lo señaló de mala gana. Visualicé las fotografías que había visto, la posición de los brazos por encima de la cabeza, y me acerqué para examinar la tierra en esa zona. No encontré lo que buscaba en la hierba muerta, así que empecé a buscar más allá, apartando los tallos con cuidado para ver qué había en la base.

Empezaba a creer que no encontraría nada, que algún animal carroñero se me habría adelantado, pero al fin di con ello.

—¿Me acercan una bolsita de pruebas?

Esperé a que me dieran una, entonces arranqué un poco de hierba marchita de color marrón. La introduje en la bolsa y la sellé.

—¿Qué es eso? —preguntó Mackenzie estirando el cuello para ver.

—Cuando un cuerpo lleva muerto en torno a una semana la piel empieza a desprenderse. Por eso el cuerpo se arruga tanto, como si le sobrara piel. Sobre todo en las manos. Al final, se separa del todo, como si fuera un guante. A menudo pasa inadvertida porque la gente no sabe qué es y la confunden con hojas. —Levanté la bolsa de plástico transparente con el trozo de tejido, parecido a un pergamino—. Decía usted que quería huellas dactilares —añadí.

—¡Me toma el pelo! —exclamó Mackenzie echando la cabeza hacia atrás.

—No. No sé si es de la mano derecha o de la izquierda, pero por aquí debe de andar la otra también, a menos que se la haya llevado algún animal. Se la dejo para ustedes.

—¿Y cómo se supone que vamos a obtener huellas de eso? —preguntó elevando la voz—. Pero ¡mírelo! ¡Si es puro pellejo!

—Oh, es muy sencillo —contesté. Empezaba a divertirme—. Basta con añadir agua. —Él me miró con gesto inexpresivo—. Se deja en remojo toda la noche, así se rehidrata. Luego solo hay que ponérselo en la mano como si fuera un guante. Seguro que el estado de las huellas permite sacar una muestra. En su lugar —agregué tendiéndole la bolsa—, yo se lo mandaría hacer a alguien con las manos pequeñas. Y que se ponga guantes de goma antes.

Lo dejé contemplando la bolsa y volví a pasar por debajo de la cinta. Estaba empezando a reaccionar. Me quité el peto y el protector de los zapatos. No veía la hora. Mackenzie se me acercó mientras yo hacía un bulto con ellos.

—En esta vida todo se aprende. ¿Dónde narices ha aprendido usted todo eso?

—En Estados Unidos. Me pasé un par de años en la unidad de investigación antropológica de Tennessee. La Granja de Cuerpos, como la llaman extraoficialmente. Es el único lugar en el mundo donde se utilizan cadáveres humanos para investigar el proceso de descomposición. Allí se averigua cuánto dura según las condiciones y qué factores pueden alterarla. El FBI entrena ahí a los agentes encargados de recuperar cuerpos. También aquí podrían poner algo así —dije haciendo un gesto con la cabeza en dirección al agente, que había empezado a gritar instrucciones de mala manera al resto del equipo.

—Las ganas —dijo Mackenzie quitándose su peto—. Odio esta mierda —masculló sacudiéndose la ropa—. Entonces, ¿opina que el cuerpo lleva muerto unos diez días?

Me saqué los guantes. El olor a látex y a piel húmeda me trajo más recuerdos de los que hubiera deseado.

—Nueve o diez. Pero eso no quiere decir que haya estado aquí todo ese tiempo. Podrían haberlo traído desde otro sitio. Pero estoy seguro de que eso se lo dirán sus hombres.

—Usted podría ayudarlos.

—Lo siento. Yo he dicho que le ayudaría a identificar el cuerpo. Mañana a estas horas seguro que ya tendrá idea de quién puede tratarse.

«O de quién no», pensé, pero eso me lo callé, aunque Mackenzie pareció leerme el pensamiento.

—Hemos emprendido una investigación para encontrar a Sally Palmer —dijo—. Todavía no hemos encontrado a nadie que la haya visto después de la barbacoa del pub. Sabemos que hizo un pedido en la tienda de ultramarinos que debía pasar a recoger a la semana siguiente, pero no se presentó. También solía pasar todas las mañanas a coger el periódico, por lo visto es una ávida lectora del *Guardian*, pero hace días que no va a comprarlo.

Un oscuro y sombrío presentimiento empezaba a cobrar forma en mi interior.

—¿Y nadie había dado parte hasta ahora?

—Por lo visto no. Parece que nadie la había echado en falta. Todo el mundo pensaba que se habría ido una temporada, o que estaría ocupada escribiendo. El vendedor del quiosco me dijo que no tenía las mismas costumbres que la gente del pueblo. Es lo que tiene vivir en una comunidad pequeña, ¿no?

Yo no podía contestar nada. Tampoco había notado su ausencia.

—Eso no significa que tenga que ser ella. La barbacoa fue hace casi dos semanas. Quienquiera que hayan encontrado aquí no llevaba tanto tiempo muerto. ¿Y qué me dice del teléfono móvil de Sally?

—¿Qué le ocurre?

—Todavía funcionaba cuando llamé. Si llevara muerta todo ese tiempo, se le habría acabado la batería.

—No necesariamente. Es un modelo nuevo con una autonomía de cuatrocientas horas. Eso son unos dieciséis días. Quizá no dure tanto, pero si estaba en el bolso sin usarse, podría haber aguantado sin problemas.

—De todos modos podría tratarse de otra persona —insistí, en el fondo sin mucha convicción.

—Podría. —Por el tono deduje que sabía algo que no tenía intención de compartir conmigo—. Pero, sea quien sea, tenemos que encontrar al asesino.

Sobre eso no había duda.

—¿Cree que es alguien de la zona? ¿Alguien del pueblo?

—Yo no creo nada. Podría ser alguien que hacía autostop, o el asesino podría haber soltado el cuerpo al pasar por aquí. Es pronto para decir una cosa u otra. —Respiró hondo—. Escuche...

—La respuesta es no.

—Todavía no sabe qué le voy a preguntar.

—Sí que lo sé. Que le haga un último favor. Y luego vendrá otro, y otro —dije sacudiendo la cabeza—. Yo ya no me dedico a esto. Hay otras personas en este país que se pueden encargar de ello.

—No muchas. Y usted es el mejor.

—Ya no. He hecho lo que he podido.

—¿De veras? —preguntó mirándome con ojos fríos.

Se dio la vuelta y se alejó, dejándome que volviera al Land Rover. Arranqué pero solo pude llegar hasta la curva donde se me perdía de vista. Paré a un lado de la carretera porque las manos me temblaban sin control. De pronto, me costaba respirar. Apoyé la cabeza en el volante, intentando no tragar aire. Sabía que si hiperventilaba, no haría más que empeorar las cosas.

Por fin el ataque de pánico empezó a remitir. Tenía la camisa pegada al cuerpo por culpa del sudor. No me moví hasta que oí detrás de mí el bocinazo de un claxon. Era un tractor que estaba acercándose al tramo de carretera que mi coche estaba bloqueando. Al mirarlo, el conductor me indicó que me apartara del camino con un gesto brusco. Levanté la mano en señal de disculpa y arranqué de nuevo.

Cuando llegué al pueblo empezaba a encontrarme mejor. No tenía apetito, pero sabía que debía comer algo. Paré en la puerta de la tienda de ultramarinos, lo más parecido que había a un supermercado en todo el pueblo. El plan era comprar un bocadillo, llevármelo a casa y dedicar un par de horas a poner mis ideas en orden antes de empezar con las visitas de la tarde. Al pasar frente a la farmacia, salió una mujer que por poco choca conmigo. La reconocí porque era una de las pacientes de Henry, y de las fieles, de las que preferían esperar para que la visitara él. Un día que Henry no pasaba consulta la había recibido yo, pero no recordaba su nombre.

«Lyn —pensé—. Lyn Metcalf.»

—Oh, perdón —me dijo, aferrando firmemente un paquete contra su pecho.

—No es nada. Por cierto, ¿todo bien?

—Estupendamente, gracias —respondió dedicándome una amplia sonrisa.

Siguió calle abajo, y recuerdo que pensé que era agradable ver que alguien no cabía en sí de felicidad. Después me olvidé del incidente.

7

Lyn tardó algo más de lo acostumbrado en alcanzar el terraplén junto a los cañaverales, claro que la niebla era todavía más espesa que el día anterior. Una mancha blanca lo empañaba todo, convirtiéndolo en formas difusas que permanecían fuera del alcance de la vista. Más tarde despejaría y para la hora del almuerzo el día se habría convertido en uno de los más calurosos del año. Sin embargo, a esa hora todo estaba frío y húmedo, y tanto el sol como el calor parecían posibilidades remotas.

Se notaba tensa y algo desfondada. Marcus y ella se habían quedado levantados hasta tarde viendo una película y el cuerpo todavía lo acusaba. Le había costado más de lo normal levantarse de la cama y así se lo había hecho saber a Marcus, que se había limitado a rezongar sin hacerle mucho caso mientras ella se daba una ducha. Ya fuera de casa, había notado que los músculos no le respondían del todo. «Tú sigue corriendo. Luego te sentirás mejor —se dijo haciendo una mueca—. Sí, eso es.»

Para olvidarse de lo difícil que le estaba resultando la carrera, pensó en el paquete que había escondido en la cómoda, debajo de los sostenes y las bragas, donde era seguro que Marcus no lo encontraría. Él solo se interesaba por su ropa interior cuando la veía con ella puesta.

Cuando entró en la farmacia, no lo hizo con la intención de comprar la prueba de embarazo, pero al verlas en los estantes no pudo evitar coger una y echarla en el cesto junto a la cajita de tampones que esperaba no necesitar. Incluso entonces dudó de si debía llevársela. En un sitio como ese era difícil guardar un secreto, y comprar algo así podía suponer que el pueblo entero la mirara de reojo antes de que acabara el día.

Sin embargo, la tienda estaba vacía y en la caja solo había una chica joven y aburrida. Era nueva y no debía de fijarse en nadie mayor de dieciocho años, cabía incluso la posibilidad de que lo que ella comprara la trajera sin cuidado, por lo que no había que temer a los chismorreos. Lyn tenía la cara ardiendo cuando llegó ante la caja y se puso a buscar el dinero en el bolso mientras la muchacha le cobraba con desgana.

Al salir sonreía como una niña pequeña, y en ese momento se topó con uno de los médicos, no con el doctor Henry, sino con el joven. El doctor Hunter. Un hombre callado pero bien parecido. Su llegada había suscitado mucha expectación entre las mujeres más jóvenes, aunque por lo visto él ni se dio cuenta. Por Dios, qué vergüenza; había hecho lo posible por no echarse a reír. El médico debió de pensar que estaba chiflada, sonriendo como una idiota. O quizá creyera que le gustaba. Al pensar en ello volvió a sonreír.

La carrera estaba surtiendo efecto. Empezaba a soltarse y el flujo sanguíneo comenzaba a diluir el entumecimiento y las molestias. Se hallaba ya frente al bosque y, al mirarlo, una oscura asociación de ideas tuvo lugar en su subconsciente. Al principio, distraída aún por el recuerdo de lo sucedido ante la farmacia, no supo ubicarla. Entonces se acordó. Hasta entonces no había vuelto a pensar en la liebre muerta que había encontrado el día anterior en el sendero. Ni en cómo se había sentido observada al entrar en el bosque.

De repente, la idea de volver ahí dentro —y más con la niebla— la incomodaba. «Tonta», pensó procurando no darle importancia, pero incluso así aminoró la marcha al aproximarse. Cuando se dio cuenta de lo que estaba haciendo, chasqueó la lengua y apretó el paso. Solo al llegar frente a los primeros árboles se acordó del cadáver de la mujer que había sido encontrado. «Pero eso ha pasado lejos de aquí», se dijo a sí misma. Además, el asesino tenía que ser un masoquista redomado para salir a esas horas, pensó con ironía. Los primeros árboles empezaron a cerrarse detrás de ella.

Fue un alivio ver que la premonición del día anterior no se materializaba. El bosque volvía a ser solo un bosque. El sendero estaba despejado, sin duda la liebre muerta debía de haber pasado a formar parte de la cadena trófica. Cosas de la naturaleza, nada más. Echó un vistazo al cronómetro que llevaba en la muñeca y vio que estaba un par de minutos por encima de su marca, así que aumentó la velocidad cuando le quedaba poco para llegar al claro. La forma oscura del monolito podía distinguirse ya entre la neblina. Estaba a punto de tocarlo cuando notó que algo pasaba. Cuando por fin la luz le permitió ver, se paró en seco.

Atada a la piedra había un ave muerta. Era un ánade real y estaba sujeto con un alambre que le apretaba el cuello y las patas. Lyn intentó sobreponerse y miró en torno pero no se veía nada. Solo los árboles y el pato muerto. Se apartó el sudor de los ojos y volvió a mirarlo. Tenía las plumas manchadas de sangre allá donde el alambre se clavaba en ellas. Indecisa entre desatarlo o dejarlo allí, se inclinó para examinar el alambre más de cerca.

El pato abrió los ojos.

Lyn soltó un chillido y retrocedió. El pato había empezado a sacudirse y a estirar la cabeza en dirección al cable que le apresaba el cuello. Con eso solo se hacía más daño, pero ella no se sentía capaz de acercarse al animal, que batía las alas con todas sus fuerzas. Lyn volvió a acordarse de la liebre muerta y abandonada en el sendero como a propósito para que ella la encontrara. Entonces reparó en algo más grave.

Si el pato estaba vivo todavía, no podía llevar mucho tiempo allí. Alguien tenía que haberlo colocado poco antes.

Alguien que sabía que ella lo encontraría.

Aunque una parte de ella insistía en que todo era pura fantasía, Lyn corría ya de vuelta por el sendero. Las ramas restallaban al pisarlas y lo último en que pensaba era en el ritmo. «Sal de aquí, sal de aquí, sal de aquí», era lo único que le pasaba por cabeza. No le importaba parecer una estúpida, lo único que quería era salir del bosque y llegar a campo abierto. Después del próximo recodo vería la salida. Le faltaba el aliento y miraba los árboles a uno y otro lado como si esperara que de un momento a otro alguien tuviera que aparecer de entre ellos. Pero no aparecía nadie. Al llegar a la última curva dejó escapar un gemido. «Ya falta menos», pensó, pero justo cuando empezaba a sentir alivio, su pie se enganchó con algo.

No tuvo tiempo de reaccionar y cayó de bruces al suelo. El impacto la dejó sin aire en los pulmones. No podía ni respirar ni moverse. Aturdida, consiguió por fin inspirar, primero una vez, después otra. Sentía el regusto húmedo del lodo en la garganta. Sin salir de su confusión, miró hacia atrás para ver con qué había tropezado. Lo que vio parecía no tener ningún sentido. Tenía la pierna extendida y el pie torcido en un ángulo extraño. Enredado en él había un trozo de hilo de pesca. No, no era un hilo de pesca.

Era un alambre.

Cuando ató cabos ya era tarde. Intentó ponerse en pie, pero una sombra se plantó frente a ella y apretó algo contra su cara que no la dejaba respirar. Intentó apartarse de ese espeso olor a químico, se revolvió con manos y pies con todas sus fuerzas. Pero no parecía ser suficiente. Las fuerzas empezaban a abandonarla. La invadió una extraña lasitud y la luz de la mañana empezó a tornarse oscura. «¡No!» Intentaba resistir, pero se sumía cada vez más hondo en las tinieblas, como una piedra arrojada a un pozo.

¿Pudo tener un último atisbo de incredulidad antes de perder el conocimiento? Es posible, pero no debió de durar mucho tiempo.

No pudo durar mucho tiempo.

Para el resto del pueblo, el día amaneció como cualquier otro. Acaso con un poco más de curiosidad a causa de la continua presencia policial y las especulaciones acerca de la identidad de la muerta. Un culebrón hecho realidad, el melodrama personal de Manham. Alguien había muerto, cierto, pero la mayoría de la gente mantenía cierta distancia respecto al suceso, por lo que en rigor no podía decirse que fuera una tragedia. En el fondo, los habitantes del pueblo daban por hecho que se trataba de una extraña. De haber sido alguien de la comunidad, ¿no se habrían enterado ya? ¿No habrían echado de menos a la víctima? ¿No habrían reconocido al asesino? No, lo más probable era que se tratara de una forastera, alguien de otro pueblo o de la ciudad que se había subido al coche equivocado y había acabado allí. Por eso, para la gente del pueblo el misterio era una forma de pasar el rato, una estrambótica distracción que podía degustarse sin conmoción ni lástima.

Ni tan siquiera el hecho de que la policía buscara a Sally Palmer bastaba para alterar esa convicción. Todos sabían que era escritora y que iba a Londres con frecuencia. Su rostro estaba demasiado fresco en la retina de los vecinos para relacionarla con el cadáver hallado en el marjal. En definitiva, Manham no se tomaba el suceso con la debida seriedad y no estaba dispuesto a aceptar que, lejos de ser un mero espectador, su papel en ese drama era el de uno de los protagonistas.

Algo que habría de cambiar antes de finalizar el día.

Para mí cambió a las once de esa misma mañana, con la llamada de Mackenzie. Había pasado mala noche y había ido a la consulta temprano para intentar deshacerme de los vestigios de otra noche de fantasmas. Cuando el teléfono sonó y Janice me dijo quién estaba al otro lado del aparato, noté que se me hacía un nudo en el estómago.

—Pásemelo.

La espera me pareció infinita y, a la vez, demasiado breve.

—Hemos contrastado las huellas —dijo Mackenzie en cuanto se estableció la conexión—. Es Sally Palmer.

—¿Está seguro?

«Qué pregunta tan estúpida», pensé.

—No hay duda. Coincide con las huellas que tomamos en su casa. Además, las tenemos también en el archivo. Cuando era estudiante fue arrestada durante una protesta.

No me sorprendía que hubiera sido una militante, aunque no hubiera tenido tiempo de conocerla mucho. Y ya no lo iba a tener.

Pero Mackenzie no había terminado.

—Ahora que tenemos un nombre podemos seguir investigando. He pensado que tal vez estaría interesado en saber que todavía no hemos encontrado a nadie que recuerde haberla visto después de la barbacoa en el pub.

Hizo una pausa, como si esperara que yo adivinara alguna alusión. Tardé unos segundos en ordenar mis pensamientos.

—Quiere decir que no le salen las cuentas —aventuré.

—No me encaja que muriera hace nueve o diez días. Todo apunta a que desapareció hace quince. Eso significa que no sabemos qué hizo durante ese intervalo de tiempo.

—Mi cálculo era aproximado —dije—. Podría haberme equivocado. ¿Qué ha dicho el patólogo?

—Sigue en ello —contestó secamente—. Pero de momento no discrepa.

No me extrañó. En una ocasión me había encontrado con una víctima a la que el asesino había guardado varias semanas en un congelador antes de deshacerse del cuerpo, pero en general los procesos de descomposición funcionan siguiendo un orden fijo. Puede haber alteraciones debidas al medio ambiente, y la temperatura y la humedad pueden ralentizar o acelerar el ciclo, pero una vez consideradas las variables el proceso se vuelve legible. Y lo que había visto en el marjal el día anterior —todavía no había dado el salto emocional para identificarlo con la mujer a la que había conocido— era tan incontrovertible como el tiempo de un cronómetro. Solo había que saber interpretarlo.

Había algo que incomodaba a la mayoría de los patólogos. En muchos aspectos, la antropología y la patología forense se solapan, pero cuando la descomposición está avanzada los patólogos suelen renunciar. Su especialidad es determinar la causa de la muerte, pero su tarea se ve seriamente dificultada cuando los procesos biológicos del cuerpo empiezan a ser notorios. En ese punto empezaba mi trabajo.

«Pero ya no», me recordé.

—¿Sigue ahí, doctor Hunter? —preguntó Mackenzie.

—Sí.

—Mejor, porque tenemos un problema. De una forma u otra tenemos que averiguar qué pasó durante esos días.

—Puede que se encerrara en casa para escribir. O que estuviera de viaje. Quizá le surgió alguna urgencia y no tuvo tiempo de avisar a nadie.

—¿Y la mataron nada más regresar, sin que la viera nadie del pueblo?

—Podría ser —respondí con tozudez—. Tal vez sorprendió a un ladrón.

—Tal vez —admitió Mackenzie—. Sea lo que sea, tenemos que averiguarlo.

—No veo qué tengo que ver en todo esto.

—¿Qué me dice del perro?

—¿El perro? —repetí, aunque ya veía adónde quería llegar.

—Tiene sentido pensar que quienquiera que mató a Sally Palmer mató también a su perro. La pregunta, por lo tanto, es: ¿cuánto tiempo lleva muerto el perro?

Me debatía entre el asombro ante la agudeza de Mackenzie y la irritación de no haber llegado yo a la misma conclusión. Claro que había hecho lo imposible por no pensar en el asunto. Sin embargo, tiempo atrás no habría necesitado que nadie me sugiriera la idea.

—Si el perro lleva muerto más o menos el mismo tiempo —continuó Mackenzie—, eso respalda su teoría del ladrón. O bien ha pasado todo el tiempo en casa escribiendo o bien vuelve a casa, el perro sorprende al ladrón y este los mata a ambos y arroja su cuerpo en el marjal. Conforme. Pero si el perro lleva más tiempo muerto, la cosa cambia. Porque significa que el que la mató no lo hizo enseguida, sino que la mantuvo prisionera unos días antes de hartarse y coserla a cuchilladas.

Hizo una pausa para que sus palabras surtieran el debido efecto.

—Opino que sería interesante saberlo, ¿no le parece, doctor Hunter?

La casa de Sally Palmer había cambiado mucho desde la última vez que estuve en ella. Entonces estaba vacía y reinaba el silencio; cuando volví, estaba llena de visitantes desconocidos y de expresión adusta. El patio se había convertido en un aparcamiento de coches patrulla y los forenses realizaban su trabajo vestidos con sus petos blancos. Todo ese trasiego no hacía sino acentuar la atmósfera de abandono, transformando lo que hasta poco tiempo antes había sido un hogar en una patética cápsula del tiempo que ahora esa gente se aplicaba a desenterrar y analizar.

Cuando atravesé el patio acompañado por Mackenzie, me dio la impresión de que no quedaba el menor rastro de la presencia de Sally.

—Ha venido el veterinario a ver las cabras —dijo el policía—. La mitad estaban muertas y ha tenido que sacrificar a un par más, aunque, según él, es un milagro que haya sobrevivido alguna. No habrían aguantado ni un día más. Las cabras soportan lo que les echen, pero, según él, para llegar a ese estado, tenían que llevar un par de semanas sin comer ni beber.

La parte posterior de la casa, donde había visto al perro, estaba aislada con cinta policial, pero por lo demás todo estaba tal como yo lo había encontrado. Nadie parecía impaciente por retirar el perro, así que una de dos: o el equipo de forenses tenía otras prioridades o había terminado su labor. Mackenzie se quedó detrás de mí y se comió una gragea mientras yo me agachaba junto al cuerpo del animal. Lo recordaba más grande, lo cual no tenía por qué ser una ilusión óptica, pues a esas alturas la descomposición debía de estar operando en los restos una auténtica guerra de desgaste.

El pelaje resultaba engañoso, ya que ocultaba el hecho de que el perro había quedado reducido prácticamente a los huesos. Los tendones y los cartílagos seguían ahí, como podía verse por la herida de la garganta, pero apenas quedaba tejido blando. Con un palo removí la tierra de alrededor, me fijé en que las cuencas de los ojos estaban vacías y me levanté.

—¿Y bien? —preguntó Mackenzie.

—Es difícil decirlo. Hay que tener en cuenta que se ha reducido la masa corporal y que el pelaje altera el grado de descomposición. La verdad, no sé qué decirle. Solo he hecho una vez una investigación comparativa, pero con cerdos, y los cerdos tienen piel, no pelo. Supongo que dificulta que los insectos pongan huevos, excepto en las heridas. Puede que por eso se ralentice el proceso.

Más que decírselo a él, pensaba en voz alta, rebuscando en las telarañas de la memoria, desgranando los conocimientos que yacían aletargados.

—El tejido blando de esta zona ha sido picoteado por animales. ¿Ve esto, alrededor de las cuencas? El hueso está roído. Las marcas son demasiado pequeñas para ser de zorro, o sea que seguramente serán de roedores o aves. Tuvieron que hacerlo nada más morir, porque cuando los tejidos empiezan a pudrirse ya no les gustan. Lo que implica una disminución del tejido blando, y por lo tanto una menor actividad de los insectos. Aquí el suelo es más seco que en el marjal donde encontraron a la mujer. —Todavía me resultaba imposible decir Sally Palmer—. Por eso parece que lo hayan desecado. Con este calor y sin humedad, se momifica. En ese caso, la descomposición evoluciona de forma distinta.

—Entonces, ¿no sabe cuánto tiempo lleva muerto? —interrumpió Mackenzie.

—En realidad, no sé nada. Lo único que digo es que aquí entran en juego muchas variables. Puedo contarle lo que pienso, pero tiene que hacerse cargo de que solo es un cálculo preliminar. Es imposible dar respuestas con un simple vistazo.

—¿Pero...?

—Bueno, no hay crisálidas vacías, pero algunas parecen a punto de eclosionar. Son más oscuras que las que encontré en el cadáver, y por lo tanto más viejas. —Luego señalé la herida abierta de la garganta; alrededor, en el suelo, podían verse unos caparazones negros arrastrándose por la hierba—. También hay unos cuantos escarabajos. No muchos, porque lo normal es que lleguen más tarde. La vanguardia, por decirlo así, son las moscas y los gusanos, pero a medida que el proceso avanza, cambia también el equilibrio de fuerzas. Menos gusanos y más escarabajos.

—¿Había escarabajos donde encontramos a Sally Palmer? —preguntó Mackenzie frunciendo el ceño.

—Yo no vi ninguno. De todos modos, los escarabajos no son indicadores tan fiables como los gusanos. Y como he dicho, hay que tener en mente otras muchas variables.

—Oiga, no le estoy pidiendo que preste juramento. Lo único que quiero es hacerme una ligera idea sobre cuánto tiempo lleva muerto el chucho.

—Así a primera vista —dije mirando al amasijo de pelo y huesos—, entre doce y catorce días.

—Entonces lo mataron antes que a la mujer —aventuró Mackenzie mordiéndose el labio y arrugando el ceño.

—En mi opinión, sí. Comparado con lo que vi ayer, la descomposición parece estar tres o cuatro días más avanzada. Como podría ser que el perro ya estuviera aquí antes, habría que restarle un día y una noche y nos quedamos con tres. Pero, como digo, estoy haciendo suposiciones.

—¿De veras cree que podría estar equivocado? —preguntó clavando los ojos en mí.

Vacilé en contestar, pero lo que Mackenzie necesitaba era consejo, no falsa modestia.

—No.

—Joder —dijo suspirando.

Su móvil empezó a sonar. Se lo desenganchó del cinturón y se apartó para contestar. Yo me quedé junto al cadáver del perro, inspeccionándolo en busca de cualquier detalle que pudiera contravenir mi hipótesis. No encontré nada. Me agaché para ver mejor el corte de la garganta. Los cartílagos se conservan más tiempo que el tejido blando, pero en este caso algún animal había roído los extremos. Con todo, era evidente que aquello era un corte, no un mordisco. Saqué el lápiz linterna del bolsillo y lo encendí, pensando en que tendría que desinfectarlo antes de volver a examinar amígdalas con él. La incisión alcanzaba las vértebras cervicales. Al enfocar descubrí una hendidura en el hueso. Aquello no podía ser obra de ningún animal. El filo había penetrado tanto que el corte había alcanzado la columna.

Tenían que haber utilizado un cuchillo de grandes dimensiones. Y muy afilado.

—¿Ha encontrado algo?

En mi ensimismamiento no había oído volver a Mackenzie. Le expliqué lo que había encontrado.

—Si la marca es lo bastante clara, podrán averiguar si era un filo dentado o no. En cualquier caso, no es fácil penetrar tan hondo. El asesino es un hombre con mucha fuerza.

Mackenzie asintió pero parecía tener la cabeza en otra parte.

—Oiga, ahora tengo que marcharme. Tómese el tiempo que necesite. Le diré al equipo que no le moleste.

—No será necesario, ya he terminado.

—¿No va a cambiar de opinión?

—Le he dicho cuanto sé.

—Podría decirnos más si quisiera.

Empezaba a fastidiarme la forma en que intentaba manipularme.

—Esto ya lo hemos hablado. He hecho lo que me ha pedido.

Mackenzie parecía darle vueltas a algo.

—La situación ha cambiado —manifestó mirando al sol con los ojos entrecerrados—. Acaba de desaparecer otra persona. Puede que la conozca. Lyn Metcalf.

Al oír el nombre noté una fuerte sacudida. Recordaba haberla visto en la puerta de la farmacia la tarde anterior y pensaba en lo feliz que parecía.

—Esta mañana ha salido a correr y no ha vuelto —continuó Mackenzie implacable—. Podría tratarse de una falsa alarma, pero tal como están las cosas parece poco probable. Y si no lo es, si es el mismo hombre, podemos esperarnos lo peor. Una de dos: o Lyn Metcalf ya está muerta o la retiene en algún sitio. Y después de ver lo que le ha pasado a Sally Palmer, es algo que no le deseo a nadie.

Tenía ganas de preguntarle por qué me contaba todo eso, pero conocía la respuesta de antemano. Por una parte me presionaba para colaborar; por la otra, cumplía con su papel de policía. El hecho de que hubiera sido yo quien denunciara la desaparición de Sally Palmer me excluía prácticamente de la lista de posibles sospechosos, pero con una segunda víctima las cosas cambiaban. No podía descartarse a nadie.

Ni siquiera a mí.

Mackenzie estaba atento a mi reacción y me observaba con una expresión impenetrable.

—Seguiremos en contacto. Me imagino, doctor Hunter, que no hace falta decirle que mantenga todo esto en secreto. Ya sé que se le da bien.

Y, dicho esto, se dio media vuelta y se alejó. Su sombra, proyectada sobre la hierba, lo seguía como un perro negro pegado a sus talones.

Mackenzie podía haberse ahorrado advertirme sobre la necesidad de ser discreto con respecto a la desaparición de Lyn Metcalf, porque Manham era un pueblo demasiado pequeño para que algo así se mantuviera en secreto mucho tiempo. Cuando salí de la granja, el rumor ya se había extendido. Se propagó casi al mismo tiempo que la noticia de que la mujer asesinada era Sally Palmer; un doble golpe difícil de asimilar. En cuestión de horas, el estado de ánimo del pueblo había pasado de la excitación febril a la conmoción absoluta. La mayoría de las personas se aferraba a la esperanza de que ambos hechos no tuvieran conexión y que la supuesta segunda «víctima» apareciera sana y salva.

Pero la esperanza se diluía hora tras hora.

El marido de Lyn había salido a buscar a su esposa al ver que no volvía a casa. Más tarde reconocería que al principio no estaba muy preocupado. El nombre de Sally Palmer todavía no circulaba por las calles, así que su principal sospecha era que Lyn hubiera cambiado de ruta y se hubiera perdido, pues ya le había pasado alguna vez. De hecho, mientras recorría el sendero del lago gritando el nombre de su mujer, estaba más enfadado que otra cosa porque tenía un día muy ocupado y la estúpida insistencia de Lyn en salir a correr de buena mañana iba a costarle un retraso.

Ni siquiera al cruzar los cañaverales y penetrar en el bosque aumentó su inquietud, y cuando encontró el pato muerto atado al monolito, su primera reacción fue de rabia ante un acto tan cruel y sin sentido. Marcus había vivido toda su vida en el campo y, aunque en lo referente a los animales no sentía grandes apegos, tampoco le gustaba el sadismo gratuito. No fue hasta que se planteó la cuestión en esos términos que notó el primer atisbo de miedo en su mente. Se dijo a sí mismo que el pato muerto no podía tener ninguna relación con que su mujer llegara tarde a casa, pero el miedo ya se había instalado en él y le fue imposible desalojarlo.

Es más, fue en aumento, alimentado por el eco de sus propios gritos, que retumbaban entre los árboles sin recibir respuesta. Cuando retomó el camino para salir del bosque, le costaba conservar la calma. Recorrió apresuradamente el sendero de vuelta al lago, diciéndose a sí mismo que tal vez Lyn lo estuviera esperando en casa. Entonces vio algo que hizo añicos sus falsas esperanzas.

Medio oculto bajo una raíz estaba el reloj de Lyn.

Lo recogió y comprobó que la correa estaba partida y la esfera resquebrajada. El miedo se convirtió en pánico. Miró a su alrededor en busca de algún otro indicio. Nada. Por lo menos, nada reconocible como tal. Vio la gruesa estaca de madera clavada en el suelo no muy lejos, pero no cayó en la cuenta de su significado. Varias horas habrían de pasar para que el equipo de investigación de la policía confirmara que era el resto de un cepo, y otras varias antes de que pudieran encontrarse restos de la sangre de Lyn en el sendero.

Sin embargo, no había el menor rastro de ella.

8

El pueblo entero parecía dispuesto a ayudar en la búsqueda. En cualquier otro momento, o en circunstancias distintas, alguien podría haber pensado que Lyn Metcalf podía haber desaparecido por voluntad propia. Por supuesto todo el mundo era de la opinión que ella y Marcus parecían felices, pero con esas cosas nunca se sabe. En ese momento, no obstante, y a pocos días de la muerte de otra mujer, su desaparición tomaba un cariz mucho más siniestro, por lo que cuando la policía concentró su atención en el bosque y la ruta por la que corría todas las mañanas, todo aquel que estuviera en condiciones se presentó voluntario para ayudar a encontrarla.

Era una hermosa tarde de verano. El sol había bajado, las golondrinas revoloteaban y descendían en picado, y en el ambiente flotaba tal sentimiento de comunión y unidad que casi parecía una celebración. Sin embargo, nadie olvidaba la razón por la que estaba allí ni lo más inquietante de todo: que fuera quien fuese el que hubiera hecho aquello, era un habitante de Manham.

No podía pensarse en un forastero. Ya no. Difícilmente podía tratarse de un accidente, y sin duda no era casual que ambas mujeres fueran del mismo pueblo. Nadie podía creer que un extraño hubiera permanecido en la zona después de matar a Sally Palmer ni que hubiera vuelto para cobrarse una segunda víctima, lo que significaba que quien hubiera asesinado a cuchilladas a la primera y hubiera tendido un alambre en el sendero para capturar a la otra tenía que ser del lugar. Cabía la posibilidad de que fuera alguien de un pueblo vecino, pero entonces surgía la pregunta de por qué ambos sucesos habían tenido lugar en Manham. La otra posibilidad era la más probable y más aterradora: no solo conocíamos a las dos mujeres, sino que conocíamos también a la mala bestia que había ido a por ellas.

Pero esa idea no había arraigado aún del todo cuando la gente se puso a buscar a Lyn Metcalf. Si bien había retoñado, no había tenido tiempo a florecer. Se revelaba como una posibilidad en el trato entre los vecinos, ya que todo el mundo había oído hablar de casos en los que el asesino colabora en la investigación. Casos en los que el culpable había expresado en público su repulsa y su pesar e incluso había llorado lágrimas de cocodrilo, mientras que en realidad la sangre de la víctima apenas había tenido tiempo de secarse en sus manos y sus gritos y súplicas seguían buscando un resquicio por el que llegar al corazón del verdugo. Los vecinos de Manham respondieron con solidaridad, revolvieron hierbajos y buscaron bajo los matorrales, pero poco a poco la comunidad iba debilitándose por culpa de la desconfianza.

Yo mismo me incorporé a las batidas en cuanto cerré la consulta por la tarde. La actividad se desarrollaba en torno al furgón policial que había aparcado lo más cerca posible del bosque en el que Marcus había encontrado el reloj de su mujer, en las afueras del pueblo. A lo largo de casi medio kilómetro, los coches se acumulaban en los arcenes de ambos lados. Algunos habían emprendido la búsqueda por su cuenta, pero la mayoría habían acudido al lugar atraídos por la vorágine de actividad. Había unos cuantos periodistas, pero solo de prensa local. Los medios de ámbito nacional no se habían interesado todavía por la noticia, o acaso consideraran que una mujer asesinada y otra secuestrada no revestía suficiente interés. Pronto iban a cambiar las cosas, pero por el momento Manham todavía permanecía en un relativo anonimato.

La policía había organizado un protocolo para coordinar la batida. Consistía sobre todo en un ejercicio de relaciones públicas: había que conseguir que la comunidad tuviera la impresión de estar haciendo algo útil y, a la vez, procurar que los voluntarios no interfirieran con los equipos profesionales. Los alrededores de Manham eran tan agrestes que de todos modos habría resultado imposible peinarlos en su totalidad. Las cuadrillas recorrían los campos, pero estos no estaban dispuestos a destapar sus secretos.

Vi a Marcus Metcalf junto a un grupo de hombres, aunque a cierta distancia. Tenía la corpulencia típica de los trabajadores manuales y un rostro que, en circunstancias normales, resultaba agradable y alegre bajo su mata de pelo rubio. En ese momento lo vi demacrado, de un color amarillento que hacía palidecer sus bronceadas facciones. A su lado estaba Scarsdale, el reverendo, que por fin se encontraba con una situación acorde con la gravedad de su semblante. Consideré la opción de acercarme a Marcus, pero... ¿para qué? ¿Para manifestarle mi solidaridad? ¿Para transmitirle mis condolencias? Finalmente, la vacuidad de cualquier cosa que pudiera decirle y el recuerdo de lo poco agradables que a mí me habían resultado las torpes palabras de los extraños me convencieron de que era mejor no hacerlo. En vez de eso, lo dejé en compañía del reverendo y me dirigí al furgón para que me dijeran qué hacer.

Más tarde lamentaría haber tomado esa decisión.

Desperdicié varias horas peinando un campo cenagoso con una cuadrilla en la que también estaba Rupert Sutton, que parecía contento de tener una excusa para alejarse de su posesiva madre. Su corpulencia le dificultaba mantener el ritmo de los demás; aunque no dejaba de resollar, perseveró, y entre todos inspeccionamos el accidentado terreno, intentando bordear las zonas más húmedas. En un momento dado, patinó y cayó de rodillas. Cuando me acerqué para ayudarlo a ponerse en pie, noté que su cuerpo desprendía un olor animal.

—Cabrón —dijo entre jadeos, rojo de vergüenza y con los ojos clavados en el barro que le cubría las manos. Tenía una voz inesperadamente suave, casi femenina—. Cabrón —repitió, pestañeando furioso.

Aparte de él, casi nadie articulaba palabra. Cuando la oscuridad imposibilitó seguir con la búsqueda, desistimos y dimos media vuelta. El sentir general era tan sombrío como el paisaje. Sabía que muchos de los presentes pararían después en el Black Lamb, más por buscar compañía que por el alcohol. Yo estuve a punto de irme directamente a casa, pero esa noche, al igual que los demás, no me apetecía quedarme solo. Aparqué junto al pub y entré.

Sin contar la iglesia, el Lamb era el edificio más antiguo del pueblo y de los pocos de Manham con el tradicional techado de juncos. En cualquier otra parte de los Broads lo habrían reconvertido para darle un aspecto más actual, pero como los únicos que lo frecuentaban eran la gente del pueblo, nadie se había molestado en poner freno a su lenta decadencia. Los juncos del tejado estaban medio podridos y el yeso sin pintar de las paredes tenía manchas y empezaba a desconcharse.

Con todo, esa noche estaba lleno, aunque el ambiente distaba de ser festivo. Al entrar fui recibido con solemnes movimientos de cabeza. La gente conversaba en voz baja y apagada. Al llegar a la barra el dueño me preguntó qué quería levantando el mentón en silencio. Estaba ciego de un ojo, cuya órbita casi blanca le confería cierto aspecto de viejo perro labrador.

—Una pinta, Jack, por favor.

—¿Has participado en la búsqueda? —me preguntó al colocar el vaso ante mí. Rechazó mi dinero con un movimiento de mano y añadió—: Invita la casa.

Apenas tuve tiempo de dar un trago cuando noté una mano en el hombro.

—Me imaginaba que te dejarías caer por aquí.

Levanté la mirada para ver al gigante que acababa de colocarse a mi lado.

—Hola, Ben.

Ben Anders medía metro noventa de alto y casi la mitad de ancho. Trabajaba como guardián en la reserva natural de Hickling Broad y había vivido toda la vida en el pueblo. No nos veíamos muy a menudo pero me caía bien. Su compañía era agradable, con él me sentía igual de cómodo charlando que guardando silencio. Tenía una sonrisa agradable, casi soñadora, y su rostro robusto daba la impresión de que se lo hubieran arrugado y alisado solo a medias. Hundidos en esa piel morena, sus ojos parecían asombrosamente brillantes. Por lo común traslucían una chispa de buen humor, pero no esa noche.

—Menudo día —dijo acodándose en la barra.

—Espantoso.

—Vi a Lyn hace un par de días. Feliz como unas pascuas. Y luego lo de Sally Palmer. Es como si nos hubieran caído dos rayos encima.

—Sí, así es.

—Espero por Dios que todo esto sea solo un mal sueño. Aunque no pinta bien, ¿no?

—No mucho.

—Dios mío, pobre Marcus. No puedo ni imaginarme lo que ese pobre desgraciado debe de estar pasando. —Hablaba tan bajo que apenas lo oía—. Dicen por ahí que Sally tenía cortes por todas partes. Como sea el mismo que ha cogido a Lyn... Dios, le entran a uno ganas de romperle el cuello a ese hijo de puta, ¿a ti no?

Yo tenía la vista fija en el fondo del vaso. Por lo visto no había corrido el rumor de que yo había estado ayudando a la policía. Eso me alegraba, pero también me hacía sentir incómodo, como si el hecho de callar mi papel en el caso me convirtiera en un embustero.

—¿Crees que se salvará? —preguntó Ben sacudiendo su enorme cabeza.

—No lo sé.

Era la respuesta más sincera que podía darle. Me acordé de lo que Mackenzie había dicho horas antes: si yo estaba en lo cierto, Sally Palmer no fue asesinada hasta unos tres días después de su desaparición. A pesar de que los perfiles psicológicos no fueran mi especialidad, sabía que los asesinos en serie siguen patrones. Lo cual implicaba que, de tratarse del mismo hombre, cabía la posibilidad de que Lyn siguiera con vida.

«Con vida.» Dios mío, ¿era posible? Y en tal caso, ¿por cuánto tiempo seguiría viva? Me dije que había hecho cuanto podía y que le había dado a la policía todo lo que razonablemente podían esperar de mí, pero me supo a racionalización barata.

Me percaté de que Ben me estaba mirando.

–¿Perdona?

–Decía que si te encuentras bien. Te veo un poco cansado.

–Es que he tenido un día muy largo.

–Pues todavía no se ha acabado –dijo torciendo el gesto y volviendo la vista hacia la puerta–. Por si fuera poco...

Me giré y vi la oscura silueta del reverendo Scarsdale tapando la luz al entrar. Las conversaciones se interrumpieron de golpe mientras el reverendo avanzaba hacia la barra con su expresión severa.

–No creo que haya venido a levantarnos la moral precisamente –murmuró Ben.

Scarsdale se aclaró la garganta y empezó a hablar.

–Caballeros –dijo mirando con desaprobación a las pocas mujeres que había en el pub, pero sin dignarse dirigirse también a ellas–. He considerado oportuno hacerles saber que mañana por la tarde celebraré un servicio especial por Lyn Metcalf y Sally Palmer. –Tenía voz seca de barítono y una buena dicción–. Estoy seguro de que todos –añadió barriendo la estancia con la mirada–, y digo todos, vendrán a presentar su respeto por las fallecidas y su consideración hacia los vivos. –Hizo una pausa antes de hacer una rígida reverencia con la cabeza–. Gracias.

De camino a la puerta se detuvo delante de mí. Hasta en verano despedía olor a moho. Sobre la sotana de lana negra podía verse el polvillo blanco de la caspa y su aliento emanaba cierto tufo a naftalina.

–Espero verlo a usted también, doctor Hunter.

–Si la consulta me lo permite.

–Estoy seguro de que nadie será tan egoísta de apartarlo de su deber –dijo, aunque no supe muy bien a qué se refería, y con una sonrisa muy poco amable añadió–: Además, la mayoría de sus pacientes estarán en la iglesia. Las comunidades como esta cierran filas cuando ocurre una tragedia. Como usted es de ciudad puede que le parezca extraño, pero aquí tenemos claro cuáles son nuestras prioridades.

Y, tras hacer una última media reverencia, se marchó.

–He ahí un buen cristiano –dijo Ben, levantando su pinta medio vacía–. ¿Qué, listo para otra?

Le dije que no. La aparición de Scarsdale no me había ayudado a ponerme de mejor humor. Estaba a punto de terminar mi cerveza e irme a casa cuando oí una voz detrás de mí.

–¿Doctor Hunter?

Era la joven maestra a la que había conocido en la escuela el día anterior. Su sonrisa se desdibujó al verme la cara.

–Perdón, no quería interrumpir.

–No pasa nada. Quiero decir que no interrumpe nada.

–Soy la maestra de Sam, nos conocimos ayer –dijo con tono inseguro.

Generalmente me cuesta acordarme de los nombres, pero el suyo me vino a la cabeza enseguida. Jenny. Jenny Hammond.

–Claro. ¿Cómo está el chico?

–Creo que bien. Es decir, hoy no ha ido a la escuela, pero cuando su madre fue a recogerlo ayer por la tarde parecía estar mejor.

Le había dicho que pasaría a visitarlo, pero la tarde se me había complicado.

–Seguro que no es nada. No pasa nada porque pierda unas clases, ¿no?

–Oh, no, en absoluto. Solo quería... nada, venir a saludar, nada más.

Parecía un poco avergonzada. Yo había dado por hecho que se había acercado para comentarme algo sobre Sam; tardé un poco en percatarme de que quizá lo que pretendía era charlar un rato.

–¿Ha venido con más profesores? –pregunté.

–No, he venido sola. He estado en la batida y luego... en fin, mi compañera de casa no está y no me parecía una buena noche para quedarme sola, no sé si me explico.

Se explicaba. Hubo un breve silencio.

–¿Le apetece algo?

Pronuncié la pregunta al mismo tiempo que ella decía:

–Bueno, ya nos veremos.

Nos reímos con timidez.

—¿Qué le apetece? —pregunté.

—Nada, de verdad.

—Yo estaba a punto de pedir otra —dije, dándome cuenta de que mi vaso estaba todavía a medias. Deseé que no se fijara.

—Una Becks. Gracias.

Ben acababa de recoger su cerveza cuando me apoyé sobre la barra.

—¿Lo has pensado mejor? Anda, déjame —dijo llevándose la mano al bolsillo.

—No, de verdad. Voy a pedir también para otra persona.

Ben miró detrás de mí y en sus labios brotó una sonrisa.

—Muy bien. Nos vemos.

Hice un gesto con la cabeza, tenía la cara ardiendo. Cuando me sirvieron, ya me había acabado la cerveza, así que pedí otra y me fui con ambas hacia donde estaba Jenny.

—Salud —dijo levantando ligeramente la botella, y dio un sorbo—. Sé que el dueño preferiría que no lo hiciera, pero en vaso no sabe igual.

—De esta manera no tiene que lavar, en realidad le está haciendo un favor.

—Se lo soltaré la próxima vez que me lo diga —dijo, y, un poco más seria, agregó—: No me puedo creer lo que ha ocurrido. Es terrible, ¿no cree? Dos mujeres, y las dos de aquí. Yo pensaba que en lugares como este nadie corría peligro.

—¿Por eso vino?

Mi intención no era que sonara tan brusco como de hecho sonó. Ella se quedó mirando la botella.

—Digamos que estaba harta de vivir en la ciudad.

—¿Dónde vivía?

—En Norwich.

Se puso a arrancar la etiqueta de la botella, pero al poco dejó de hacerlo, como si hubiera reparado en lo que estaba haciendo. Su expresión recuperó la serenidad y, sonriendo, me preguntó:

—Bueno, ¿y usted? Ya sabemos que tampoco es de por aquí.

—No. Soy de Londres.

—¿Y qué lo trajo por Manham? ¿Las luces y la vibrante vida nocturna?

—Algo así —contesté, pero me di cuenta de que esperaba algo más—. Lo mismo que a usted, supongo. Quería un cambio.

—Sí, la verdad es que es un gran cambio —dijo sonriendo—. Pero a mí me gusta. Me estoy acostumbrando a vivir en medio de la nada, con el silencio, sin multitudes, sin coches.

—Ni cine.

—Ni bares.

—Ni tiendas.

Nos miramos sonriendo.

—¿Cuánto tiempo lleva viviendo aquí? —preguntó.

—Tres años.

—¿Y cuánto tardaron en aceptarlo?

—En eso estamos. Una década más y puede que me declaren visitante permanente. Los sectores más progresistas, desde luego.

—No me diga eso. Yo solo llevo aquí seis meses.

—Entonces no pasa de turista.

Se echó a reír, pero antes de que pudiera decir nada se oyó un alboroto en la puerta.

—¿Dónde está el médico? —preguntó una voz—. ¿Está aquí?

Me acerqué y vi que quien lo preguntaba era un hombre que apenas podía tenerse en pie. Reconocí en él a Scott Brenner, miembro de una numerosa familia que vivía en un destartalado caserón justo en las afueras de Manham. Tenía una bota y la parte baja de una de las perneras manchadas de sangre.

—Siéntenlo con cuidado —dije mientras entre unos cuantos hombres lo ayudaban—. ¿Qué ha pasado?

—Ha pisado un cepo. Íbamos de camino a la consulta, pero al pasar hemos visto su Land Rover en la puerta —explicó su hermano Carl.

Los Brenner eran una especie de clan, granjeros en su mayoría, aunque tampoco le hacían ascos a la caza furtiva. Carl era el mayor, un tipo nervudo y de aspecto pendenciero. Mientras arremangaba la pernera de los vaqueros de Scott no pude evitar pensar que habría preferido que le pasara a su hermano. Muy poco propio de un médico.

—¿Tenéis coche? —pregunté al ver la herida.

—¿Le parece que hemos venido andando, o qué?

—Mejor, porque hay que llevarlo al hospital.

Carl soltó una blasfemia y preguntó:

—¿No basta con vendarlo?

—Yo solo puedo hacerle una cura temporal, pero necesita una atención mejor que la que yo puedo brindarle.

—¿Voy a perder el pie? —preguntó Scott.

—No, pero no podrás echar carreras por una temporada —contesté con más confianza de la que en realidad tenía. Consideré la posibilidad de llevármelo a la consulta, pero por su aspecto vi que ya lo habían trajinado bastante—. Hay un botiquín de primeros auxilios bajo una manta en el maletero de mi Land Rover, ¿puede ir alguien a buscarlo?

—Yo —dijo Ben.

Le di las llaves del coche. Mientras salía, pedí agua y toallas limpias y empecé a lavarle la sangre en torno a la herida.

—¿Qué clase de cepo era?

—Uno de alambre —dijo Carl—. Se tensa cuando el animal mete la pata dentro. Puede llegar a penetrar hasta el hueso.

Eso era exactamente lo que había ocurrido.

—¿Dónde estabais?

—Al otro lado del marjal —respondió Scott, procurando no mirar—, cerca del antiguo molino...

—Estábamos buscando a Lyn —cortó Carl lanzándole una mirada elocuente.

Ya me extrañaba. Conocía el lugar al que se refería. Como la mayoría de los molinos de los Broads, el de las afueras de Manham consistía en una bomba alimentada por el viento construida para drenar los marjales. Llevaba décadas abandonado y sin actividad, y de él no quedaban ni las aspas. La zona en la que se encontraba estaba desolada incluso para los cánones de Manham, pero resultaba ideal para cazar o atrapar animales a salvo de miradas indiscretas. Conociendo la reputación de los Brenner, pensé que ese, y no su sentido de la responsabilidad pública, debía de ser el motivo más plausible de su presencia allí a esas horas de la noche. Mientras seguía enjugando la sangre de la herida, me pregunté si acaso no habrían pisado uno de sus propios cepos.

—No era nuestro —dijo Scott como si me hubiera leído el pensamiento.

—¡Scott! —exclamó el hermano.

—¡No lo era! Estaba escondido bajo la hierba del sendero, y era demasiado grande para atrapar conejos o ciervos.

Sus palabras fueron acogidas en silencio. Aunque la policía no lo había confirmado aún, todo el mundo había oído hablar del alambre encontrado en el bosque donde Lyn había desaparecido.

Ben volvió con el botiquín. Limpié y envolví la herida lo mejor que supe.

—Que no apoye el pie en el suelo, y llévatelo a urgencias lo antes posible —le dije a Carl.

Este puso en pie a su hermano con un tirón brusco y se lo llevó afuera. Yo fui a lavarme las manos y volví con Jenny, que seguía de pie junto a mi bebida.

—¿Se curará? —preguntó.

—Depende de lo dañado que tenga el tendón. Con un poco de suerte, solo renqueará un poco.

—¡Por Dios, vaya día!

Ben se acercó para devolverme las llaves del coche.

—Creo que esto es tuyo.

—Gracias.

—¿Tú qué crees? ¿Puede tener algo que ver con lo de Lyn?

—No lo sé. Pero he tenido un mal presentimiento, como todos.

—¿Por qué iba a estar relacionado? —preguntó Jenny.

Ben no estaba muy seguro de cómo contestar y yo caí en la cuenta de que no se conocían.

—Ben, te presento a Jenny. Es maestra de la escuela —le expliqué.

Él lo interpretó como si le hubiera dado permiso para continuar.

—Porque parece demasiada casualidad. No es que los Brenner sean santos de mi devoción, son una panda de furtivos hijos de...

—Se interrumpió y miró a Jenny—. En fin, que espero por Dios que no sea más que eso. Una coincidencia.

—Me he perdido.

Ben me miró, pero no iba a ser yo quien lo dijera.

—Porque si no es una coincidencia, significa que es alguien de por aquí. Alguien del pueblo.

—Pero eso no es seguro —objetó Jenny.

La cara de Ben no engañaba, pero era demasiado educado para ponerse a discutir.

—Bueno, ya se verá. Pero después de esto creo que me voy a casa.

Apuró el vaso y se dirigió hacia la puerta, pero antes de salir se dio la vuelta y le preguntó a Jenny:

—Ya sé que no es asunto mío, pero ¿ha venido en coche?

—No, ¿por qué?

—Porque no creo que sea una buena idea volver a casa caminando, por eso.

Me lanzó una última mirada para cerciorarse de que yo había captado el mensaje y se marchó. Jenny sonreía con incredulidad.

—¿Cree que es para tanto?

—Espero que no, pero supongo que tiene razón.

—No me lo puedo creer. ¡Hace dos días, este era el sitio más tranquilo de la tierra! —dijo ella sacudiendo la cabeza con incredulidad.

Dos días atrás Sally Palmer ya estaba muerta, y la mala bestia que la había matado seguramente tenía ya el ojo puesto en Lyn Metcalf, pero eso no se lo dije.

—¿Hay alguien que pueda acompañarla? —pregunté.

—No, pero no pasa nada. Sé cuidar de mí misma.

No es que lo dudara. Pero por debajo de su tono desafiante, detecté cierto nerviosismo.

—Yo la acompaño —dije.

Cuando llegué a casa me senté frente a la mesa del jardín trasero. Era una noche cálida, sin un soplo de viento. Recosté la cabeza y miré las estrellas. La luna, casi llena, parecía un disco asimétrico recubierto por un halo blanco. Intenté fijarme en sus contornos, pero poco a poco fui bajando la mirada hasta fijarla en el oscuro bosque del otro lado de los campos. Solía parecerme una vista agradable, incluso de noche, pero en ese momento, al mirar la impenetrable masa de árboles, noté una sensación de malestar en mi interior.

Entré en casa, me serví un vasito de whisky y volví afuera. Era pasada medianoche y sabía que debía levantarme temprano, pero cualquier motivo era válido para no ir a la cama. Además, por una vez tenía demasiadas cosas en que pensar como para sentirme cansado. Había acompañado a Jenny a la pequeña casa que tenía alquilada junto con otra mujer joven. Al final no habíamos cogido el coche. Hacía una noche clara, la temperatura era buena y ella vivía a unos pocos cientos de metros. Mientras caminábamos me había estado hablando de su trabajo y de los niños de la escuela. Hizo una única alusión a su vida pasada, al mencionar que había trabajado en una escuela en Norwich, pero era un comentario de pasada y quedó soterrado bajo un aluvión de palabras. Fingí no darme cuenta. Fuera lo que fuese lo que ocultaba no era de mi incumbencia.

Mientras subíamos por la estrecha calle que conducía a su casa, se oyó el cercano aullido de un zorro y Jenny se agarró de mi brazo.

—Perdona —dijo, soltándolo al momento como si quemara y dejando escapar una risa tímida—. Ya tendría que haberme acostumbrado a vivir aquí.

Después de eso la situación se había vuelto tensa. Cuando llegamos a la casa, ella se detuvo en la verja.

—Bueno, gracias.

—No hay de qué.

Sonrió una última vez y entró en casa. Esperé a oír el ruido de la cerradura antes de marcharme. Durante todo el camino de vuelta por el pueblo a oscuras no dejé de sentir el tacto de su mano en mi brazo desnudo.

De hecho, seguía sintiéndolo. Di un sorbo al vaso e hice una mueca al pensar en lo nervioso que me había puesto por el simple hecho de que una mujer joven me hubiera tocado accidentalmente. Con razón después se había quedado callada.

Me terminé el whisky y fui adentro. Había algo que me revolvía el subconsciente, como si hubiera alguna cosa que debiera hacer. Tuve que pensar un rato antes de caer en ello. Scott Brenner. No estaba seguro de que su hermano le permitiera explicar a la policía lo del alambre. Tal vez no fuera nada, pero Mackenzie debía saberlo. Busqué su tarjeta y marqué el número del móvil. Era casi la una en punto, pero podía dejarle un mensaje de voz para que lo oyera por la mañana.

No obstante, lo cogió enseguida.

—¿Diga?

—Soy David Hunter —dije; me había pillado con la guardia baja—. Disculpe, sé que es tarde. Solo quería asegurarme de que Scott Brenner se ha puesto en contacto con usted.

Hubo una pausa durante la que pude percibir su irritación y su cansancio.

—Scott ¿qué?

Le expliqué lo sucedido. Cuando volvió a hablar, el cansancio había desaparecido.

—¿Dónde ha sido eso?

—Cerca de un viejo molino que hay kilómetro y medio al sur del pueblo. ¿Cree que puede tener relación?

Se oyó un sonido que tardé un momento en identificar: el roce de los bigotes al frotarse la cara.

—En fin, qué demonios. De todos modos teníamos que hacerlo público mañana —dijo—. Dos de mis agentes han sufrido heridas esta noche. Uno se ha quedado atrapado en un cepo de alambre y el otro ha metido el pie en un agujero en el que alguien había colocado una estaca afilada. —Su voz no podía disimular el enfado—. Creo que el tipo que se ha llevado a Lyn Metcalf esperaba que fuéramos a buscarlo.

Esa noche me desperté sin transiciones traumáticas. Me encontré despierto sin más, con los ojos abiertos mirando el rayo de luz de luna que penetraba por la ventana. Por una vez no me había movido de la cama, mis vagabundeos nocturnos habían quedado restringidos al sueño. Sin embargo, el recuerdo seguía conmigo, tan vívido como si no hubiera despertado.

El escenario era siempre el mismo. Una casa que nunca había visto en vigilia, una casa que sabía que no existía pero que, aun así, sentía como propia. Kara y Alice estaban en ella, radiantes, reales. Hablábamos de cómo me había ido la jornada, de nada en especial, como cuando estaban vivas.

Entonces me despertaba y debía enfrentarme a la cruda verdad de su muerte.

Recordé otra vez las palabras de Linda Yates: «Si soñamos, es por algo». Me pregunté cómo habría interpretado ella mi sueño. Podía imaginarme lo que habría dicho un psiquiatra como Henry, pero mis sueños rehuían cualquier intento de racionalizarlos. Había en ellos una lógica y una realidad que tenía bien poco de ensoñación. Y, si bien apenas lo reconocía ante mí mismo, una parte de mí se negaba a aceptar que no fueran nada más que eso.

Sin embargo, si abrazaba esa idea, daría el primer paso por un camino que me asustaba tomar. Porque solo había una forma de poder estar de nuevo con mi familia, y sabía que optar por ella no habría sido un acto de amor, sino de desesperación.

Lo que me asustaba todavía más era que a veces me daba lo mismo.

9

A la mañana siguiente, dos personas más resultaron heridas por culpa de los cepos. Fueron incidentes aislados porque ninguna de las trampas estaba cerca de las de la noche anterior. Lo supe porque como la consulta no disponía de enfermera permanente tuve que tratar ambos casos. Una de esas personas era una agente de policía que se había clavado en la pantorrilla una estaca enterrada en un agujero camuflado. Al igual que con Scott Brenner, hice lo que pude y la mandé al hospital para que le dieran puntos. El otro herido, Dan Marsden, un mozo de labranza del pueblo, apenas se había hecho nada porque la bota se había interpuesto entre el alambre y su pierna.

—Juro que como agarre al hijo de perra que lo puso ahí pienso romperle las piernas —dijo apretando los dientes mientras le vendaba la herida.

—¿Estaba bien escondida?

—Totalmente invisible. ¡Y era enorme! Dios sabe qué coño pretendían cazar con una cosa tan grande.

No dije nada, pero pensé que quizá los cepos hubieran cazado exactamente lo que debían cazar.

Mackenzie opinaba como yo. Suspendió de forma temporal la búsqueda de Lyn Metcalf e hizo instalar una tienda de primeros auxilios al lado del furgón desde el que se dirigía la operación. Asimismo, hizo público un comunicado en el que advertía que nadie se acercara a los bosques y campos de los alrededores del pueblo. El resultado fue el que cabía esperar: si el día anterior el estado de ánimo era de aturdimiento, la noticia de que los campos en torno a Manham ya no eran seguros hizo germinar el miedo propiamente dicho.

Por supuesto, hubo quien se negó a creérselo y quien se empecinó en que nadie iba a asustarlos tanto que no se atrevieran a pisar unos campos que habían conocido toda la vida. Hasta que uno de los vecinos más escépticos, tras una tarde de copas en el Lamb, fue a meter el pie en un agujero tapado con hierba seca y se rompió el tobillo. Sus gritos se revelaron más eficaces que cualquier comunicado policial.

A medida que llegaban más agentes, los medios nacionales empezaron a interesarse por el asunto y se presentaron en el pueblo con sus micrófonos y cámaras. Manham empezaba a parecer una ciudad sitiada.

—Por el momento solo tenemos dos tipos de cepos —me dijo Mackenzie—. El de alambre es una trampa bastante sencilla, cualquier cazador furtivo sabría prepararla. La diferencia está en que estas son lo bastante grandes para atrapar el pie de un adulto. Lo de las estacas es peor. Podría tratarse de un ex militar o de uno de esos paranoicos de la supervivencia. O simplemente alguien con una imaginación perversa.

—¿Por qué dice que «por el momento»?

—Quien las ha tendido sabe lo que hace. Actúa a conciencia. No podemos descartar que nos esperen más sorpresas.

—¿Y no podría ser esa su intención? ¿Perturbar el desarrollo de la búsqueda?

—Es posible, pero no podemos permitirnos correr riesgos. De momento, todas han causado heridos. Si no nos andamos con cuidado, puede que alguien resulte muerto.

Al llegar a un cruce calló y se puso a tamborilear en el volante con impaciencia mientras esperaba a que el vehículo de delante arrancara. El silencio aumentaba mi ansiedad, así que me puse a mirar por la ventanilla.

Había llamado a Mackenzie a primera hora de la mañana para decirle que, si todavía lo deseaba, estaba dispuesto a examinar los restos de Sally Palmer. Me había despertado con esa idea en la cabeza, como si la decisión hubiera tenido lugar durante el sueño, y supongo que en cierto modo fue así.

En verdad, no estaba seguro de poder serle muy útil. Como mucho podía darle datos más precisos sobre la hora de la muerte, y eso suponiendo que mis conocimientos no se hubieran oxidado por completo. No me hacía ilusiones, sabía que era difícil estar a tiempo de ayudar a Lyn Metcalf, pero en cualquier caso ya no era posible quedarse de brazos cruzados.

Lo que no significa que lo hiciera de buena gana.

Cuando se lo comuniqué, Mackenzie no pareció sorprendido, ni siquiera impresionado. Se limitó a decir que lo consultaría con su superintendente y que me diría algo. Al colgar estaba como en el limbo y no podía dejar de preguntarme si, después de todo, no me habría equivocado.

Mackenzie me llamó al cabo de media hora para preguntarme si podía empezar esa misma tarde. Le dije que sí. Tenía la boca seca.

—El cadáver sigue en la sala de autopsias. Pasaré por su casa a la una e iremos a verlo —me dijo.

—Puedo ir solo.

—Tengo que pasar por comisaría y me gustaría que habláramos de un par de cosas.

Me pregunté de qué querría hablar. Luego fui a pedirle a Henry si podía sustituirme en la consulta por la tarde.

—Claro. ¿Ha pasado algo?

Había expectación en su mirada. Todavía no le había explicado ni siquiera el motivo de la visita de Mackenzie y eso me remordía, pero de haberlo hecho, habría tenido que darle muchas otras explicaciones y no me apetecía. De todos modos, era consciente de que no podía postergar mucho más el momento. Por lo menos le debía eso.

—Dame hasta el fin de semana —dije. Seguramente para entonces habría terminado con mi tarea y no habría visitas en la consulta—. Entonces te lo explicaré todo.

—¿Va todo bien? —preguntó escrutándome.

—Sí, lo que pasa es que... es complicado.

—La vida es complicada. La semana pasada nadie esperaba que el pueblo fuera a llenarse de malditos periodistas y policías que no dejan de interrogar a todo el mundo. Quién sabe cómo acabará todo esto. —Y cambió a un tono más optimista—. Muy bien. Ven a almorzar el domingo. Me apetece cocinar, será la excusa para descorchar un buen burdeos que tenía ganas de probar. Siempre es mejor hablar con el estómago lleno.

Acepté, animado por haber podido retrasar por lo menos unos días el momento de la confesión.

Llegamos a una rotonda. El tráfico era considerable. El interior del coche de Mackenzie olía a ambientador de mentol y a loción de afeitado. Daba la impresión de que acabara de sacarlo del túnel de lavado. Fuera, las calles y carreteras eran un cúmulo de desorden y ruido. Todo parecía familiar y extraño a un tiempo. Intenté recordar la última vez que había estado en una ciudad y me quedé pasmado al caer en la cuenta de que era la primera vez que salía de Manham desde la lluviosa tarde de mi llegada. Me asaltaron sentimientos encontrados: por una parte, deseaba no haber salido de allí; por otra, me maravillaba haber aguantado tanto tiempo aislado.

Fuera, la vida había seguido su curso.

Vi un grupo de niños a la puerta de un colegio que se daban empellones mientras el profesor intentaba poner orden. La gente caminaba a toda prisa, enfrascada en sus asuntos. Cada cual con su vida, ajena a la mía. Ajenos los unos a los otros.

—El alambre de los cepos es igual que el que se utilizó para hacer caer a Lyn Metcalf —dijo Mackenzie, arrancándome de mi embelesamiento—, y el mismo que se usó para atar el pato a la piedra. No sabemos si forma parte del mismo lote, pero creo que podemos darlo por cierto.

—¿Y qué sentido tenía? Lo del pato, quiero decir.

—Todavía no estoy seguro. Tal vez lo hizo para asustarla. Podría ser un mensaje, o una firma.

—¿Como las alas que se encontraron en el cuerpo de Sally Palmer?

—Quizá. Por cierto, el ornitólogo ya ha dado su respuesta. Eran de cisne común. Típico de la zona, sobre todo en esta época del año.

—¿Cree que puede haber alguna relación entre las alas de cisne y el pato?

—Me cuesta creer que sea una coincidencia, si es lo que quiere decir. Puede que tenga algo contra las aves —dijo adelantando a una furgoneta—. Tenemos a los psicólogos trabajando en ello para que nos digan qué le pasa por la cabeza a ese loco, y también a especialistas de todo tipo, por si forma parte de algún ritual pagano o satánico o alguna gilipollez por el estilo.

—Pero usted no lo cree.

Tardó en contestar. Estaba claro que sopesaba qué información estaba dispuesto a darme.

—No, no lo creo —dijo al fin—. Lo de las alas en el cuerpo de Sally Palmer dio mucho que hablar. Se dijo que si el asesino empleaba símbolos clásicos o religiosos, que si ángeles y Dios sabe qué más. Ahora, sin embargo, no lo tengo tan claro. Si el pato hubiera sido mutilado o lo hubiera sacrificado, entonces quizá. Pero ¿atado con un alambre? No, me parece que a nuestro hombre lo que le gusta simplemente es hacer daño. Exhibirse, si prefiere llamarlo así.

—Como lo de las trampas.

—Como lo de las trampas. Es verdad que retrasa la investigación, porque no podemos concentrarnos en la búsqueda si hemos de preocuparnos de estos imprevistos. Pero ¿por qué se toma tantas molestias? Cualquiera capaz de hacer algo así sabe cómo borrar las pistas, y él, en cambio, nos deja un pato, las estacas con las que hizo caer a la víctima y ahora las trampas. O está seguro de que no encontraremos nada o es que está, cómo decirlo...

—¿Marcando su territorio?

—Algo así. Demostrándonos que es él quien manda. Ni siquiera le supone un gran esfuerzo. Reparte unas cuantas trampas en puntos estratégicos y luego se retira a admirar el espectáculo.

Permanecí unos segundos en silencio, pensando en las palabras de Mackenzie.

—¿Y no podría ser más que eso?

—¿A qué se refiere?

—Ha convertido los bosques y los marjales en zona prohibida. La gente tiene miedo de salir a pasear por ahí por si tropiezan con una trampa.

—¿Y bien? —preguntó frunciendo el entrecejo.

—Que tal vez no solo le gusta hacer daño. Puede que también le guste dar miedo.

Mackenzie miraba el parabrisas con ojos pensativos. Estaba salpicado de restos de insectos muertos.

—Podría ser —dijo por fin—. ¿Le importaría decirme dónde estaba usted entre las seis y las siete de la mañana de ayer?

El giro repentino de la conversación me cogió desprevenido.

—Seguramente a las seis estaría en la ducha. Luego desayuné y me fui a la consulta.

—¿A qué hora?

—Hacia las siete menos cuarto.

—Madrugó mucho.

—No había dormido bien.

—¿Tiene testigos?

—Henry. Me tomé una taza de café con él al llegar. Solo y sin azúcar, por si le interesa.

—Solo son preguntas rutinarias, doctor Hunter. Ha participado en muchas investigaciones policiales, debería saber cómo va esto.

—Pare.

—¿Qué?

—Que pare.

Parecía que iba a ponerse a discutir, pero puso el intermitente y se hizo a un lado de la calzada.

—¿Estoy aquí como sospechoso o solamente porque quiere mi ayuda?

—Oiga, estamos haciendo preguntas a todos los...

—Contésteme.

—De acuerdo, lo siento, tal vez no debería haberlo hecho de esa forma, pero tenía que preguntárselo.

—Si creyera que tengo algo que ver en el caso, no debería haberme traído. ¿Cree que vengo por gusto? Habría preferido no volver a ver un muerto en mi vida, así que si no está dispuesto a confiar en mí, podemos terminar ahora mismo.

—Oiga —dijo Mackenzie suspirando—, no creo que esté involucrado. Y si lo creyera, no me aprovecharía de usted, puede creerme. Le estamos haciendo las mismas preguntas a todo el pueblo. Lo único que quería era hacérselas a usted y acabar de una vez, ¿de acuerdo?

Seguía sin gustarme la forma en que había abordado el asunto. Lo había hecho con intención de sorprenderme, para ver cómo reaccionaba, y me pregunté si el resto de nuestra conversación habría sido también una forma de ponerme a prueba. Pese a todo, me gustara o no, era su trabajo y empezaba a reconocer que se le daba bien. Acabé asintiendo a regañadientes.

—¿Ahora puedo arrancar? —preguntó.

—Supongo que sí —dije sin poder reprimir una sonrisa.

Arrancó de nuevo.

—¿Y cuánto puede durar esto? El examen —preguntó al cabo de un rato para romper el silencio.

—Es difícil decirlo. Depende en buena medida del estado del cuerpo. ¿El patólogo ha llegado a alguna conclusión?

—La verdad es que no. Parece posible que hubiera agresión sexual, ya que el cuerpo estaba desnudo, pero no podemos decirlo con seguridad. El torso y las extremidades presentan lo que parecen ser numerosos cortes, aunque son superficiales. Ni siquiera sabe decirnos si lo que la mató fue el corte de la garganta o las heridas de la cabeza. ¿Cree que podrá iluminarnos al respecto?

—No lo sé todavía.

Habiendo visto las fotografías del escenario del crimen, se me ocurrían algunas ideas, pero no quería comprometerme antes de estar seguro.

—Sé que me arrepentiré de hacerle esta pregunta —dijo Mackenzie mirándome con el rabillo del ojo—, pero ¿qué hará exactamente?

Me había propuesto no pensar en ello, pero la respuesta me salió automáticamente.

—Observaré el cuerpo por rayos X, si es que no lo han hecho aún. Luego tomaré muestras de tejido blando para determinar el CTD, y después...

—¿Determinar el qué?

—El intervalo del cronotanatodiagnóstico. Los cambios sufridos por el cuerpo pueden analizarse para averiguar cuánto tiempo lleva muerto: composición de aminoácidos, ácidos grasos volátiles, grado de descomposición de las proteínas. Tras esto tendré que retirar los restos de tejido blando para examinar el esqueleto y ver qué clase de traumatismos sufrió y qué tipo de arma pudo provocárselos. Esas cosas.

Mackenzie puso una mueca de asco.

—¿Y cómo hace eso?

—Bueno, si no queda mucho tejido blando puede usarse un escalpelo o unos fórceps. O puede dejarse el cuerpo hirviendo en detergente durante unas horas.

Mackenzie seguía torciendo el gesto.

—Ahora entiendo por qué quería pasarse a médico de familia. —En ese momento vi que también se acordaba del resto de mis motivos, y agregó—: Lo siento.

—No importa.

Nos quedamos en silencio durante un rato. Me fijé en que Mackenzie se rascaba el cuello.

—¿Ha ido a que se lo miren? —pregunté.

—¿Que me miren qué?

—El lunar. Se lo estaba rascando.

—Es solo un picor —dijo bajando la mano de golpe y girando en dirección a un aparcamiento—. Ya estamos.

Entramos en el hospital y tomamos un ascensor para bajar de la planta baja al sótano. El depósito de cadáveres se encontraba al fondo de un largo corredor. Nada más entrar, noté el característico olor dulzón que penetra en los pulmones con el primer aliento, impregnándolos como una película. En el interior todo eran paredes blancas, acero inoxidable y cristal. Una mujer joven de rasgos asiáticos y vestida con una bata blanca se levantó de detrás de una mesa en cuanto entramos.

—Buenas tardes, Marina —la saludó Mackenzie con voz serena—. Doctor Hunter, Marina Patel. Estará aquí por si necesita ayuda.

Me estrechó la mano sonriendo. Yo todavía estaba intentando orientarme, acostumbrarme a estar de nuevo en un lugar que me resultaba a la vez tan familiar y tan extraño.

—Bien, tengo que ir a comisaría —dijo Mackenzie consultando el reloj—. Llámeme cuando haya terminado y vendré a recogerlo.

Cuando se hubo marchado, la joven me miró expectante, como a la espera de instrucciones.

—Entonces... ¿es usted la patóloga? —pregunté, retrasando el momento de la verdad.

—Aún no —contestó sonriendo—. Soy estudiante de posgrado, pero espero serlo algún día.

Sonreí. Ninguno de los dos se movió.

—¿Desea ver el cuerpo? —preguntó ella por fin.

No. No quería.

—De acuerdo.

Me dio una bata de laboratorio y me llevó a una sala que había al otro lado de un par de pesadas puertas abatibles. Era una estancia pequeña, con forma de quirófano antiguo; hacía frío. El cuerpo estaba en una mesa de acero inoxidable; tendido allí, sobre la superficie de metal mate, se me antojó una imagen de lo más incongruente. Marina encendió las lámparas, y pude verlo en su patética integridad.

Recorrí con la mirada lo que hasta unos días atrás había sido Sally Palmer y de la que ya nada quedaba. Eso me hizo sentir un ligero alivio al que no tardó en suceder una aséptica imperturbabilidad.

—Bien, empecemos —dije.

Aquella mujer había visto días mejores. Tenía la cara castigada y llena de magulladuras, y sus facciones empezaban a perder cualquier rasgo que pudiera haber tenido en el pasado. La cabeza estaba inclinada, como si soportase el peso del mundo sobre los hombros, y sin embargo había algo noble en su resignación, como si, pese a no haberla esperado, hubiera aceptado su suerte.

Durante la misa me llamó la atención la estatua de un santo desconocido. No sabía por qué, pero había algo en ella que me gustaba. Estaba montada sobre un pilar de piedra y era de factura más bien tosca, incluso para mis ojos inexpertos, parecía evidente que su autor tenía bastante poco sentido de la proporción. Y aun así, ya fuera el suave aspecto de las cosas antiguas o algo menos definible, tenía algo atrayente. Debía de llevar allí siglos y habría visto desarrollarse bajo sus ojos un sinfín de escenas alegres y dolorosas, y allí seguiría, atenta y silente, aun después de extinguida la memoria de todos nosotros. Era una forma de recordar que, bueno o malo, todo se acaba.

En ese momento era un pensamiento tranquilizador. En el interior de la vieja iglesia hacía frío y olía a humedad pese a que la tarde era calurosa. La luz traspasaba los cristales azules y malvas de las vidrieras, desiguales y combados por el paso del tiempo. El pasillo central estaba recubierto de losas de piedra gastadas y algunas lápidas dispersas. La más cercana a mí tenía labrada una calavera bajo la cual algún picapedrero medieval había grabado un siniestro mensaje:

Como eres tú, así fui yo.
Como soy yo, así serás.

Me pasé el rato cambiando de postura en el macizo banco de madera mientras la insidiosa voz de barítono de Scarsdale retumbaba en las paredes de piedra. Como era de esperar, lo que había empezado siendo un servicio religioso había derivado en una excusa para que el reverendo proyectara su personal forma de entender la piedad sobre el indefenso auditorio.

—Cuando rezamos por el alma de Sally Palmer y por la liberación de Lyn Metcalf, sin duda surge una pregunta a la que todos buscamos respuesta. ¿Por qué? ¿Por qué ha tenido que ocurrir esto? ¿Ha sido un acto de justicia el que estas dos mujeres nos fueran arrebatadas con tamaña brutalidad? ¿Justicia por qué? ¿Y sobre quién?

Scarsdale se agarraba al púlpito de madera con ambas manos y fulminaba a la congregación con su mirada.

—La justicia puede caer sobre cualquiera de nosotros y en cualquier momento, y nosotros no somos quiénes para cuestionarla. No somos quiénes para tacharla de caprichosa. Dios es misericordioso, pero no tenemos ningún derecho a esperar que lo sea con nosotros. Dios imparte Su misericordia por vías que tal vez escapan a nuestra comprensión. No está en nuestra mano dolernos por ello, simplemente porque somos ignorantes.

Cuando se detuvo a coger aire, brillaron unos cuantos flashes. Scarsdale había permitido entrar en la iglesia a la prensa, lo que hacía que la situación fuera aún más irreal. Su escasa congregación había crecido hasta el punto de llenar el templo. Cuando llegué los bancos ya estaban llenos y tuve que arreglarme con un pequeño espacio al fondo de todo.

Me había olvidado del servicio hasta que pasé delante del cementerio y vi a la muchedumbre. Mackenzie le había encomendado que me llevara de vuelta a Manham a un taciturno sargento de paisano al que se notaba a todas luces que le había sentado mal verse rebajado al papel de taxista. El teléfono del inspector estaba apagado cuando lo llamé para comunicarle que había terminado, pero le dejé un mensaje de voz y él me telefoneó casi al momento.

—¿Qué tal ha ido?

—He enviado unas muestras para que saquen un examen de cromatografía de gases. Cuando manden los resultados podré determinar la hora más o menos exacta de la muerte —dije—. Mañana podré empezar a examinar el esqueleto. Entonces sabremos algo más sobre el tipo de arma utilizada.

—Entonces, ¿todavía no ha averiguado nada? —preguntó visiblemente decepcionado.

117

—Solo lo que me ha dicho Marina: que la causa probable de la muerte deben de ser las heridas de la cabeza y no el corte de la garganta.

—¿Y no está de acuerdo?

—No digo que no fueran fatales, pero seguro que estaba viva cuando le seccionaron la garganta.

—¿Está seguro?

—El cuerpo está demasiado seco. Ni siquiera con el calor de estos últimos días se habría secado tan rápido, a menos que hubiera sufrido una pérdida masiva de sangre, cosa que no ocurre con un cuerpo ya muerto, por más que le corten la garganta.

—Las muestras de tierra sacadas del lugar donde fue encontrado el cadáver indican bajo contenido en hierro —apuntó Mackenzie.

Eso significaba que no era mucha la sangre que había caído al suelo en ese lugar. Si le hubieran seccionado la yugular allí mismo, la cantidad habría sido tal que los niveles de hierro se habrían disparado por las nubes.

—Entonces la mataron en otro sitio.

—¿Qué me dice de las heridas de la cabeza?

—O no fueron mortales o fueron infligidas post mórtem.

El inspector guardó silencio un momento, pero podía imaginarme lo que estaría pensando. Fuera lo que fuera lo que había sufrido Sally Palmer, a Lyn Metcalf le esperaba lo mismo. Si todavía no estaba muerta, solo era cuestión de tiempo.

A menos que sucediera un milagro.

Scarsdale empezaba a moderar su tono.

—Quizá algunos de vosotros todavía os estáis preguntando qué han podido hacer esas dos pobres mujeres para merecer esto. Qué ha hecho nuestra comunidad para merecer esto. —Y extendiendo las manos añadió—: Tal vez nada. Tal vez la mentalidad moderna está en lo cierto; tal vez no hay razón ni principio rector en el universo.

Hizo una pausa muy teatral. Me pregunté si no lo estaría haciendo expresamente para las cámaras.

—O tal vez nuestra arrogancia nos deslumbra demasiado para ver un sentido —continuó—. Muchos de los presentes llevabais años sin poner los pies en esta iglesia. Tenéis una vida demasiado ocupada para compartirla con Dios. Debo decir que yo mismo no conocía a Sally Palmer ni a Lyn Metcalf. Sus vidas y esta casa no coincidieron en demasiadas ocasiones. No me cabe duda de que ambas son víctimas en esta tragedia, pero ¿víctimas de qué?

Antes de seguir, inclinó la cabeza hacia nosotros.

—Todos nosotros deberíamos mirar en nuestro corazón. Jesús dijo: «De lo que siembres, recogerás». Y esto es lo que hoy nos está ocurriendo. Estamos recogiendo los frutos no solo de la espiritualidad enferma de nuestra sociedad, sino de nuestra propia ceguera. El mal no deja de existir porque nosotros hayamos decidido mirar a otro lado. Así que ¿a quién habremos de mirar para repartir culpas?

Extendió uno de sus huesudos dedos y señaló lentamente con él al numeroso auditorio.

—A nosotros mismos. Somos nosotros quienes hemos permitido que esta serpiente se mueva con libertad. Nadie más. ¡Y ahora debemos rezarle a Dios para que nos otorgue la fortaleza necesaria para expulsarla de nuestra vera!

Un silencio incómodo se hizo entre los asistentes, que intentaban asimilar las palabras del reverendo. Pero Scarsdale no les dio ocasión de ello, sino que levantando la barbilla y cerrando los ojos dijo:

—Ahora recemos.

Los flashes de las cámaras se dispararon, llenando su cara de luces y sombras.

A la salida de la iglesia no se formó ninguno de los corros de gente habituales tras el servicio. En la plaza del pueblo se había instalado un furgón policial, una mole de color blanco que producía un efecto incongruente e intimidatorio a la vez. A pesar de la insistencia de la prensa y las cámaras de televisión, poca gente se sintió con ánimo de hacer declaraciones. Los sucesos eran demasiado recientes y demasiado próximos. Una cosa era ver en las noticias a gente golpeada por una tragedia; formar parte de ella era otra distinta.

De modo que las febriles preguntas de los periodistas fueron acogidas con una frialdad cordial pero impenetrable. Con solo una o dos excepciones, todo Manham volvió la espalda a los ojos del mundo exterior. Sorprendentemente, Scarsdale fue uno de los que accedieron a ser entrevistados. No era persona con afán de notoriedad, pero por lo visto consideraba aceptable cenar con el demonio, aunque solo fuera por esa vez. A juzgar por el tono del sermón, parecía ver en lo ocurrido una confirmación de sus advertencias. Sus continuas amonestaciones habían sido escuchadas y estaba dispuesto a aprovechar la situación para su beneficio.

Henry y yo nos quedamos mirando cómo continuaba sus prédicas en el cementerio ante un grupo de periodistas sedientos de titulares, mientras detrás de él unos chiquillos deseosos de aparecer en el plano se subían a la Piedra de la Mártir, pisoteando las flores marchitas que todavía la ornaban. Su voz, aunque no sus palabras, llegaban hasta el prado donde esperábamos bajo el castaño. Al salir de la misa encontré allí a Henry, que me saludó con una sonrisa maliciosa.

—¿No has podido entrar? —pregunté.

—Ni lo he intentado. Quería presentar mis respetos, pero que me trague el infierno antes de alimentar el ego de Scarsdale o escuchar sus coléricos sermones. ¿Qué ha dicho? ¿Que es el castigo de Dios por nuestros pecados? ¿Que nos lo teníamos merecido?

—Algo por el estilo —admití.

—Justo lo que Manham necesita —dijo Henry resoplando—. Una invitación a la paranoia.

Me fijé en que detrás de Scarsdale, que seguía con su improvisada conferencia de prensa, las filas del núcleo duro de sus fieles se habían incrementado con nuevos conversos. Al grupo formado por Lee y Marjory Goodchild y Judith Sutton y su hijo Rupert se habían sumado otros vecinos que frecuentaban menos la iglesia. Con sus cabezas levantadas, parecían un coro que con su silencio confirmara las palabras con que el reverendo defendía su postura ante las cámaras.

Henry sacudió la cabeza disgustado.

—Míralo, está en su salsa. ¿Hombre de Dios? ¡Ja! Lo único que quiere es aprovechar para decir: «Os lo advertí».

—Parte de razón no le falta.

—No me digas que te has convertido —dijo lanzándome una mirada incrédula.

—No es mérito de Scarsdale, lo que quiero decir es que quien anda detrás de esto tiene que ser del pueblo. Ha de ser alguien que conoce los alrededores. Y que nos conoce a nosotros.

—En ese caso que Dios nos asista, porque si Scarsdale se sale con la suya, las cosas empeorarán mucho antes de que empiecen a mejorar.

—¿A qué te refieres?

—¿Has visto alguna vez *Las brujas de Salem*, la obra de Arthur Miller sobre la caza de brujas?

—Solo por televisión.

—Pues no será nada comparado con lo que va a suceder en Manham como esto dure mucho. —Creí que bromeaba, pero por su mirada entendí que lo decía en serio—. Agacha la cabeza, David. Aunque Scarsdale no siembre cizaña, pronto empezarán las acusaciones y las denuncias, y entonces más valdrá que nadie te señale.

—No lo dirás en serio.

—¿Qué no? Llevo viviendo aquí mucho más tiempo que tú. Sé cómo son nuestros buenos amigos y vecinos. Ya deben de estar afilando los cuchillos.

—Vamos, ¿no crees que estás exagerando un poco?

—¿Eso crees?

Henry estaba mirando a Scarsdale, que había terminado de decir lo que fuera que tenía que decir y volvía a la iglesia. Como los periodistas más insistentes intentaban seguirlo, Rupert Sutton se cruzó en su camino y los hizo detenerse abriendo los brazos hasta formar con ellos una barrera de carne y hueso que ninguno de ellos osó traspasar.

—Estas cosas sacan lo peor de la gente —dijo Henry lanzándome una mirada elocuente—. Manham es un pueblo pequeño, y los pueblos pequeños crean mentes estrechas. Puede que me pase de pesimista, pero yo en tu lugar me cuidaría las espaldas.

Me miró a los ojos un instante para asegurarse de que tomaba nota del mensaje y a continuación desvió la mirada a mi espalda.

—¿Amiga tuya?

Me di la vuelta y vi que había una mujer joven que me sonreía. Era morena y rechoncha, la había visto alguna vez por la calle, pero desconocía su nombre. Hasta que no se hizo a un lado no vi que Jenny estaba con ella, y que no sonreía precisamente.

Ajena a la mirada de Jenny, la mujer dio un paso al frente y dijo:

—Hola, soy Tina.

—Encantado —dije yo, preguntándome a qué venía eso.

Jenny me miró y esbozó media sonrisa. Estaba nerviosa.

—Hola, Tina —dijo Henry—. ¿Qué tal tu madre?

—Mejor, gracias. Ya casi le ha desaparecido la hinchazón. —Luego se giró hacia mí con un brillo inconfundible en los ojos—. Gracias por acompañar a Jenny anoche. Soy su compañera. Da gusto ver que todavía queda gente que muestra un poco de cortesía.

—Ah, no hay de qué.

—Le estaba diciendo a Jenny que debería usted venir algún día a tomar algo o a cenar.

Miré a Jenny. Estaba ruborizada. Noté que a mí empezaba a ocurrirme lo mismo.

—Bueno, yo...

—¿Qué tal el viernes por la noche?

—Tina, seguro que está... —empezó a decir Jenny, pero su amiga no se dio por aludida.

—Entonces, ¿no está ocupado? Siempre podemos quedar para otra noche...

—Mmm... no, pero...

—¡Estupendo! Nos vemos a las ocho.

Sin dejar de sonreír, tomó a Jenny por el brazo y se marcharon. Yo me quedé mirándolas.

—¿A qué ha venido eso? —preguntó Henry.

—Ni idea.

La escena parecía haberle hecho gracia.

—¡Ni idea, de verdad! —insistí.

—Bueno, ya me lo explicarás el domingo mientras almorzamos. —De repente, la sonrisa desapareció de su rostro y volvió a mirarme con seriedad—. Y no olvides lo que te he dicho. Cuidado en quién confías. Y ten ojos en la espalda.

Y dicho esto, hizo girar la silla de ruedas y se alejó.

10

La música seguía fluyendo por la sala en penumbra, sus notas desafinadas danzaban entre algunos objetos que colgaban del techo bajo. Las gotas de líquido oscuro se movían casi en contrapunto, alargándose y ganando impulso hasta que eran vencidas por la gravedad. Durante la caída, formaban una esfera perfecta cuya breve simetría no tardaba en estrellarse contra el suelo.

Lyn miraba absorta cómo la sangre corría por su brazo, llegaba hasta los dedos y allí goteaba formando un pequeño charco, aunque cada vez más extenso, cuyos extremos empezaban a espesarse y hasta a coagularse. El dolor del corte se mezclaba con el del resto, hasta hacerse indistinguibles los unos de los otros. La sangre que manaba de ellos embadurnaba su piel convirtiéndola en una pintura de abstracta crueldad.

Al oír que la música cesaba, intentó ponerse en pie tambaleándose, insegura, dando gracias por el silencio. Buscó apoyo en la áspera pared de piedra y entonces sintió una vez más el escozor provocado por la cuerda atada al tobillo. Tenía las yemas de los dedos quemadas de tantas horas intentando inútilmente desatarse mientras yacía en la oscuridad, pero el nudo seguía tan tenso como antes.

Al principio se había sentido aturdida y traicionada, pero había acabado por resignarse. No había lugar para la piedad en aquel oscuro agujero, de eso estaba segura. Ni el más leve asomo de misericordia. Pese a todo, debía intentarlo. Protegiéndose los ojos de la deslumbrante luz que la enfocaba, intentó mirar entre las sombras en dirección al lugar desde donde su captor la observaba sentado.

—Por favor... —Su voz era un gemido reseco apenas reconocible—. Por favor, ¿por qué me haces esto?

A su pregunta siguió un silencio, interrumpido tan solo por el sonido de la respiración de su carcelero. El aire olía a tabaco quemado. Se oyó un leve crujido, provocado por un movimiento que Lyn no alcanzó a ver.

La música volvió a sonar.

11

El jueves fue el día que Manham se quedó helado. No helado en el sentido físico, pues el tiempo seguía siendo tórrido y seco como hasta entonces. Fue el clima psicológico de la población el que, ya como inevitable reacción a los acontecimientos de los últimos días o por obra del sermón de Scarsdale, pareció sufrir un acusado cambio de un día para otro. Desterrada la posibilidad de culpar de las atrocidades a un forastero, a los vecinos de Manham no les quedaba más alternativa que vigilarse a sí mismos. Las suspicacias se filtraron como un virus transmitido por el aire, propagándose gracias a sus primeras e inconscientes víctimas.

Como cualquier contagio, hubo quien se reveló más vulnerable y quien menos.

Cuando volví del laboratorio a primera hora de la tarde todavía no me había apercibido de ello. Henry no había puesto ningún impedimento en sustituirme otra vez, rechazando mi sugerencia de llamar a un suplente. «Tómate el tiempo que necesites. Hazme el favor y déjame que me apañe yo solo por una vez», habían sido sus palabras.

Iba conduciendo con las ventanillas bajadas. Cuando hube dejado atrás las carreteras más transitadas, el aire se llenó de polen y de un aroma dulce que contrarrestaba el olor un tanto azufrado del barro reseco de los cañaverales. Para mí fue un alivio porque aún tenía el hedor a detergente pegado en las pituitarias y la garganta. Había sido un día largo, y la mayor parte me lo había pasado trabajando en los restos de Sally Palmer. A veces aún sentía un extraño desconcierto al intentar reconciliar mis recuerdos de la mujer extravertida y vital que había conocido con ese montón de huesos desprovistos de cualquier vestigio de carne. No era una sensación en la que quisiera detenerme.

Por suerte, tenía demasiado que hacer como para dejar volar mis pensamientos.

A diferencia de la piel y la carne, los huesos conservan las señales de los cortes. En el caso de Sally Palmer, algunos no eran más que rasguños, pero había tres en que el filo del cuchillo había penetrado lo suficiente para revelar su presencia en el registro óseo. Ambos omoplatos presentaban muescas idénticas allá donde le habían realizado los cortes para colocar las alas de cisne. Cada muesca medía unos quince centímetros y había sido realizada en una única incisión. Las heridas eran más profundas en los extremos que en la parte central; en ambos casos el cuchillo había recorrido la escápula describiendo un arco, lo que hacía pensar en cortes más que en puñaladas.

Con una pequeña sierra eléctrica había realizado un corte longitudinal en una de las muescas para verla en su parte central. Marina se había asomado a mi lado llena de curiosidad mientras yo examinaba la superficie hendida por el cuchillo. Con un gesto le indiqué que echara un vistazo.

—¿Ves lo finos que son los lados? —pregunté—. Esto indica que el cuchillo no era de sierra.

—¿Cómo lo sabe? —preguntó ella frunciendo el ceño.

—Porque las hojas de sierra dejan un rastro. Como cuando se corta leña con una sierra circular.

—O sea que el arma no es un cuchillo de cortar pan o de carne.

—No, pero sea lo que sea estaba muy afilada. ¿Ves lo limpios y definidos que están los cortes? Además, son bastante profundos, de cuatro o cinco milímetros en la parte central.

—¿Eso quiere decir que era de grandes dimensiones?

—Yo diría que sí. Podría tratarse de un cuchillo de cocina o de carnicero, pero me imagino que será más bien un cuchillo de caza. El filo suele ser más pesado y menos flexible, y el arma que hizo esto no se torció ni se onduló. Luego está la amplitud del corte, los cuchillos de carne suelen ser mucho más finos.

La hipótesis del cuchillo de caza explicaba también las evidentes dotes de supervivencia del asesino, pero eso no se lo dije. Saqué fotografías y realicé mediciones de ambos omoplatos y luego me centré en la tercera vértebra cervical. Era la parte del esqueleto que había sufrido daños más graves a consecuencia del corte en la garganta. La herida era de distinto tipo, de forma casi triangular, lo que sugería apuñalamiento y no corte. El asesino le había hundido el cuchillo en la garganta empezando por la punta y a continuación le había seccionado la tráquea y la arteria carótida.

—Es diestro —dije.

Marina me miró.

—La depresión de la vértebra es más profunda en el lado izquierdo y menos en el derecho. Eso indica el sentido del corte —dije señalándome la garganta y moviendo el dedo—. De izquierda a derecha, lo que nos hace pensar que es diestro.

—¿No puede ser que lo hiciera del revés?

—Entonces tendría forma de corte, como en los omoplatos.

—¿Y desde atrás? Para evitar la sangre...

—El resultado sería el mismo —dije negando con la cabeza—. Aunque se hubiera puesto detrás de ella, tendría que haberla rodeado con el brazo, colocar el cuchillo y rebanarle la garganta. Y un diestro lo hubiera hecho de izquierda a derecha. Lo contrario implicaría empujar el cuchillo en vez de tirar de él, sería complicado y la marca del hueso presentaría otro aspecto.

Marina reflexionó en silencio. Cuando al final aceptó mi versión, hizo un gesto de asentimiento.

—Parece increíble.

«De increíble nada», pensé yo. Son el tipo de cosas que aprende uno cuando ha visto decenas de casos.

—¿Por qué está tan seguro de que es un varón? —preguntó de pronto Marina.

—¿Cómo?

—Cuando habla del asesino siempre habla de él en masculino. Pero no hay testigos y el cuerpo está demasiado descompuesto para hallar signos de violación. Por eso me preguntaba cómo lo sabe —dijo encogiéndose de hombros, como si hubiera preguntado lo que no debía—. ¿Es una forma de hablar o es que la policía ha averiguado algo?

No me había parado a pensarlo, pero tenía razón. Automáticamente había dado por hecho que el asesino era un hombre. Hasta el momento, todo apuntaba en esa dirección —fuerza física, mujeres como víctimas—, pero me sorprendía haber pasado por alto algo así.

—La fuerza de la costumbre —contesté sonriendo—. Suelen ser hombres. Pero no, no lo sé con seguridad.

—Yo también creo que es un hombre. Esperemos que cojan a ese hijo de puta —dijo Marina mirando el montón de huesos que habíamos estado observando con desapego clínico.

Empecé a dar tantas vueltas a sus palabras que por poco me pasa desapercibida la última prueba. Me había puesto a examinar la vértebra bajo un microscopio y, cuando estaba a punto de dar por finalizado el examen, la vi. Una minúscula partícula negra que parecía un punto de podredumbre en lo más hondo del agujero abierto por el cuchillo. Pero no, no era podredumbre. Raspé con cuidado.

—¿Qué es eso? —preguntó Marina.

—Ni idea.

Sentí aumentar mi emoción. Fuera lo que fuese solo podía haber llegado allí procedente de la punta del cuchillo del asesino. Tal vez no fuera nada.

Tal vez.

Lo mandé al laboratorio forense para un análisis espectroscópico, una prueba para la que yo no disponía ni de experiencia ni de equipo, y empecé a sacar moldes de yeso de los cortes de los huesos. Si el arma que los había provocado llegaba a recuperarse, podría ser identificada simplemente observando si encajaba, una prueba tan concluyente como la del zapato de Cenicienta.

Casi había terminado. Ya solo quedaba esperar los resultados del laboratorio, no únicamente los de la sustancia encontrada, sino también los de las pruebas encargadas el día anterior. En cuanto los tuviera sabría con más precisión la hora de la muerte, y con eso terminaría mi labor. Mi papel en la muerte de Sally Palmer, mucho más relevante de lo que habría cabido pensar cuando estaba viva, habría tocado a su fin y yo podría volver a mi nueva vida de retiro.

La perspectiva no me tranquilizó tanto como esperaba. O tal vez fuera que ya entonces era consciente de que las cosas no iban a ser tan sencillas.

Acababa de lavarme y secarme las manos cuando alguien llamó a la puerta. Marina fue a ver quién era y volvió con un joven agente de policía. Desalentado, vi que llevaba una caja de cartón.

—El inspector jefe Mackenzie le envía esto.

Buscó algún sitio donde depositarla y yo le señalé la mesa de acero inoxidable, ya vacía. Podía imaginarme lo que había dentro.

—Quiere que examine el contenido. Dice que usted ya sabe a qué se refiere —dijo el agente.

La caja no parecía muy pesada, pero el policía tenía la cara roja y todavía estaba recuperando el aliento debido al esfuerzo. O tal vez hubiera venido aguantando la respiración porque el olor empezaba a hacerse perceptible.

El agente se marchó en cuanto abrí la caja. Dentro estaba el perro de Sally Palmer envuelto en plástico. Supuse que Mackenzie querría que llevara a cabo los mismos análisis con el animal que con la dueña. Si, como parecía probable, lo habían matado al llevarse a Sally, averiguando la hora de su muerte deduciríamos también el momento de la desaparición. Y cuánto tiempo la habían mantenido con vida. Nada garantizaba que el asesino fuera a hacer lo mismo con Lyn Metcalf, pero al menos serviría para hacernos una idea de las posibilidades de hallarla con vida.

Una buena idea. Por desgracia, no daría resultado. La química corporal de un perro no es la misma que la de un humano, por lo que cualquier examen comparativo resulta irrelevante. Lo único que podía hacer era estudiar las muescas de las vértebras. Con un poco de suerte podría demostrar que el animal había sido degollado con el mismo cuchillo. El curso de la investigación no cambiaría lo más mínimo, pero había que hacerlo de todos modos.

—Parece que hoy saldremos tarde —le dije a Marina esbozando una sonrisa compungida.

Al final la cosa no duró tanto como era de esperar. El perro era más pequeño, y eso facilitaba el trabajo. Saqué unas placas de rayos X y luego puse el cuerpo a hervir con detergente. Cuando volviera al laboratorio al día siguiente no quedaría más que el esqueleto. La idea de dejar los restos de Sally y su perro descansando en la misma habitación me provocó una sensación ambigua, no sabría decir si positiva o negativa.

El sol bajo aguijaba con sus rayos la superficie de Manham Water, de tal forma que desde la carretera que conducía al pueblo las aguas del lago parecían estar en llamas. Entrecerré los ojos y me bajé las gafas de sol que llevaba sobre la frente. El filtro oscureció el paisaje y entonces vi una figura que caminaba en dirección contraria a la mía por el arcén de la carretera. Me sorprendió ver a alguien tan cerca, el sol la iluminaba desde detrás y ya casi había pasado de largo cuando pude reconocerla. Paré y di la vuelta hasta quedarme a su altura.

—¿Quiere que la lleve a casa?

Linda Yates miró a un lado y a otro de la carretera desierta como si pensara qué debía contestar.

—No vamos en la misma dirección.

—No importa, solo serán unos minutos. Suba.

Me incliné hacia la puerta y la abrí. Como vi que vacilaba, agregué:

—No queda tan lejos. Además, también quería echarle un vistazo a Sam.

Al oír el nombre de su hijo pareció decidirse y subió. Recuerdo haberme fijado en que estaba sentada muy cerca de la puerta, pero en ese momento no le di mayor importancia.

—¿Cómo se encuentra? —pregunté.

—Mejor.

—¿Ha vuelto a la escuela?

—No vale la pena —dijo ella levantando un hombro—. Mañana terminan.

Tenía razón, había perdido la noción del tiempo y me había olvidado de que la escuela estaba a punto de empezar las largas vacaciones de verano.

—¿Y Neil?

Por primera vez se manifestó en ella algo parecido a una sonrisa. Una sonrisa amarga, no obstante.

—Oh, está bien. Es como su padre.

Por su tono, preferí evitar cualquier referencia a su vida doméstica.

—¿Viene del trabajo? —pregunté.

Sabía que trabajaba como mujer de la limpieza en un par de tiendas del pueblo.

—Necesitábamos un par de cosas del supermercado —dijo levantando una bolsa de plástico a modo de prueba.

—Un poco tarde para ir a comprar, ¿no?

Me lanzó una mirada. Estaba realmente inquieta.

—Alguien tiene que hacerlo.

—¿Y...? —Intenté acordarme del nombre de su marido—. ¿Y Gary no podía llevarla?

Se encogió de hombros. Evidentemente, no.

—Tal y como están las cosas, volver a casa a pie no me parece una buena idea.

Volvió a lanzarme la misma mirada tensa y fugaz. Me pareció que se pegaba aún más a la puerta.

—¿Va todo bien? —pregunté, aunque ya había visto que no.

—Sí.

—Parece un poco nerviosa.

—Es que... es que tengo ganas de llegar a casa, solo eso.

Tenía la puerta agarrada con la mano como si fuera a tirarse por la ventanilla.

—Vamos, Linda, ¿qué es lo que pasa?

—Nada.

Había contestado con demasiada celeridad. Entonces empecé a advertir lo que estaba ocurriendo.

Tenía miedo. De mí.

—Si prefiere que pare para seguir a pie, no tiene más que decírmelo —dije con cautela.

Por la forma en que me miró, deduje que era lo que quería. A posteriori, caí en la cuenta de las reticencias que había mostrado antes de subirse al coche. Ni que fuera un desconocido, por el amor de Dios. Había sido el médico de la familia desde mi llegada, había visto a Sam con paperas y varicela, y a Neil cuando se rompió el brazo. Apenas unos días atrás, cuando sus hijos hicieron el descubrimiento con el que empezó todo, había estado en la cocina de su casa. «¿Qué demonios está ocurriendo?»

Al cabo de un momento, sacudió la cabeza y dijo:

—No, no pasa nada.

Había conseguido eliminar parte de la tensión, pero no totalmente.

—No la culpo por estar alerta. Yo solo quería hacerle un favor.

—Y me lo está haciendo, es solo que...

—Diga.

—Nada. Habladurías.

Hasta el momento atribuía su reacción a un estado de ansiedad general, una desconfianza indiscriminada debida a todo lo que estaba ocurriendo en el pueblo. Pero mi malestar fue en aumento en cuanto comprendí que había algo más.

—¿Qué clase de habladurías?

—Corre el rumor... de que está usted arrestado.

No sé qué clase de respuesta esperaba oír, pero desde luego no esa.

—Lo lamento —dijo como si fuera a echarle las culpas a ella—. Son chismes idiotas.

—¿Y puede saberse por qué alguien iba a pensar eso? —pregunté sin dar crédito.

Empezó a frotarse las manos; ya no me tenía miedo, lo único que le causaba temor era tener que contarme la verdad.

—No ha estado usted en la consulta. Dicen por ahí que la policía ha ido a verlo y que el inspector, el que lleva la investigación, se lo llevó en su coche.

Todo empezaba a encajar. A falta de auténticas noticias, habían empezado a circular rumores, y al acceder a ayudar a Mackenzie me había puesto, sin yo saberlo, en el punto de mira. La situación resultaba tan absurda que era para echarse a reír. Solo que a mí no me hacía ninguna gracia.

Me di cuenta de que estaba a punto de pasar de largo de la casa de Linda. Cuando paré el coche estaba demasiado desconcertado para hablar.

—Lo lamento —repitió—. Yo pensaba...

Pero no terminó la frase.

Intenté pensar algo que no implicara poner al pueblo entero al corriente de mi vida pasada.

—He estado ayudando a la policía, les he prestado mi colaboración. Yo antes era... especialista, digamos. Antes de trasladarme aquí.

Aunque me escuchaba, yo no estaba muy seguro de hasta qué punto mis palabras tenían sentido para ella. Por lo menos ya no parecía querer escapar del coche saltando por la ventana.

—Me han pedido asesoramiento —continué—. Por eso no he estado en la consulta.

No se me ocurría qué más podía decirle. Tras un silencio, se puso a mirar por la ventanilla.

—Es este lugar, este pueblo —dijo con un dejo de hastío mientras abría la puerta.

—Me gustaría echarle un vistazo a Sam de todos modos —dije.

Ella asintió.

Todavía medio sumido en mi desconcierto, la seguí hasta la casa. Comparado con la luz de la tarde, el interior me pareció neblinoso y oscuro. Desde el salón llegaban el sonido cacofónico y los colores del televisor encendido. El marido y el hijo menor estaban viendo la tele, el uno derrumbado sobre un sillón y el otro tumbado boca abajo en el suelo, delante del aparato. Cuando entramos ambos desviaron la mirada hacia nosotros. Gary Yates miró a su mujer con ojos interrogantes.

—El doctor Hunter me ha acompañado con el coche —dijo ella dejando en el suelo las bolsas con la compra y moviéndose rápidamente por la estancia—. Quiere ver cómo está Sam.

Yates parecía indeciso. Era un hombre enjuto de treinta y pocos años y de aspecto dejado y rebelde. Se puso en pie despacio sin saber qué hacer con las manos. Terminó guardándoselas en los bolsillos para no tener que estrechar la mía.

—No sabía que tuviera intención de venir —dijo.

—No la tenía. Pero con lo que ha pasado no podía dejar que Linda volviera a casa sola.

Gary se ruborizó y apartó la mirada. Hice un esfuerzo por tranquilizarme. Todo lo que pudiera ganarle ahora no haría más que redundar en perjuicio de su mujer en cuanto me marchara de allí.

Le sonreí a Sam, que nos miraba desde el suelo. El hecho de que pasara una tarde de verano como aquella dentro de casa indicaba de por sí que no estaba del todo recuperado, aunque parecía estar mejor que la última vez. Cuando le pregunté qué pensaba hacer durante las vacaciones sonrió, dejando adivinar su antigua energía.

—Creo que está mejor —le dije a Linda en la cocina—. Seguro que no tardará en recuperarse del todo ahora que ya ha superado el trauma inicial.

Ella asintió pero todavía parecía ausente e incómoda.

—Volviendo a lo de antes... —empezó a decir.

—Olvidémoslo. Me alegro de que me lo haya dicho.

En ningún momento había pensado que alguien pudiera llevarse una impresión equivocada, pero tal vez debería haberlo previsto. La noche anterior, Henry me había prevenido. En ese momento me había parecido una reacción exagerada por su parte, pero ahora quedaba claro que conocía a la gente del pueblo mejor que yo. Me dolía, pero no tanto por mi falta de previsión como porque una comunidad de la que yo me consideraba parte estuviera dispuesta a pensar lo peor.

Debería haber sabido que las expectativas siempre se quedan cortas.

Miré por encima del hombro para asegurarme de que la puerta que comunicaba con el salón estaba cerrada. Había algo que tenía ganas de preguntar desde que me había detenido para invitar a Linda a subir al coche.

—El domingo, después de que Neil y Sam encontraran el cadáver —dije—, usted sabía que era Sally Palmer porque había tenido un sueño.

Ella aparentó estar ocupada aclarando las tazas del fregadero.

—Supongo que solo fue una coincidencia.

—Eso no es lo que me dijo entonces.

—Estaba muy alterada. No debí decir nada.

—No pretendo reírme de sus sueños. Lo único que quiero... —¿Qué quería? Ni yo mismo sabía ya qué pretendía demostrar, pero de todos modos seguí adelante—. Me preguntaba si habría tenido más sueños. Sobre Lyn Metcalf.

—Creía que la gente como usted no tenía tiempo para cosas como esas —dijo dejando lo que estaba haciendo.

—Mera curiosidad.

Me lanzó una mirada inquisitiva. Penetrante. Me estaba haciendo sentir incómodo.

—No —dijo negando con la cabeza, y luego añadió algo en voz tan queda que apenas pude oírla.

Habría querido seguir preguntándole, pero en ese momento se abrió la puerta y Gary Yates se quedó observándonos con aire desconfiado.

—Creía que se había marchado.

—Estaba a punto de hacerlo —respondí.

Se fue a la nevera y al abrirla se oyó un chirrido. En la puerta había pegado un imán en el que ponía «Empieza el día con una sonrisa» y en el que aparecía un alegre cocodrilo. Sacó una lata de cerveza y la abrió. Como si yo no estuviera allí, dio un largo trago y al bajar la lata eructó.

—Entonces, adiós —le dije a Linda, que me correspondió moviendo nerviosamente la cabeza.

Su marido se quedó mirándome a través de la ventana mientras subía al Land Rover. De camino al pueblo seguí pensando en las palabras de Linda Yates. Tras negar que hubiera soñado con Lyn Metcalf había añadido algo. Tan solo dos palabras, casi inaudibles.

«Aún no.»

Por ridículos que fueran los rumores que circulaban sobre mí, no podía desentenderme de ellos. Era preferible salirles al paso con la cabeza bien alta a dejar que se propagaran sin control; así y todo, de camino al Lamb no pude reprimir un raro recelo. Las guirnaldas de la Piedra de la Mártir estaban casi muertas y esperé que no fuera una profecía. El furgón policial seguía aparcado en la plaza del pueblo. Fuera, aprovechando el sol de la tarde, había sentados dos agentes con aspecto hastiado. Al pasar por delante de ellos, se quedaron mirándome sin mucho interés. Aparqué junto al pub, respiré hondo y entré.

Ya dentro, lo primero que pensé era que Linda Yates había exagerado. La gente me miraba, pero me saludaron con los gestos y palabras de siempre. Tal vez el ambiente estuviera algo apagado, pero era normal. La gente tardaría todavía un tiempo en volver a reír y contar chistes.

Fui a la barra y pedí una cerveza. Ben Anders estaba en un rincón hablando por el móvil. Me saludó levantando la mano y siguió con la conversación. Jack tiró mi cerveza pensativo como siempre, observando cómo el líquido dorado iba formando espuma en el vaso. Con un punto de alivio, pensé que las advertencias de Henry de la noche anterior eran infundadas. La gente me conocía mejor de lo que él pensaba.

En ese momento alguien que estaba en otra parte de la barra carraspeó y preguntó:

—¿Ha estado fuera?

Era Carl Brenner. Cuando levanté la mirada me di cuenta de que el local se había quedado en silencio.

Después de todo, quizá Henry tuviera razón.

—Dicen que no se ha dejado ver mucho por el pueblo en el último par de días —continuó Brenner.

Tenía la tez amarillenta y los párpados caídos, lo que me hizo pensar que llevaba ya unas copas de más.

—No mucho, es verdad.

—¿Y eso?

—Tenía cosas que hacer.

Quería atajar los rumores sobre mí, pero tampoco estaba dispuesto a dejarme intimidar ni darle más motivos de especulación a la gente del pueblo.

—No es eso lo que me han dicho. —Su mirada transmitía furia y ganas de descargarla sobre alguien—. Me han dicho que ha estado con la policía.

El silencio se había hecho más denso.

—Y es verdad.

—¿Qué querían?

—Asesoramiento.

—¿Asesoramiento? —repitió sin ocultar su incredulidad—. ¿Sobre qué?

—Eso tendrá que preguntárselo a ellos.

—Pues se lo pregunto a usted.

Su furia ya había encontrado catalizador. Recorrí el pub con la mirada. Algunos clientes miraban su cerveza, otros me miraban a mí, pero en sus ojos no había condena, sino expectación.

—Si alguien tiene algo que decir, que hable —dije con toda la calma que me fue posible.

Los miré a los ojos hasta que, uno a uno, fueron girando la cara.

—Muy bien, pues si nadie va a decir nada, lo diré yo.

Carl Brenner se puso en pie. Apuró el vaso con un gesto agresivo y lo dejó de un golpe sobre la barra.

—Usted ha...

—Yo en tu lugar tendría cuidado.

Ben Anders acababa de aparecer a mi lado. Eso me tranquilizó un poco, no solo por su reconfortante presencia física, sino también por lo que su gesto tenía de simbólico.

—Tú no te metas —dijo Brenner.

—Que no me meta ¿en qué? Lo único que quiero es evitar que digas algo de lo que mañana puedes arrepentirte.

—No me arrepentiré de nada.

—Perfecto. ¿Y qué tal Scott?

La pregunta cogió a Brenner desprevenido.

—¿Qué?

—Tu hermano. ¿Cómo tiene la pierna? La que el doctor Hunter le curó la otra noche.

Brenner seguía haciendo ademanes jactanciosos, pero se le habían bajado un poco los humos.

—Está bien.

—Es toda una suerte que nuestro amigo el médico no cobre por atender fuera de horas —dijo Ben con tono afable y mirando al resto de los presentes—. Yo diría que la mayoría de los que estamos aquí hemos tenido que agradecérselo en un momento u otro.

Hizo una pausa y a continuación dio una palmada y se giró hacia la barra.

—En fin, Jack, ¿me pones otra cuando puedas?

Fue como si de repente alguien hubiera abierto una ventana para que entrara aire fresco. El ambiente se distendió y la gente empezó a moverse en sus sillas y a retomar las conversaciones con gesto ligeramente avergonzado. Noté una gota de sudor resbalando por mi espalda. Y no era debida al aire caldeado y mal ventilado del bar.

—¿Quieres un whisky? —me preguntó Ben—. Por tu cara diría que te vendría bien.

—No, gracias, pero te invito a lo tuyo.

—No hace falta.

—Es lo menos que puedo hacer.

—Olvídalo. Estos capullos necesitaban que alguien les recordara un par de cosas —dijo mirando a Brenner, que contemplaba su vaso vacío con aspecto taciturno–. Además, ese mal nacido necesita que alguien le ponga las cosas claras. Estoy seguro de que ha estado saqueando los nidos de la reserva, los que están en peligro. Normalmente, una vez que los huevos se han abierto, pasa el peligro. Pero últimamente ha disminuido también el número de aves adultas. Aguiluchos, incluso avetoros. No lo he pillado nunca, pero un día de estos...

Jack le sirvió la pinta que había pedido.

–Estupendo –dijo sonriendo. Tomó un trago largo y suspiró satisfecho–. Bueno, ¿y qué has estado haciendo? –Y, mirándome de reojo, agregó–: Tranquilo, pura curiosidad. Algún motivo habrás tenido para estar fuera.

Vacilé, pero se había ganado por lo menos una explicación. Se lo conté sin entrar en muchos detalles.

–Dios mío –dijo.

–Ahora ya sabes por qué no quiero decir nada. O por qué no quería –añadí.

–¿Estás seguro que no sería mejor que se supiera? ¿Que saliera a la luz?

–No creo.

–Si quieres, puedo hacer que corra la voz. Que se comente por ahí.

Su propuesta tenía sentido, pero no acababa de convencerme. Nunca había tenido por costumbre hablar de mi trabajo y cuesta olvidar las viejas costumbres. Tal vez fuera obstinación mía, pero los muertos tienen tanto derecho a la intimidad como los vivos. En cuanto se supiera lo que había estado haciendo, me acecharía todo el mundo con una curiosidad malsana. Por lo demás, no tenía la menor idea de cómo podía caer en un pueblo como Manham la noticia de las ocupaciones poco ortodoxas del médico local. No se me ocultaba que a ojos de algunos mis dos vocaciones podían llegar a parecer incompatibles.

–No, gracias –respondí.

–Como quieras. Pero de todos modos habrá habladurías.

Aunque ya lo intuía, se me hizo un nudo en el estómago.

—Están asustados —dijo Ben encogiéndose de hombros—. Saben que el asesino tiene que ser de por aquí, pero preferirían que fuese un forastero.

—Yo no soy un forastero. Llevo tres años viviendo aquí.

Pero ni yo mismo me lo creía. Tal vez viviera y trabajara en Manham, pero no podía arrogarme el derecho de pertenencia. Me había quedado muy claro.

—Eso da igual. Podrías llevar treinta y seguirías siendo de ciudad. A la hora de la verdad, la gente te mira y piensa: «No es de los nuestros».

—Entonces no importa nada de lo que yo diga, ¿no? De todos modos, no me creo que todos sean así.

—No, todos no. Pero basta con que lo sean unos pocos —dijo en tono solemne—. Solo cabe esperar que no tarden en atrapar a ese hijo de puta.

Después de esa charla no me quedé mucho más tiempo. La cerveza me parecía tibia y sabía mal, aunque suponía que era solo una percepción mía. Me sentía aturdido, como quien se hace un corte y durante un instante no siente nada, hasta que el dolor aflora. Y prefería estar en casa cuando se manifestara.

Ya de camino a casa, vi a Scarsdale saliendo de la iglesia. Quizá fuera mi imaginación, pero me parecía más alto que de costumbre. Era el único entre todos nosotros al que parecían probarle los acontecimientos que se estaban viviendo en el pueblo. «Nada como una tragedia y el miedo para que un clérigo se erija en héroe», pensé, y al momento me avergoncé de ello. El hombre solo cumplía con su trabajo, igual que yo. No podía dejar que mi poca simpatía hacia él interfiriera en mis pensamientos. Ya había visto demasiados prejuicios esa noche.

La mala conciencia me hizo saludarlo con la mano al pasar por su lado. Me miró y, por un momento, pensé que no iba a devolverme el saludo, pero al final hizo un ligero ademán con la cabeza.

Tuve la impresión, no obstante, de que sabía lo que estaba pensando.

12

El viernes la prensa ya había empezado a dispersarse. La falta de novedades hizo que Manham dejara de captar el mudable interés de los medios. Si ocurría algo más, volverían. Hasta entonces, Sally Palmer y Lyn Metcalf irían perdiendo minutos de pantalla y líneas de periódico, hasta que sus nombres desaparecieran de la conciencia colectiva.

Debo decir, aunque me avergüence, que esa mañana mis pensamientos no giraban en torno a la presencia de los medios ni a las dos víctimas. Incluso la angustia de saberme el foco de las sospechas del pueblo pasaba temporalmente a un segundo plano. No, lo que me acuciaba era algo mucho más trivial.

La cena de esa noche en casa de Jenny Hammond.

Me dije que no había para tanto. Que tan solo era un gesto de cordialidad por parte de ella, o más bien de su amiga Tina. Cuando vivía en Londres, las invitaciones a cenar eran moneda de cambio habitual que se ofrecía y aceptaba sin darles mayor trascendencia. Y esa noche no tenía por qué ser distinto, me dije.

No funcionó.

No solo no me encontraba en Londres, sino que mi vida social se había reducido a las desabridas charlas con los pacientes o a las cervezas en el pub. ¿De qué hablaríamos? En esos momentos, en el pueblo había un único tema de conversación, y no era el más indicado para una charla de sobremesa entre extraños. Y mucho menos si también ellas habían oído los rumores sobre mí. Deseé haber tenido el aplomo necesario para declinar la invitación en su momento y hasta consideré la posibilidad de telefonearles para dar alguna excusa y expresarles mis disculpas.

Por más que la idea de la cena me abrumaba, no llamé. Me habría resultado casi igual de abrumador. En parte porque, en el fondo, era consciente de por qué estaba tan nervioso. El hecho de volver a ver a Jenny desataba en mí una maraña de emociones que hubiera preferido no sentir. La más fuerte, el complejo de culpa.

Me sentía como si estuviera a punto de cometer una infidelidad.

Por supuesto, me daba cuenta de que eso era ridículo. No era más que una cena y, desde que ese ejecutivo borracho perdió el control de su BMW aquella tarde casi cuatro años atrás, sabía muy bien que no había nadie a quien pudiera serle infiel.

Aun así, no lograba quitarme de encima esa sensación.

Digamos, pues, que cuando aparqué el coche y tomé el ascensor para subir al laboratorio no estaba muy concentrado. Intenté serenarme un poco al abrir la puerta de acero del depósito y entré. Marina ya estaba ahí. La puerta no se había cerrado todavía cuando dijo:

—Han llegado los resultados.

Mackenzie frunció el ceño ante mi informe.

—¿Está seguro?

—Segurísimo. Las pruebas confirman que Sally Palmer llevaba muerta unos nueve días cuando encontraron el cuerpo.

Estábamos en el pequeño despacho del depósito. Le había propuesto enviarle los resultados por correo electrónico, pero él había dicho que prefería ir en persona.

—¿Qué grado de fiabilidad tienen? —preguntó.

—El análisis de aminoácidos tiene un margen de error de doce horas, es imposible precisar más. No puedo darle la hora exacta de la muerte, pero tuvo lugar en algún momento entre el mediodía del viernes y el sábado.

—¿No puede reducir el intervalo?

Estuve a punto de chasquear la lengua pero me contuve. Me había pasado la mañana entera haciendo las ecuaciones para determinar la hora de la muerte, y la tarea no era sencilla. Había que tomar en consideración los resultados de las pruebas, la temperatura media y otros factores ambientales de los días que el cuerpo de Sally Palmer había pasado a la intemperie. El gran misterio de la vida reducido a una mera fórmula matemática.

—Lo siento, pero he hecho lo que he podido teniendo en cuenta todas las variables, incluidos los gusanos y demás.

—Pongamos la medianoche del viernes, entonces. La última vez que la vieron fue tres días antes, en la barbacoa del pub —dijo Mackenzie arrugando el ceño, pensativo—. ¿No podría ser igual de preciso con el perro?

—La química corporal de un perro es distinta a la de un ser humano. Podría realizar los análisis pero no sacaríamos nada.

—Joder —murmuró—. De todos modos, ¿aún cree que murió antes?

Me encogí de hombros. Mis elementos de juicio se reducían al estado del perro y a la actividad de los insectos en torno a él, lo cual distaba de ser una ciencia exacta.

—Estoy seguro, pero como le digo, a los perros no se les aplican por fuerza las mismas reglas. Con todo, yo diría que al menos murió dos o tres días antes.

Mackenzie se mordió el labio. Sabía lo que estaba pensando. Era el tercer día desde la desaparición de Lyn Metcalf. Aunque el asesino siguiera el mismo patrón que antes y la tuviera retenida en alguna parte, la partida estaba llegando a su final. Fuera cual fuese su retorcido plan, si no lo había culminado, no tardaría en hacerlo.

A menos que la encontraran antes.

—Hemos recibido también el análisis de la sustancia que encontramos en una de las muescas de las vértebras de Sally Palmer —dije leyendo mi copia del informe—. Es hidrocarburo, un compuesto formado por un ochenta por ciento de carbono, un diez por ciento de hidrógeno y pequeñas cantidades de sulfuro, oxígeno, nitrógeno y algunos oligometales.

–¿Y eso qué significa?

–Betún. Betún de uso doméstico, del que venden en las ferreterías o en las tiendas de bricolaje.

–Bueno, eso acota el campo.

Algo se iluminó en el fondo de mi conciencia, una conexión sináptica provocada por algo que acababa de oír. Intenté sacarlo al plano consciente, pero se resistía.

–¿Algo más? –preguntó Mackenzie.

Cualquiera que hubiera podido ser mi intuición, se había esfumado.

–De momento no. Todavía tengo que examinar las marcas de cuchillo en la columna del perro. Con un poco de suerte, se confirmará que ambos fueron muertos con la misma arma. Con eso habré terminado.

Mackenzie me miró como si supiera que ese momento iba a llegar pero a la vez esperara algo más de mí.

–¿Y usted qué? ¿Alguna novedad? –pregunté.

Por la cara de Mackenzie podía adivinarse la respuesta.

–Estamos siguiendo algunas pistas –dijo secamente.

No dije nada. Tras una pausa, suspiró.

–No tenemos sospechoso ni testigos ni móvil, así que la respuesta es no. Ni siquiera preguntando puerta por puerta hemos conseguido arrojar un poco de luz. También hemos retomado la búsqueda, pero avanzamos despacio por culpa de las trampas. Además, es imposible cubrir un área tan extensa. La mitad son pantanos, y luego sabe Dios cuántos bosques y acequias hay –dijo haciendo un gesto de frustración con la cabeza–. Si se lo propone, podría ser que nunca diéramos con el cuerpo.

–Entonces cree que está muerta.

Su mirada reflejaba su abatimiento.

–Usted ha participado en muchas investigaciones por asesinato. ¿Cuántas veces las encontramos con vida?

–A veces.

–Sí, a veces –admitió–. También a veces toca la lotería. Con franqueza, tenemos más números de que me toque el premio gordo que de encontrar viva a Lyn Metcalf. Nadie ha visto nada, nadie sabe nada. Los peritos no han encontrado pruebas relevantes ni en el lugar de la desaparición ni en la zona donde hallamos a Sally Palmer. Tampoco hemos encontrado nada en los archivos policiales ni en el Registro de Delincuentes Sexuales. Todo lo que tenemos para orientarnos es que el sospechoso ha de tener una fuerza considerable, que está en forma y que tiene nociones de técnicas de caza y supervivencia.

—¿Y eso acota mucho el campo?

—No mucho —respondió soltando una risa amarga—. Serviría si esto fuera Milton Keynes, pero en una comunidad rural como Manham la caza es una forma de vida, no tiene nada de especial. No, sea quien sea, nuestro hombre sigue en el anonimato.

—¿Y no pueden elaborar un perfil?

—El problema es el mismo, no tenemos a qué agarrarnos. El perfil que pueden darnos los psicólogos es tan vago que no vale para nada. Nos las estamos viendo con un hombre de campo, fuerte y de una inteligencia considerable, y sin embargo lo bastante temerario o descuidado para abandonar el cuerpo de Sally Palmer en un sitio a la vista. Esto vale para la mitad de los hombres del pueblo. Si lo hacemos extensivo a los pueblos de los alrededores, nos encontramos con doscientos o trescientos posibles sospechosos.

Parecía desanimado. No podía culparlo. No es que yo fuera un experto, pero sabía por experiencia que a la mayoría de los asesinos en serie se los encuentra por azar o porque cometen algún error garrafal. Son como camaleones, aparentan ser ciudadanos corrientes y resulta imposible identificarlos a simple vista. Cuando por fin se los descubre, amigos y vecinos reaccionan siempre con incredulidad. Con el tiempo, se van atando los cabos sueltos. Al margen de las atrocidades que puedan perpetrar, el rasgo más asombroso de estos monstruos es lo normales que pueden llegar a parecer.

Gente como tú y como yo.

Mackenzie se rascó el lunar del cuello y dejó de hacerlo en cuanto se dio cuenta de que estaba mirándolo.

—Hay algo que sí podría ser importante —dijo con una tranquilidad que no acababa de convencerme—. Un testigo que habló con Sally Palmer en la barbacoa comentó que estaba de mal humor porque alguien había dejado un armiño muerto en el umbral de su casa. Le había parecido una broma de mal gusto.

Me vinieron a la cabeza las alas de cisne clavadas en el cuerpo de Sally Palmer y el pato atado al monolito la mañana de la desaparición de Lyn Metcalf.

—¿Cree que fue cosa del asesino?

—Pudo ser cosa de niños —contestó Mackenzie encogiéndose de hombros—. O quizá una señal o una advertencia. Como una amenaza o algo así. Sabemos que las aves son su firma. ¿Por qué no iba a utilizar también otros animales?

—¿Y Lyn Metcalf? ¿Se encontró con algo así?

—El día anterior a su desaparición le dijo a su marido que había encontrado una liebre muerta en el bosque. Pero podría haberla matado un perro o un zorro. No hay forma de saberlo.

Tenía razón, pero me dio que pensar. En los asesinatos también pueden darse coincidencias, como en cualquier otra faceta de la vida, pero a la vista del comportamiento del asesino no parecía improbable que se hubiera permitido el lujo de marcar a sus víctimas con antelación.

—Entonces, ¿no cree que pueda tener relación? —pregunté.

—No he dicho eso —replicó—. Pero tal como están las cosas no podemos hacer gran cosa. Estamos buscando a gente que se sepa que maltrata animales. Un par de personas recuerdan una matanza de gatos hace diez o quince años, pero nunca se halló al responsable, y... ¿Qué pasa? —preguntó al verme negar con la cabeza.

—Usted mismo acaba de decir que Manham no es una ciudad. Las actitudes son distintas. No quiero decir que la gente sea deliberadamente cruel, pero tampoco sienten mucho apego hacia los animales.

—Vamos, que nadie echaría en falta unos cuantos animales muertos —dijo con tono monocorde.

—Si le prendieran fuego a un perro en medio del jardín, seguramente alguien reaccionaría. Pero estamos en el campo, aquí mue-
ren animales todos los días.

Aunque a regañadientes, acabó dándome la razón.

—Hágame saber lo que averigua sobre el perro —dijo poniéndose
en pie—. Si es importante, llámeme al móvil.

—Antes de marcharse —dije—, hay algo más que debería saber.

Le conté lo del rumor que corría por el pueblo sobre mi arresto.

—Por Dios —dijo soltando un suspiro cuando hube terminado—.
¿Y eso puede ser un problema?

—No lo sé. Espero que no. Pero la gente está nerviosa. Cuando
lo ven acercarse a la consulta se ponen a sacar conclusiones y yo no
quiero tener que andar por ahí dando explicaciones.

—Tomo nota.

No parecía preocupado, ni siquiera sorprendido. Cuando se
hubo marchado se me ocurrió que tal vez había esperado que ocurriera algo así, quizá incluso le beneficiaba que se formara una cortina de humo a mi costa. Me dije que eso era un disparate, pero
cuando me puse a examinar el esqueleto del perro todavía no había logrado quitármelo de la cabeza.

No puse especial esmero en preparar y fotografiar la muesca de
la vértebra cervical. Era un paso con el que había que cumplir por
procedimiento, y no porque pudiera aportar pruebas de valor. Al
observar la vértebra con el microscopio para estudiarla con más
detenimiento ya sabía lo que iba a encontrarme. Todavía estaba
examinándola cuando Marina llegó con una taza de café.

—¿Algo interesante? —preguntó.

—Míralo tú misma —dije haciéndome a un lado.

Se inclinó sobre el microscopio y al cabo de unos segundos
ajustó el enfoque. Cuando se apartó parecía desconcertada.

—No lo entiendo.

—¿Por qué no?

—El corte es desigual, el otro era limpio. La parte izquierda del
filo monta sobre el hueso y usted dijo que solo un cuchillo de
sierra deja esas marcas.

–Exactamente.

–Pero eso no tiene sentido. El corte de la vértebra de la mujer era limpio, ¿por qué este no es igual?

–Muy sencillo –dije–. Fue hecho con otro cuchillo.

13

La carne todavía estaba blanca. Las gotas de grasa se derramaban como si fueran sudor, resbalaban por la parrilla y al caer en las brasas dejaban escapar un sonido similar al de un silbido. El humo se levantaba formando pequeñas volutas que llenaban el aire con su aroma y su color ceniciento.

Tina pinchó una de las hamburguesas que todavía estaban crudas y arrugó el ceño.

—Ya te dije que no estaban lo bastante calientes.

—Déjalas un rato más —sugirió Jenny.

—Si esperamos mucho más, se apagarán. Tienen que estar más calientes.

—No le eches más líquido.

—¿Por qué no? A este paso, nos tiraremos así toda la noche.

—Me da lo mismo, pero esa cosa es mortal.

—¡Pues yo me estoy muriendo de hambre!

Estábamos en el jardín trasero de la casa que compartían Jenny y Tina. En realidad no era mucho mayor que una terraza y consistía en un poco de césped sin cuidar delimitado a lado y lado por una cerca, pero daba sensación de intimidad. Las únicas ventanas que daban a él eran las del dormitorio de la casa de al lado y se dominaban unas buenas vistas del lago, que quedaba solo a un centenar de metros.

Tina pinchó una vez más las hamburguesas y se volvió hacia mí.

—Y tú, ¿qué opinas? Como médico, ¿qué crees que es mejor? ¿Arriesgarnos a envenenarnos con líquido de barbacoa o morirnos de hambre?

—Una solución de compromiso —contesté—. Apartemos las hamburguesas mientras echamos el líquido, así no cogerán mal sabor.

—Caramba, me encantan los hombres pragmáticos —dijo Tina cogiendo un trapo para retirar la parrilla de las brasas.

Le di otro trago a mi cerveza, más por hacer algo que por sed. Me había ofrecido a ayudar, pero se habían negado; y quizá fuese mejor así, dadas mis habilidades culinarias. El caso era que no tenía nada que hacer y eso hacía aumentar mi nerviosismo. Jenny parecía igual de incómoda que yo y se pasaba más tiempo del necesario colocando el pan y las ensaladas en la mesa blanca de picnic. Llevaba una camiseta blanca y unos vaqueros cortos que resaltaban su esbeltez y su piel bronceada. Aparte del saludo que habíamos intercambiado al llegar, apenas nos habíamos dicho nada. De hecho, de no ser por Tina, creo que el silencio habría sido absoluto.

Tina, por suerte, no era de las que deja que la conversación se llene de incómodos silencios. En todo el rato apenas había dejado de hablar, interrumpiendo su monólogo de vez en cuando para pedirme que preparara las ensaladas, que fuera a buscar el papel de cocina que utilizaríamos como servilletas, que abriera las cervezas y, en definitiva, para hacer que me sintiera un poco útil.

Era evidente que no esperábamos a nadie más. Por una parte me aliviaba no tener que enfrentarme con más gente, aunque por otra perdía la posibilidad de refugiarme en la multitud.

Tina soltó un buen chorro de líquido inflamable sobre la barbacoa.

—¡Mierda! —gritó, apartándose al ver que se levantaba una llamarada.

—¡Te he dicho que no echaras más! —dijo Jenny divertida.

—¡No es culpa mía que haya salido todo de golpe!

La barbacoa había quedado envuelta en humo.

—Bueno, ahora sí que está caliente —comenté al ver que todos nos apartábamos del calor que desprendía.

—Razón de más para que traigas más cerveza —dijo Tina pegándome en el brazo.

—¿No crees que antes deberíamos cambiar la comida de sitio? —dije al ver que el humo iba directo a la mesa donde estaban las ensaladas.

—¡Oh, mierda! —exclamó Tina, metiéndose en la nube para coger los platos.

—Será más fácil si movemos la mesa —comenté, y me dispuse a arrastrarla.

—Échale una mano, Jen, yo tengo las manos ocupadas —dijo Tina sosteniendo el bol con la pasta.

Jenny la miró con mala cara pero sin decir nada se aprestó a coger el otro lado de la mesa. Entre los dos la retiramos medio en vilo, medio a rastras y la colocamos lejos del humo. Al soltarla, las patas cedieron del lado de Jenny y la mesa se tambaleó y platos y vasos resbalaron hacia el borde.

—¡Cuidado! —gritó Tina.

Con un movimiento brusco conseguí equilibrar la mesa antes de que nada cayera al suelo. Tenía mi mano tocando con la de Jenny para ayudarla a aguantar el peso.

—Ya la tengo, si quieres, puedes soltarla —dije.

Ella empezó a bajar su lado, pero enseguida volvió a cogerlo al ver que bailaba.

—Creía que la habías arreglado —dijo.

—¡Y la había arreglado! —replicó Tina acercándose—. Le puse un poco de papel a la pata que estaba floja.

—¿Papel? ¡Lo que había que hacer era metérsela bien!

—Sí, y no solo a la mesa.

—¡Tina! —dijo Jenny ruborizándose y haciendo un esfuerzo por no reírse.

—¡Cuidado! ¡La mesa! —dijo Tina viendo que volvía a inclinarse.

—¡No te quedes ahí, ve a buscar un martillo o algo!

Tina atravesó la cortina de cuentas de cristal que colgaba del umbral de la cocina y nosotros nos quedamos aguantando la mesa sonriéndonos tímidamente. Por lo menos se había roto el hielo.

—Apuesto a que estás feliz de la vida de haber venido —dijo Jenny.

—Bueno, es la primera vez que estoy en una barbacoa tan accidentada.

—Ya. Y no todo el mundo es tan fino.

—No, eso no hace falta que lo jures.

Vi que bajaba la mirada.

—Hummm… no sé cómo decírtelo, pero te estás mojando.

Miré abajo y vi que una de las botellas se había volcado sobre la mesa y que la cerveza había ido a parar a la entrepierna de mis vaqueros. Intenté apartarme, pero lo único que conseguí fue mojarme también la pernera.

—Señor, no me lo puedo creer —dijo Jenny y ambos nos echamos a reír.

Cuando Tina volvió con el martillo, seguíamos riendo.

—¿Y a vosotros qué os pasa? —preguntó, y cuando vio la mancha de humedad del pantalón añadió—: Si queréis vuelvo más tarde…

Con la mesa ya reparada, me dejaron unos pantalones cortos. Tina dijo que eran de un ex novio suyo.

—Pero te los puedes quedar. No creo que me los reclame —añadió en tono más grave.

Por lo que se deducía del estampado, no era de extrañar, pero en ese momento cualquier cosa era mejor que mis vaqueros empapados de cerveza, así que fui a cambiarme. Cuando regresé al jardín, Tina y Jenny se echaron a reír.

—Bonitas piernas —dijo Tina, y rompieron a reír de nuevo.

Las hamburguesas empezaban a crepitar sobre las brasas. Nos las comimos con ensalada y pan, regadas con la botella de vino que yo había traído. Cuando me disponía a rellenarle el vaso, Jenny titubeó.

—Solo un poco.

—¿Segura? —preguntó Tina arqueando las cejas.

—Estoy bien, gracias —dijo Jenny asintiendo con la cabeza, y al darse cuenta de mi expresión interrogativa agregó—: Es que soy diabética, tengo que ir con mucho cuidado con lo que como y lo que bebo.

—¿Del tipo uno o del dos? —pregunté.

—Ay, me olvidaba de que eres médico. Tipo uno.

Me lo esperaba. Es la diabetes más común en personas tan jóvenes.

—Pero no es grave, me inyecto dosis muy bajas de insulina. Cuando vine a vivir aquí fui a ver al doctor Maitland para que me la recetara —dijo ella.

Lo había dicho como si se estuviera disculpando, supongo que por haberse visitado con el médico «de verdad», y no conmigo. No era necesario, estaba acostumbrado.

—Yo no aguantaría tener que pincharme todos los días como ella —dijo Tina encogiéndose de hombros.

—Vamos, no es tan grave —protestó Jenny—. Ni siquiera es una aguja de verdad, es una especie de bolígrafo. Y vamos a cambiar de tema, que al final a David le dará vergüenza servirse más vino.

—¡Eso ni hablar! —exclamó Tina—. Necesito que alguien siga mi ritmo.

No aguanté su ritmo, pero por insistencia de Jenny permití que me rellenaran el vaso más veces de las que había previsto. El día siguiente era sábado, y había sido una semana muy larga. Además, estaba pasándolo bien. No recordaba haberme divertido tanto desde...

Desde hacía mucho tiempo.

Lo único que empañó la velada ocurrió cuando ya habíamos terminado de cenar. Estaba oscureciendo y Jenny estaba sentada con la mirada fija en el lago. Noté que se le ensombrecía el semblante y anticipé lo que iba a decirme.

—A veces me olvido de lo ocurrido. Me provoca... no sé, cierto sentimiento de culpa. ¿A ti no?

—Quería cancelar la cena —apuntó Tina tras dejar escapar un suspiro—. Se creía que alguien podía molestarse porque hiciéramos una barbacoa.

—Pensaba que podía parecer una falta de respeto —dijo Jenny mirándome.

—¿Por qué? —preguntó Tina—. ¿Crees que no hay nadie viendo la tele o tomando una cerveza en el pub? Es triste, es terrible y todo lo que quieras, pero no me parece que tengamos que flage-larnos para demostrar nuestra pena.

—Ya me has entendido.

—Sí, pero yo sé cómo es esta gente. Si tienen que darte una pu-ñalada por la espalda, te la darán al margen de lo que hagas o de-jes de hacer. —Hizo una pausa—. De acuerdo, no es la expresión más apropiada, pero es así. —Y lanzándome una elocuente mirada aña-dió—: Tú ya lo has visto, ¿o no?

Eso me confirmaba que también ellas habían oído el rumor.

—Tina —reconvino Jenny.

—¿Qué? ¿Por qué hemos de fingir que no nos hemos enterado? Es normal que la policía quiera hablar con el médico del pueblo, pero basta que alguien levante una ceja para que el pueblo entero te ponga entre rejas. Es un ejemplo más de lo estrecha de miras que es la gente de por aquí.

—Y de lo larga que tiene la lengua —espetó Jenny.

Era la primera vez que la veía sacar el genio.

—Mejor decir las cosas abiertamente —dijo Tina encogiéndose de hombros—. Por regla general, en un sitio como este ya hay bastan-tes chismorreos. Yo me he criado aquí, vosotros no.

—No parece gustarte mucho Manham —dije con la esperanza de reconducir el tema.

—Si pudiera me iría ahora mismo —dijo sonriendo ligeramente—. Lo que no entiendo es a la gente como vosotros, que viene aquí por propia voluntad.

Se hizo un silencio inesperado. Jenny se puso en pie. Estaba pálida.

—Voy a hacer café —dijo apartando la cortina de cuentas de un manotazo.

—Mierda —dijo Tina sonriendo en ademán de disculpa—. Yo tam-bién tengo la lengua muy larga y además estoy algo borracha —agregó dejando su copa de vino.

Al principio creía que había sido culpa mía, pero por lo visto no fue así. Cualquiera que fuera el motivo de la reacción de Jenny nada tenía que ver conmigo.

155

—¿Qué le pasa?

—Supongo que le jode tener una compañera de piso con tan poco tacto —dijo mirando la casa como si dudara de si debía entrar a ver cómo estaba—. Verás, no soy nadie para decirlo, pero resulta que hace más o menos un año tuvo una mala experiencia. Por eso se vino aquí, para poner tierra de por medio, digamos.

—¿Qué clase de mala experiencia?

Tina sacudió la cabeza.

—Si ella quiere contártelo, que te lo cuente. Yo ya he hablado más de la cuenta, lo que pasa es que... bueno, pensaba que debías saberlo. A Jenny le caes bien, así que... Ay, Dios mío, estoy metiendo la pata otra vez, ¿no? Vamos a olvidarnos de todo lo que he dicho, ¿de acuerdo? Hablemos de otra cosa.

—Muy bien —concedí, y pensando todavía en sus palabras dije lo primero que me vino a la cabeza—: ¿Y qué rumores habéis oído sobre mí?

—Si es que yo misma me lo he buscado —dijo Tina haciendo una mueca—. Nada en especial, cotilleos. Que la policía te había interrogado, y que... en fin, que eras sospechoso —continuó, sonriendo para aparentar seguridad, aunque sin conseguirlo del todo—. Pero no lo eres, ¿verdad?

—No que yo sepa.

Le pareció suficiente.

—A eso me refería. La gente de este maldito pueblo está dispuesta a creerse lo peor aunque no haya motivo. Cuando ocurre algo así... Ya empiezo otra vez. —Se interrumpió levantando la mano—. ¿Sabes qué? Que mejor me voy a echarle una mano con el café.

—¿Os ayudo?

Pero ella ya estaba dentro.

—No, tranquilo. Ahora mando a Jenny para que te haga compañía.

Me quedé rodeado del silencio de la noche pensando en lo que Tina acababa de decirme. «A Jenny le caes bien.» ¿Qué habría querido decir con eso? Me dije que era culpa del vino y que no debía darle más importancia de la que tenía.

Entonces, ¿por qué de repente estaba tan nervioso?

Me levanté y me dirigí al muro bajo de piedra que bordeaba el jardín. La luz ya se había esfumado por completo y los campos habían desaparecido en la oscuridad. Desde el lago llegó un leve soplo de brisa y el desolado ulular de una lechuza.

Oí un ruido detrás de mí. Era Jenny, que acababa de salir con dos tazas. Me aparté del muro y volví a la parte iluminada por la luz que se derramaba por la puerta abierta. Al verme salir de entre las tinieblas dio un respingo y se salpicó una mano de café.

—Perdona, no quería asustarte.

—No pasa nada, es que no te he visto —dijo ella dejando las tazas y soplándose la mano.

—¿Te has quemado? —pregunté mientras le acercaba un trozo de papel de cocina.

—Sobreviviré —contestó pasándose el papel por las manos.

—¿Y Tina?

—Intentando que le baje el pedo —dijo mientras volvía a coger las tazas—. No te he preguntado si querías leche y azúcar.

—Ninguna de las dos cosas.

—Vaya intuición la mía —contestó. Sonrió y me alargó una de las tazas—. ¿Admirando las vistas? —preguntó, y se dirigió hacia el muro.

—Lo poco que se ve.

—Es genial si a uno le gusta el campo y el agua.

—¿A ti te gusta?

Estábamos el uno junto al otro, mirando el lago.

—Sí, mucho. Cuando era pequeña salía a navegar con mi padre.

—¿Y todavía vas?

—Hace años que no. Pero me gusta tener el agua cerca. De vez en cuando pienso en alquilar una barca, de las pequeñas, ya sé que el lago es poco profundo. Es una pena vivir tan cerca y no salir a navegar.

—Yo tengo un bote, si te sirve...

Lo dije sin pensar, pero ella se volvió hacia mí con cara de entusiasmo. Vi su sonrisa a la luz de la luna y reparé en lo cerca que estábamos. Lo bastante para sentir la calidez de su piel.

—¿En serio?

—La verdad es que no es mío, sino de Henry. Pero me deja usarlo.

—¿Seguro? Quiero decir que no era ninguna indirecta.

—Ya lo sé. De todos modos, un poco de ejercicio no me vendría mal.

Sentí algo parecido al asombro al decirlo. «Pero ¿qué estás haciendo?» Miré hacia el lago, aliviado de poder ocultar mi rostro entre las sombras.

—¿Qué tal el domingo? —dije sin pensarlo.

—¡Fantástico! ¿A qué hora?

Me acordé que había quedado para almorzar con Henry.

—¿Por la tarde? ¿Te recojo a las tres?

—A las tres me parece perfecto.

Su voz traslucía una sonrisa, aunque no la miré. Di un sorbo a mi café, sin darme apenas cuenta de cómo quemaba. No podía creerme lo que acababa de hacer. «No es Tina la única que va trompa», pensé.

Me excusé y poco después me marché. Tina apareció cuando estaba a punto de irme, y con una sonrisita me dijo que podía devolverle los pantalones otro día. Se lo agradecí, pero preferí cambiarme. Mi reputación en el pueblo ya estaba lo bastante menguada como para pasearme en bermudas.

No me había alejado mucho de la casa cuando oí que me llegaba un mensaje al móvil. Siempre llevaba el teléfono encima para estar localizable en caso de emergencia, pero al quitarme los pantalones me lo había olvidado en el bolsillo. Cuando me di cuenta de que me había pasado más de dos horas ilocalizable, dejé de preocuparme de Jenny. Llamé al buzón de voz esperando que no fuera nada grave.

El mensaje no era de ninguno de mis pacientes, sino de Mackenzie.

Habían encontrado un cuerpo.

14

Los reflectores proyectaban una luz fantasmal sobre el terreno. Los árboles se habían transformado en un paisaje surrealista de luces y sombras en cuyo centro un equipo de peritos realizaba su trabajo. Habían marcado una sección rectangular del suelo con una cuadrícula de hilos de nailon, y con el ruido de fondo de un generador se dedicaban a escarbar la tierra, dejando poco a poco al descubierto lo que se ocultaba debajo.

Mackenzie los observaba a poca distancia mientras masticaba una gragea. Parecía cansado y ojeroso. Los reflectores le daban un aspecto todavía más pálido y le acentuaban las sombras bajo los ojos.

—Hemos encontrado la fosa esta tarde. No es muy honda, tendrá cuarenta o cincuenta centímetros. Al principio creíamos que era una falsa alarma, algún animal o la guarida de un tejón. Hasta que hemos encontrado una mano.

Estábamos en un bosque a unos tres kilómetros de donde había sido hallado el cadáver de Sally Palmer. Cuando llegué, apenas pasada la medianoche, el equipo de forenses ya había retirado la mayor parte de la capa superficial. Una de las agentes cernía la tierra con un cedazo. Paró para examinar algo, lo desechó y continuó.

—¿Cómo lo han encontrado? —pregunté a Mackenzie.

—Con un perro rastreador.

Asentí. La policía no solo usaba los perros adiestrados para encontrar drogas y explosivos. Rara vez resulta fácil localizar una fosa, y mucho menos cuando la zona que hay que cubrir es tan extensa. Si el cuerpo lleva cierto tiempo enterrado, la tierra removida, al asentarse, forma una depresión reveladora y mediante sondas puede comprobarse si en alguna parte cede con más facilidad que la tierra de alrededor. En Estados Unidos había un forense que incluso había logrado resultados interesantes buscando fosas con un alambre de los usados en rabdomancia.

Sin embargo, los perros seguían siendo el mejor medio de dar con un cuerpo enterrado. Su agudo olfato es capaz de detectar los gases liberados durante la descomposición aun a través de varios metros de tierra. Los mejores habían llegado incluso a localizar cuerpos enterrados más de un siglo antes.

El equipo de peritos escarbaba la tierra en torno a los restos parcialmente expuestos con la ayuda de paletas y cepillos, con una precisión digna de un arqueólogo. Las técnicas son las mismas tanto si la fosa tiene pocas semanas como si data de varios cientos de años. El objetivo en ambos casos es exhumar el cuerpo alterándolo lo menos posible con el fin de descifrar cualquier prueba que haya podido ser enterrada con él.

En nuestro caso, lo más relevante ya era visible. No tomé parte en las labores de recuperación del cuerpo, pero estaba lo bastante cerca para ver cómo avanzaban.

—¿Algo que comentar? —preguntó Mackenzie lanzándome una mirada.

—Solo una cosa de la que supongo ya se ha percatado.

—Dígamelo de todos modos.

—Que no es Lyn Metcalf —dije.

Mackenzie resopló con indiferencia.

—Siga.

—No es una fosa nueva. Sea quien sea, fue enterrado mucho antes de que Lyn desapareciese. No queda tejido blando, ni huele. Ya es mucho que el perro lo haya encontrado.

—Le transmitiré su enhorabuena —manifestó con laconismo—. ¿Cuánto tiempo diría que lleva ahí dentro?

Eché un vistazo a la excavación. El esqueleto ya estaba casi totalmente desenterrado. Los huesos habían cogido el color de la tierra. Eran de un adulto, yacía de lado y parecía conservar los restos de una camiseta y unos vaqueros.

—No puedo precisar mucho sin hacer pruebas. Enterrado a esa profundidad la descomposición es más lenta que en la superficie. Para alcanzar ese estado debe pasar al menos un año o quince meses. Aunque yo diría que lleva ahí bastante más tiempo. Quizá unos cinco años.

—¿Y cómo lo sabe?

—Por los vaqueros y la camiseta. El algodón tarda cuatro o cinco años en pudrirse. Todavía no se han disuelto del todo, pero casi.

—¿Algo más?

—¿Puedo acercarme?

—Sírvase usted mismo.

Los miembros del equipo no eran los que yo había conocido la otra vez, en el lugar donde se halló el cadáver de Sally Palmer. Al ponerme en cuclillas al borde de la excavación se quedaron mirándome, pero siguieron con su tarea sin hacer ningún comentario. Ya era tarde y les quedaba una larga noche por delante.

—¿Indicios de traumatismos? —pregunté a uno de ellos.

—Presenta lesiones craneales graves pero apenas acabamos de desenterrarlo —dijo señalando la parte superior derecha del cuerpo, aún cubierta parcialmente de tierra, aunque ya podían verse unas fracturas que partían de una sección donde el cráneo estaba hundido.

—Parece el golpe de un objeto contundente, más que de un objeto cortante o balístico —dije examinándolo—. ¿Usted qué opina?

Asintió. A diferencia de su colega de la vez anterior, a este no parecía molestarle mi injerencia.

—Eso parece. Pero prefiero no dar mi veredicto hasta asegurarme de que no tiene ninguna bala en el interior del cráneo.

Las lesiones craneales provocadas por impacto de bala o por objetos cortantes, como un cuchillo, producen un tipo de traumatismo distinto al que ocasiona un objeto contundente. En general no cuesta distinguirlas y, hasta ese momento, todos los indicios apuntaban a que las de ese cráneo, hundido como una cáscara de huevo, pertenecían al último tipo. Con todo, las reservas del perito me parecieron prudentes.

—¿Cree que las lesiones del cráneo fueron la causa de la muerte? —preguntó Mackenzie.

—Podría ser —contesté—. Por el aspecto que presentan, debieron de ser fatales, siempre y cuando no fueran post mórtem. Pero todavía es pronto para decir algo al respecto.

—¿Qué más puede decirme, entonces? —preguntó algo contrariado.

—Pues que es un varón, seguramente blanco, de unos veinte años más o menos.

—¿Lo dice en serio? —preguntó asomándose a la fosa.

—Fíjese en el cráneo. La mandíbula es distinta en hombres y mujeres, la de los hombres es más prominente. ¿Y ve la zona del oído? ¿Ve el hueso que sobresale? Es el arco cigomático, y es mayor en los hombres que en las mujeres. En cuanto a la raza, los huesos nasales sugieren linaje europeo más que africano. Supongo que también podría ser asiático, pero la forma del cráneo es demasiado romboidal, así que yo diría que no. Y la edad... —dije elevando los hombros—. En fin, por el momento no son más que conjeturas, pero por lo que puedo ver las vértebras no están gastadas. Además, ¿ve las costillas? —pregunté señalando la parte de hueso que despuntaba de la camiseta—. Con la edad, los extremos se vuelven irregulares y nudosos, y los de este están más bien afilados, de modo que es un adulto joven.

Mackenzie cerró los ojos mientras se frotaba con los dedos el puente de la nariz.

—Estupendo, es justo lo que necesitábamos, un asesinato sin relación con los otros —y abriendo los ojos de repente, preguntó—: Este no presenta signos de degollamiento, ¿no?

—No que yo vea. —Yo ya había buscado marcas de cuchillo en las vértebras cervicales—. Con el tiempo que lleva enterrado es difícil determinarlo sin realizar un examen a fondo, pero a simple vista no se ve nada.

—Gracias a Dios, algo es algo —musitó Mackenzie.

Comprendía su posición. Costaba decidir qué era peor: si abrir una segunda investigación por homicidio o encontrar pruebas de que el mismo asesino llevaba años actuando.

Pero eso, gracias al cielo, no me concernía. Me puse en pie y me sacudí la suciedad de las manos.

—Si no me necesita para nada más, me marcho.

—¿Podría pasarse mañana por el laboratorio? O sea, hoy —preguntó Mackenzie conteniendo su inquietud.

—¿Para qué?

La pregunta pareció sorprenderle.

—Para echarle un vistazo al cuerpo. Supongo que a media mañana habremos terminado de desenterrarlo. Estaría a su disposición a la hora del almuerzo.

—Creo que da usted por hecho que voy a involucrarme en el caso.

—¿Y no es así?

Esta vez fui yo el sorprendido. No tanto por la pregunta en sí como por el hecho de que parecía conocerme mejor que yo mismo.

—Sí, supongo que sí —contesté aceptando la evidencia—. Estaré allí a las doce.

Me desperté en la cocina, hacía frío y estaba desorientado. Delante de mí tenía abierta la puerta del jardín, desde la que se veían los primeros rayos de sol. El recuerdo del sueño seguía fresco en mi mente, las voces y la presencia de Kara y Alice tan vívidas como si acabara de hablar con ellas. Esa noche había sido más perturbador que de costumbre. Había presentido que Kara quería advertirme acerca de algo, pero yo no había querido escucharla. Tenía demasiado miedo de lo que pudiera decirme.

Me recorrió un escalofrío. No recordaba haber bajado las escaleras ni qué inconsciente motivo me había llevado a abrir la puerta. Me disponía a cerrarla, pero me frené. Alzándose como un acantilado en medio del pálido mar de niebla que recubría los campos, divisé la impenetrable oscuridad del bosque y mientras lo contemplaba tuve una premonición.

«Los árboles no me dejan ver el bosque.» La frase se introdujo en mi cabeza como salida de la nada. Por un momento parecía esconder un significado más profundo que se diluyó en cuanto intenté aprehenderlo. Todavía estaba intentándolo cuando noté que algo me rozaba la nuca.

Di un respingo y me giré. En la cocina no había nadie. La brisa, me dije, a pesar de que era una mañana silenciosa y sin el más leve soplo de viento. Cerré la puerta intentando no hacer caso de la sensación de desasosiego que me invadía. La impresión de que unos dedos me habían acariciado la piel persistió hasta que volví a meterme en la cama a esperar a que amaneciera.

Tenía que matar casi toda la mañana antes de que se requiriera mi presencia en el laboratorio. A falta de algo mejor que hacer, fui paseando a casa de Henry para desayunar con él, como solía hacer los sábados. Lo encontré levantado, y parecía animado y contento. Mientras freía unos huevos y asaba un poco de beicon, me preguntó qué tal había ido la noche anterior. Tardé unos segundos en darme cuenta de que se refería a la barbacoa en casa de Jenny y no al hallazgo en el bosque. Esa última noticia todavía no se había difundido y no podía imaginarme cuál sería la reacción cuando se supiera. Ya bastante le estaba costando al pueblo afrontar una muerte y una desaparición. Por mi parte, estaba demasiado intranquilo por culpa del sueño como para sacar a colación el tema.

No hice comentario alguno acerca del segundo cuerpo. El buen humor de Henry era contagioso y logró que saliera de su casa con el ánimo bastante más levantado. Mi humor siguió mejorando mientras iba a buscar el coche. Era una mañana preciosa y todavía no se notaba el calor sofocante que haría más tarde. Las flores amarillas, violetas y rojas que bordeaban el prado del pueblo brillaban tanto que molestaban a la vista y llenaban el aire con el olor dulzón del polen. Lo único que arruinaba ese espejismo de armonía rural era el furgón de la policía.

Su presencia estuvo a punto de poner en peligro mi repentino optimismo, pero hacía tanto tiempo que no me sentía así que me dio igual. Por supuesto, no me pregunté a qué obedecía mi arrebato y me cuidé mucho de no atribuirlo a Jenny. Bastaba con disfrutar del momento mientras durase.

Como se vería después, no había de durar mucho.

Al pasar frente a la iglesia oí una voz.

—Doctor Hunter, por favor.

Scarsdale estaba en el cementerio con Tom Mason, el menor de los dos jardineros que cuidaban las flores y el césped de Manham. Me quedé mirándolo desde el otro lado del muro bajo que rodeaba la iglesia.

—Buenos días, reverendo. Tom.

Tom inclinó la cabeza sonriendo tímidamente sin apartar la vista del rosal en el que estaba trabajando. Al igual que su abuelo, prefería que lo dejaran en paz cuando se trataba de cuidar plantas, cosa que hacía con una mansedumbre bovina. Scarsdale, por el contrario, nada tenía ni de manso ni de bovino. Ni siquiera se molestó en devolverme el saludo.

—Siento curiosidad por saber qué opina usted sobre la situación actual —dijo sin preámbulos.

La sotana parecía absorber toda la luz que caía sobre las viejas y desiguales lápidas. Por lo demás, era una pregunta extraña.

—No acabo de entender qué quiere decir.

—El pueblo atraviesa un trance difícil. Todo el país estará pendiente de cómo nos desenvolvemos, ¿no le parece?

—¿Qué es lo que quiere, reverendo? —pregunté con la esperanza de que no me repitiera el sermón.

—Demostrar que Manham no tolerará lo que ha ocurrido. Esta puede ser la ocasión para que la comunidad se fortalezca. De que se una para afrontar esta prueba.

—Yo no llamaría una «prueba» a que un lunático vaya por ahí raptando y asesinando mujeres.

—No, puede que usted no. Pero hay gente que está francamente preocupada por el daño que está sufriendo la reputación del pueblo. Y con razón.

—Yo creía que lo que les preocupaba era encontrar a Lyn Metcalf y dar con el asesino de Sally Palmer. ¿No es eso más importante que la reputación de Manham?

—No juegue conmigo, doctor Hunter —espetó—. Si la gente hubiera prestado más atención a lo que estaba sucediendo en esta comunidad, tal vez no habríamos llegado a esto.

Decidí que no valía la pena seguir discutiendo con él.

—Sigo sin ver adónde quiere llegar.

Me incomodaba un poco la presencia de fondo del jardinero, pero Scarsdale nunca se apocaba a la hora de actuar frente a un auditorio. Cambió de posición y se puso a mirarme por encima de la nariz.

—Varios feligreses han venido a hablar conmigo. Son partidarios de hacer un frente común. Sobre todo para tratar con la prensa.

—¿Y eso qué significa exactamente? —pregunté, aunque ya empezaba a adivinar sus propósitos.

—Creemos que el pueblo necesita un portavoz, alguien que represente a Manham ante el mundo exterior.

—Y han pensado en usted, me imagino.

—Si alguien desea aceptar la responsabilidad, tendré mucho gusto en cederle el puesto.

—¿Qué le hace pensar que se necesita un portavoz?

—Porque Dios todavía no ha terminado con este pueblo.

Lo dijo con una convicción tal que me ponía los nervios de punta.

—Entonces, ¿qué quiere de mí?

—Es usted un hombre de cierta relevancia. Me gustaría contar con su apoyo.

La idea de que Scarsdale aprovechara el cargo como plataforma pública me mortificaba, pero era consciente de que el miedo y la desconfianza que dominaban el pueblo jugaban a su favor. La perspectiva era descorazonadora.

—No tengo ninguna intención de hablar con la prensa, si es a lo que se refiere.

—Es también cuestión de actitud. No querría pensar que alguien se dedica a socavar los esfuerzos de quienes obran en beneficio del pueblo.

—Voy a decirle una cosa, reverendo: usted haga lo que crea que es mejor para el pueblo, que yo haré lo mismo.

—¿Debo interpretarlo como una crítica?

—Digamos que tenemos puntos de vista distintos acerca de lo que es beneficioso para el pueblo.

Me miró con frialdad.

—Quizá debo recordarle que aquí la gente tiene buena memoria. Nadie olvidaría un acto subversivo en un momento así. Ni lo perdonaría, por más que sea una reacción poco cristiana.

—En ese caso procuraré no transgredir ninguna norma.

—Puede usted seguir haciéndose el ingenioso, pero no soy el único que duda de su credibilidad. La gente habla, doctor Hunter. Y lo que he oído no es nada alentador.

—Entonces quizá no debería prestar atención a las habladurías. Cómo clérigo ¿no tendría que concederme el beneficio de la duda?

—No me diga usted cómo debo hacer mi trabajo.

—Entonces no me diga usted cómo debo hacer el mío.

Clavó en mí una mirada fulminante. Apuesto a que habría querido replicarme, pero en ese momento se oyó el ruido de las herramientas que Tom Mason estaba colocando sobre la carretilla. Scarsdale se irguió y me miró con unos ojos duros como las lápidas que nos rodeaban.

—No lo entretengo más, doctor Hunter. Que tenga buen día —dijo con fría formalidad y se dio la vuelta.

«Bueno, lo has hecho bastante bien», pensé con amargura mientras retomaba mi camino. Mi intención no era dar lugar a una confrontación, pero Scarsdale me hacía sacar lo peor de mí. Rumiando todavía lo que me había dicho, no me di cuenta de que un coche se paraba a mi lado.

—Parece que sales de un funeral.

Era Ben. Llevaba puestas las gafas de sol y tenía apoyado su musculoso brazo en la ventanilla abierta de su nuevo Land Rover de color negro. Estaba polvoriento, pero así y todo el mío parecía una antigualla a su lado.

—Perdona, tenía la cabeza en otra parte.

—Ya me he dado cuenta. Supongo que no tiene nada que ver con el señor Cazabrujas, ¿no? —dijo estirando la cabeza en dirección a la iglesia—. He visto que estabais hablando.

No pude reprimir una carcajada.

—La verdad es que sí —dije.

Le resumí brevemente la charla con Scarsdale y Ben sacudió la cabeza.

—No sé a qué Dios se supone que adora, pero si en algo se asemeja al bueno del reverendo, espero no encontrármelo nunca en un callejón oscuro. Tendrías que haberlo mandado a la mierda.

—Seguro que eso le habría hecho mucha gracia.

—Por la manera en que lo dices parece que la tiene tomada contigo. Eres una amenaza para él.

—¿Yo? —exclamé sorprendido.

—Piénsalo. Hasta ahora no era más que un rancio sacerdote con una congregación de cuatro gatos. Esta es su gran oportunidad, y tú representas una amenaza a su autoridad. Eres médico, tienes formación, vienes de la gran ciudad. Y además eres laico, no lo olvidemos.

—No tengo ningún interés en competir con él —dije exasperado.

—No importa. Ese cabronazo miserable se ha erigido en la voz de Manham. O estás con él o estás contra él.

—Como si las cosas no estuvieran ya bastante mal.

—Ah, no dudes nunca de la habilidad de los justos para joderlo todo. Pero siempre en nombre del bien mayor, por supuesto.

Me quedé mirándolo fijamente. Su habitual buen humor parecía haberlo abandonado.

—¿Pasa algo?

—Es que tengo el día cínico, como habrás notado.

—¿Qué te ha pasado en la cabeza?

Cerca del ojo tenía un rasguño y una hinchazón, parcialmente oculta tras las gafas de sol.

—Me lo hice anoche en la reserva, persiguiendo a un furtivo de los cojones —dijo tocándose el bulto—. Intentaba hacerse con un nido de aguilucho que tengo bajo mi vigilancia. Salí tras él y terminé de bruces por el suelo.

—¿Lo cogiste?

Ben movió la cabeza en señal de negación.

—Pero lo cogeré. Estoy seguro de que es Brenner. El cabrón tenía el coche aparcado cerca. Estuve esperándolo, pero no apareció. Seguro que permaneció escondido hasta que me fui —y, tras esbozar una sonrisita, agregó—: Le pinché los neumáticos, así que espero que fuera él.

—Te has arriesgado demasiado, ¿no?

—¿Qué va a hacer? ¿Denunciarme? —dijo soltando un bufido desdeñoso—. ¿Te pasarás por el Lamb?

—Puede.

—Entonces quizá nos veamos allí.

Al arrancar, el tubo de escape de su potente Land Rover dejó tras de sí una nube de humo. De camino a casa, seguí pensando en sus palabras. El mercado negro de especies protegidas, aves sobre todo, siempre ha sido un negocio rentable. Sin embargo, dado el papel que habían tenido en la mutilación de Sally Palmer y la desaparición de Lyn Metcalf, pensé que sería conveniente dar parte a la policía. El problema era que ese detalle de los crímenes no había trascendido al público, por lo que no podía contar con que Ben se encargara de hacerlo. Lo cual significaba que debía ser yo quien se lo dijera a Mackenzie. No me hacía ninguna gracia la idea de actuar a espaldas de Ben, máxime cuando era posible que se tratara de una falsa alarma. Pero no podía correr riesgos. La experiencia me había demostrado que hasta los detalles más nimios pueden ser importantes.

Por entonces no podía saberlo, pero pronto se demostraría que así era, y de la forma más inesperada.

15

Esa noche hubo otra víctima. No se debió al hombre responsable de la muerte de Sally Palmer y la desaparición de Lyn Metcalf, o por lo menos no de forma directa. No, se debió más bien a las suspicacias y a las hostilidades que se habían extendido por todo el pueblo.

James Nolan vivía en una pequeña casa situada en un callejón sin salida. Era paciente mío, trabajaba en una tienda de un pueblo cercano y tenía un carácter reservado tras el que se escondían una personalidad amable y una profunda infelicidad. Contaba poco más de cincuenta años, estaba soltero y le sobraban veinticinco kilos. Además era homosexual. Esto último era algo de lo que se avergonzaba profundamente. En un lugar como Manham, donde esas inclinaciones se consideraban antinaturales, tenía pocas posibilidades de saciar sus necesidades sexuales, por lo que de joven había buscado solaz en los parques y lavabos públicos de las ciudades de los alrededores. En cierta ocasión había abordado a un hombre que había resultado ser un policía de paisano. La vergüenza que le provocó aquel incidente duró mucho más que la pena impuesta. Como no podía ser de otra forma, se corrió la voz por el pueblo. Nolan, que siempre había vivido siendo objeto de escarnio, quedó marcado con un estigma todavía más siniestro a raíz de los sucesos de ese verano. Aunque la naturaleza exacta de su culpa jamás se mencionó —acaso porque se desconocía—, el simple rumor bastó para marcarlo. Como en los pueblos pequeños todo el mundo tiene un papel asignado, él se convirtió en el intocable, el pervertido al que los niños no debían aproximarse. Y Nolan acató ese papel replegándose en su aislamiento. Se movía por el pueblo como un fantasma, no hablaba con casi nadie y su única voluntad era pasar desapercibido. La mayor parte de los vecinos de Manham había accedido de buen grado a su deseo, no tanto tolerándolo sino haciendo como que no existía.

Hasta ese día.

En cierto modo, para él casi fue un alivio que ocurriera. Desde que fuera encontrado el cuerpo de Sally Palmer, vivía con miedo, consciente de que la razón no cuenta gran cosa a la hora de encontrar un chivo expiatorio. Por la noche, cuando volvía de trabajar, corría a su casa y se encerraba por dentro, con la esperanza de que la invisibilidad le procurara cierto amparo. Sin embargo, el sábado por la noche no fue así.

Eran pasadas las once cuando empezaron a oírse golpes en la puerta. Nolan había apagado el televisor y estaba a punto de irse a la cama. Las cortinas estaban corridas y durante unos instantes se quedó quieto en el sillón, esperando que quienquiera que fuese se marchara. Pero no se marcharon. Eran varios, estaban borrachos y empezaron a llamarlo por su nombre entre burlas y risotadas. Luego comenzaron a gritar y los golpes en la puerta se hicieron más violentos. La puerta se sacudía en las jambas. Nolan lanzó una mirada al teléfono y estuvo a punto de llamar a la policía. Sin embargo, lo retuvo el peso de toda una vida de humillaciones. En vez de ello, cuando los asaltantes cambiaron de táctica y amenazaron con derribar la puerta si no la abría, hizo lo que siempre había hecho.

Hizo lo que le decían.

Dejó la cadena puesta, confiando en que sus eslabones de acero bastaran para protegerlo. Al igual que todo lo demás, también estos fallaron. La puerta y el marco se astillaron por la fuerza de la embestida y, viendo que el grupo de hombres entraba en su casa, Nolan retrocedió hasta el salón.

Más tarde, aseguraría no haber reconocido a ninguno de ellos alegando que no los había mirado a la cara. Fuera verdad o no, me cuesta creer que no supiera quiénes eran los atacantes. Tenía que ser gente a la que había visto antes, quizá incluso jóvenes con cuyos padres se había criado. Le propinaron puñetazos y puntapiés y causaron graves destrozos en la casa. Tras romper todo lo que pudieron, la emprendieron de nuevo con él y no se detuvieron hasta dejarlo inconsciente. Es posible que algún vislumbre de lucidez los hiciera parar antes de matarlo. Aunque también cabe la posibilidad de que, dada la gravedad de las heridas, lo creyeran muerto.

Hacía poco que habían abandonado la casa cuando sonó mi teléfono. Lo busqué a tientas, medio dormido aún, y fui incapaz de reconocer la voz susurrante que me avisaba de que había alguien herido. Para cuando empecé a sacudirme el sueño de encima, la voz se limitó a decirme dónde debía ir y colgó. Me quedé un rato contemplando el teléfono como un tonto antes de reaccionar y llamar a una ambulancia. Tal vez se tratara de una falsa alarma, aunque no me había sonado a broma telefónica. Además, la ambulancia tardaría demasiado en llegar.

De camino a casa de Nolan, hice un alto en el furgón policial de la plaza del pueblo. Estaba custodiado las veinticuatro horas del día y no me agradaba la idea de acudir a la casa yo solo. Fue un error. No les constaba que yo hubiera llamado a emergencias y perdí un tiempo precioso dando explicaciones. Para cuando uno de ellos accedió a acompañarme, deseaba haber ido directamente.

El callejón en el que vivía Nolan estaba oscuro. Fue fácil averiguar cuál era su casa, porque la puerta principal estaba abierta. Al acercarnos, miré las casas vecinas. No se veía ningún signo de vida, pero yo tenía la impresión de que nos observaban.

Encontramos a Nolan entre los escombros, donde lo habían dejado sus atacantes. No pude hacer mucho más que cambiarlo de posición y esperar. Por momentos recuperaba el conocimiento, así que le hablé hasta que llegó la ambulancia. En un momento que parecía bastante lúcido, le pregunté qué había ocurrido, pero él entornó los ojos y no contestó.

Mientras se lo llevaban en camilla a la ambulancia, uno de los agentes de policía que se había personado con ella me preguntó por qué el informador me había llamado a mí y no a los servicios de emergencias. Le dije que no lo sabía, aunque no era del todo cierto. Miré cómo la luz azul de las sirenas se reflejaba en las ventanas de las casas de al lado. Pese al alboroto, nadie se había asomado a ver qué pasaba, pero yo sabía que estaban observándonos. Y que o bien habían visto que Nolan había sido asaltado en su casa o bien habían mirado hacia otro lado. Tal vez a alguien le remordiera la conciencia, pero no lo suficiente para intentar poner fin al linchamiento o llamar a terceros. Eran cosas del pueblo. Por eso me habían llamado a mí, extraño a medias, como solución de compromiso. No encontraríamos testigos, de eso estaba seguro, e igualmente nadie admitiría jamás haberme telefoneado. Es más, como averiguaríamos más tarde, la llamada había sido hecha desde la única cabina telefónica del pueblo, lo que hacía imposible localizar a su autor. Cuando la ambulancia se hubo marchado me quedé mirando las ventanas y puertas y sentí el impulso de gritar. Qué les habría gritado o de qué habría servido, eso no lo sé.

En vez de ello, me fui a casa e intenté dormir lo que quedaba de noche.

A la mañana siguiente me desperté algo aturdido y con mal cuerpo. Cogí un periódico y me lo llevé afuera con una taza de café solo. La gran noticia del fin de semana era un accidente ferroviario; comparado con él, el descubrimiento de un segundo cuerpo en Manham no merecía más que unos pocos párrafos en las páginas interiores. El hecho de que no estuviera relacionado con el otro asesinato, más reciente, le otorgaba un valor de mera curiosidad a causa de la coincidencia.

Me había pasado la tarde y parte de la noche anterior trabajando con los restos del joven. A falta de las pruebas de adipocira en las muestras de tierra para determinar con precisión la hora de la muerte, no me había hecho muchas ilusiones. La buena noticia, si así puede decirse, era que no parecía difícil ponerle nombre a la víctima, ya que la dentadura estaba intacta, incluidos los empastes, de modo que sería posible identificarlo cotejando el historial dental. También había encontrado una antigua fractura en la tibia izquierda. El hueso había sanado hacía tiempo, pero era otro elemento que podía contribuir a esclarecer la identidad del cadáver.

Aparte de eso, todo lo que pude hacer fue confirmar lo que le había dicho antes a Mackenzie: que el cuerpo pertenecía a un varón blanco de unos veinte años con una fractura de cráneo provocada por un objeto contundente, probablemente un martillo o un mazo, dada la forma redondeada y radial de las heridas. La localización y la gravedad de los impactos sugerían que lo habían golpeado varias veces por la espalda. Resultaba imposible decir con certeza si eso le había causado la muerte, aunque en mi opinión debió de ser así. Una herida como esa tenía que haber sido fatal, y aunque no había forma de saber qué pudieron haberle hecho antes, los huesos no evidenciaban ningún otro signo de violencia.

No había razón para pensar que esa muerte tuviera relación con los hechos que estaban ocurriendo en Manham. Nuestro asesino acechaba a mujeres, no a hombres, y, aunque no lo sabríamos con seguridad hasta que los restos fueran identificados, era poco probable que la víctima fuera del lugar. El pueblo no era tan grande como para que una desaparición hubiera pasado inadvertida durante tanto tiempo. Por lo demás, el modo de proceder no tenía ninguna similitud con el caso de Sally Palmer. A ella la habían dejado a la intemperie, no enterrada, y tenía rotos los huesos de la cara, ya fuera por el ensañamiento o para dificultar su identificación, mientras que los del joven estaban intactos. Lo más plausible era que tanto el asesino como la víctima fueran de otro lugar y que el cuerpo hubiera sido sepultado en el bosque.

Con todo, pasé más tiempo de lo razonable asegurándome de que las vértebras cervicales no tuvieran marcas. Tal vez lo que ocurría era que, hasta la semana anterior, la única particularidad de Manham había sido su aislamiento, y ahora registraba dos asesinatos, uno reciente y otro antiguo, y una mujer desaparecida. Costaba no pensar que había gato encerrado. Como el pueblo hubiera decidido sacar sus secretos a la luz, a saber qué más podríamos encontrar.

Como presagio no era muy reconfortante.

Leí por encima el resto del periódico, sin prestar mucho interés. Lo tiré sobre la mesa y apuré el café. Era hora de darse una ducha. Luego iría a almorzar con Henry, como todos los domingos.

La idea de encontrarme más tarde con Jenny me provocaba a la vez nerviosismo e impaciencia, amén de un ligero complejo de culpabilidad por no haber tenido ocasión de decírselo antes a Henry. No pondría reparos en prestarnos el bote, pero yo sabía que contaba con pasar conmigo el resto de la tarde y sentía tener que marcharme antes. Tal vez debería haber cambiado de día una de las dos citas, pero ni quería decepcionar a Henry ni sabía cuándo podría volver a navegar con el bote. No me apetecía esperar.

«¿Por qué no? —me preguntó una voz cínica—. ¿Tantas ganas tienes de volver a ver a Jenny?» Como eso era algo que no quería averiguar, fui a ducharme y dejé la pregunta sin contestar.

Cuando me presenté en casa de Henry la tensión era tanta que me dolía la cabeza, aunque no tanto que no advirtiera el olor a rosbif al entrar. Como de costumbre, entré sin llamar y grité el nombre de Henry.

—Por aquí —oí que decía su voz desde la cocina.

Me dirigí hacia allí. Aunque la puerta que daba al jardín trasero estaba abierta, hacía calor. Henry estaba removiendo la masa con que iba a preparar pudín de Yorkshire y a poca distancia tenía una copa de vino vacía. Tal vez no fuera lo más indicado para una tarde calurosa, pero Henry era un clásico en lo referente al almuerzo de los domingos.

—Está casi listo —dijo vertiendo la masa en una bandeja para pasteles. La grasa caliente chisporroteaba—. Comeremos en cuanto esté hecho.

—¿Puedo hacer algo?

—Escanciar un poco de vino. Hay abierta una botella de vino peleón y otra más decente aireándose. Ya debería de estar lista. A menos que prefieras una cerveza.

—El vino me vale.

Henry se acercó al horno, abrió la puerta, retrocedió un poco ante la oleada de calor e introdujo la bandeja. No cocinaba con mucha frecuencia, pues prefería que Janice le preparara la comida, pero cuando lo hacía siempre me impresionaba la destreza con que se desenvolvía. Me pregunté si yo hubiera sido capaz, de estar en su situación. De todos modos no tenía elección y Henry no era de los que se rinden sin más.

—Pues ya está —dijo cerrando la puerta del horno—. Veinte minutos y listo. Pero, por Dios, ¿llega o no ese vino, muchacho?

—Marchando —dije yo rebuscando en un cajón—. ¿Tienes aspirinas o algo así? Me duele la cabeza.

—Si no encuentras nada, busca en el cuarto de los medicamentos.

En el cajón no había más que una caja de paracetamol vacía. Atravesé el vestíbulo para ir al estudio de Henry, donde también él visitaba a algunos pacientes desde que yo utilizaba la consulta. Allí guardábamos las medicinas. Henry era de los que no se deshacen de nada y guardaba toda suerte de polvos, botellas e instrumental heredados del médico anterior. Seguramente, tenerlos ahí contravenía varias normas sanitarias, pero a Henry los papeleos y la burocracia le traían bastante sin cuidado.

La colección acumulaba polvo en una librería victoriana con puertas de vidrio que contrastaba con el aséptico armario de acero de los medicamentos y el pequeño frigorífico donde conservábamos las vacunas. A pesar de que Henry intentaba ocultarlos con marcos de fotografías, ambos parecían fuera de lugar al lado del mobiliario de madera pulimentada y piel. En una de ellas, tomada el año anterior, aparecíamos él y yo en el bote, pero la mayoría eran de él y su esposa Diana. En un lugar de honor, en lo alto del armario, destacaba una del día de su boda. Hacían buena pareja, ambos sonrientes, mirando a cámara, jóvenes y felizmente ajenos al destino que les aguardaba.

Me fijé en un par de bastones arrinconados junto a la mesa. Cuando llegué al pueblo todavía intentaba utilizarlos. A veces yo lo oía gruñir mientras batallaba por dar unos pasos. «Demostraré que esos capullos no tienen ni idea», dijo en más de una ocasión. Pero no fue así, y poco a poco dejó de intentarlo.

Aparté la vista de ese recuerdo de la fragilidad humana y abrí el armario. Revolví entre las cajas hasta encontrar el paracetamol, lo cerré y volví a la cocina.

—Ya era hora —refunfuñó al verme—. Date prisa con el maldito vino. Tanto cocinar da sed —agregó abanicándose y acercándose a la puerta—. Salgamos a refrescarnos un poco.

—¿Comeremos fuera?

—No seas bárbaro. ¿Es que acaso tengo pinta de australiano? Tráete la botella. La de burdeos, no la barata.

Me tomé el paracetamol con un poco de agua e hice lo que me decía. El jardín estaba bien cuidado, pero conservaba un aspecto natural. Henry había sido un jardinero entusiasta y no poder ocuparse del jardín provocó en él otra fuente de frustraciones. Nos acomodamos a la mesa y en las sillas de hierro forjado que quedaban a la sombra del laburno. El brillo del lago atravesaba las hojas de los sauces y transmitía cierta sensación de frescor. Serví el vino.

—Salud —dije alzando mi copa.

—Y buenos alimentos —replicó él, removiendo el líquido de color rubí antes de olisquearlo con semblante crítico—. Mmm… No está mal.

—¿Es del supermercado?

—No seas cutre —dijo en tono burlón y dio otro sorbo, que saboreó antes de bebérselo—. Y ahora venga, desembucha, ¿qué tal fue la otra noche?

—Hicimos una barbacoa en el jardín. Te lo habrías pasado genial.

—Comer al fresco está bien para un viernes por la noche, pero el almuerzo de los domingos exige algo más de seriedad. Y aún no has contestado a mi pregunta.

—Estuvo bien, gracias.

—¿Bien? —dijo enarcando una ceja—. ¿Eso es todo?

—¿Qué más quieres que te diga? Fue divertido.

—¿Detecto cierta timidez? —preguntó sonriendo—. Tengo la impresión de que voy a tener que sacártelo con tenazas. Ya sé lo que haremos: esta tarde saldremos con el bote y me lo contarás todo. No es que sople una gran brisa, pero podemos remar un poco y quemar la comida.

La cara me ardía de vergüenza.

—Claro que si no quieres, tampoco pasa nada —dijo Henry desdibujando su sonrisa.

—No es eso. Es que... en fin, que le dije a Jenny que la llevaría a dar una vuelta con el bote.

—Oh —exclamó, incapaz de ocultar su sorpresa.

—Lo siento, tendría que habértelo dicho antes.

Pero Henry ya había recuperado su desenvoltura y eclipsó su desilusión con una sonrisa.

—¡No te disculpes! ¡Me alegro por ti!

—Siempre puedo...

Henry me hizo callar antes de terminar.

—Con el sol que hace hoy estarás mejor acompañado con una chica guapa que con un viejo carcamal como yo.

—¿De verdad que no te importa?

—Lo dejamos para otro día. Me alegra que hayas conocido a alguien que te gusta.

—Tampoco es para tanto.

—¡Vamos, David, ya va siendo hora de que te distraigas un poco! No tienes por qué justificarte.

—No me justifico, es solo que... —empecé a decir, pero no supe cómo continuar.

—Déjame adivinar; te sientes culpable —dijo Henry, que se había puesto serio.

Asentí, incapaz de decir nada.

—¿Cuánto hace? ¿Tres años?

—Casi cuatro.

—A mí me pasó hace cinco. ¿Y sabes qué? Que ya es suficiente. Los muertos no vuelven y hay que seguir viviendo lo mejor que se pueda. Cuando Diana murió... En fin, qué te voy a contar —dijo soltando una risa entrecortada—. No podía entender por qué yo había sobrevivido y ella no. De hecho, después del accidente, durante mucho tiempo... –Calló y miró al lago. Fuera lo que fuese lo que tenía intención de decir, cambió de idea–. Da igual, eso es otra historia. –Y cogiendo la copa de vino, añadió–: Cambiando de tema, me he enterado de que anoche hubo gresca.

A Henry se le escapaban muy pocas de las cosas que ocurrían en el pueblo.

–Digamos que los vecinos de James Nolan decidieron ir a hacerle una visita.

–¿Cómo está?

–No muy bien. –Yo mismo había llamado antes al hospital–. Le dieron una buena paliza. Todavía pasará una semana o dos en el hospital.

–Y supongo que nadie vio nada.

–Por lo visto no.

Su poblado entrecejo se arrugó con una mueca de disgusto.

–Son unos animales. Una panda de auténticos animales. No puedo decir que me sorprenda. Y por lo que he oído tú mismo estás en boca de todo Manham, ¿no es verdad?

Tendría que haber supuesto que a estas alturas también él se habría enterado.

–Todavía no me han dado ninguna paliza.

–Yo no lo diría muy alto. Te dije que las cosas acabarían así. Que seas el médico del pueblo no te concede ningún privilegio.

Estaba empezando a ponerse de mal humor.

–Vamos, Henry...

–Créeme, conozco el lugar mejor que tú. Llegado el momento, esta gente es capaz de hacer contigo lo que han hecho con Nolan. Da lo mismo lo que hayas hecho por ellos en el pasado. En este maldito pueblo no tienen idea de qué significa la palabra gratitud. –Tomó un trago de vino; estaba tan indignado que ni siquiera lo saboreó–. A veces me pregunto por qué nos molestamos.

–No hablas en serio.

–¿Que no? –replicó mirando su copa con semblante taciturno. Me pregunté cuánto habría bebido antes de llegar yo–. No, puede que no. Aunque a veces sí que me pregunto qué estamos haciendo aquí. ¿Nunca te preguntas qué sentido tiene estar aquí?

—Somos médicos. ¿Qué otro sentido tiene que haber?

—Sí, sí, ya lo sé —dijo irritado—. Pero ¿qué beneficio le aportamos al pueblo? ¿De verdad no te has planteado nunca si no estás perdiendo el tiempo manteniendo con vida a un vejestorio así porque sí? Lo único que hacemos es retrasar lo inevitable.

Parecía fatigado y empezaba a preocuparme. Por primera vez presentaba signos de envejecimiento.

—¿Va todo bien? —pregunté.

Henry soltó una risa seca.

—No me hagas caso, tengo el día cínico. Más de lo habitual —dijo cogiendo la botella—. Todo esto también me está pasando factura a mí. Vamos a servirnos otra copa y me cuentas en qué has andado metido toda esta semana con tanto misterio.

No era algo de lo que me apeteciera hablar, pero en el fondo me alegraba de que la charla cambiara de tema. Henry escuchó, al principio con gesto socarrón, mientras yo le contaba la verdad sobre mi trabajo antes de llegar a Manham; cuando le resumí la manera en que había estado ayudando a Mackenzie, la socarronería se tornó incredulidad.

Cuando terminé, sacudió la cabeza despacio.

—Vaya, parece que eres una caja de sorpresas.

—Lo siento. Sé que debería habértelo dicho antes, pero hasta esta semana creía de veras que todo era agua pasada.

—No tienes por qué disculparte —dijo él, pero le noté dolido.

Henry me había tomado a su cargo cuando yo pasaba por mis horas más bajas y acababa de enterarse de que durante todos esos años había estado ocultándole algo. Hasta entonces le había dejado creer que mi experiencia como antropólogo era puramente académica. Y aunque no era del todo mentira, había sido una mala forma de pagarle su confianza en mí.

—Si quieres que deje el puesto, lo haré —dije.

—¿Dejarlo? ¡No seas ridículo! —dijo mirándome—. A menos que hayas reconsiderado lo de trabajar aquí.

—No, claro que no. Ni siquiera quería mezclarme en todo esto. Si te lo he ocultado, no ha sido por voluntad propia, sino porque era algo en lo que no quería ni pensar.

—Sí, ya lo veo. Lo que pasa es que me ha cogido por sorpresa, eso es todo. No tenía ni idea de que habías tenido una carrera tan... azarosa —dijo posando una mirada reflexiva en el lago—. Te envidio. Yo siempre he lamentado no haberme dedicado a la psicología. Hace tiempo quise dar el paso, pero como puedes comprobar no me salió bien. Requería demasiados esfuerzos. Yo quería casarme con Diana, y con la medicina general podía ganar dinero más rápidamente. Además, por aquel entonces parecía un oficio con prestigio.

—Lo que yo he hecho no tiene nada de prestigioso.

—Pues llamémoslo emocionante —dijo lanzándome una mirada de complicidad—. Y no me lo niegues. Algo ha cambiado en ti durante la última semana. Incluso antes de la barbacoa. —Soltó una breve risa y se sacó la pipa del bolsillo—. En cualquier caso, ha sido una semana tremenda. ¿Alguna idea acerca de la identidad del segundo cadáver?

—Todavía no. Pero tenemos la esperanza de que el historial dental nos lo aclare.

Henry sacudió la cabeza, acabó de cargar la pipa y la encendió.

—Se pasa uno todos estos años viviendo en un sitio y entonces... —Se interrumpió poniendo cara de no querer sumirse de nuevo en el mal humor—. En fin, será mejor que vaya a ver cómo anda el almuerzo. Las cosas ya están bastante mal como para que encima se nos queme el budín.

Después de eso, la conversación retomó un cauce más sereno, pero al final del almuerzo Henry parecía cansado. Recordé que los últimos días había cargado con la mayor parte de mi trabajo. Insistí en lavar los platos, pero no lo consintió.

—Estoy bien, de verdad. Además, casi todo va al lavavajillas. Lo mejor es que te vayas a ver a tu amiga.

—Tengo tiempo de sobra.

—Si insistes en lavar los platos, lo haré contigo. Aunque para ser franco, lo que me apetece ahora mismo es tomarme la última copa de vino y quizá echarme una siesta —dijo mirándome con una severidad impostada—. Entonces, ¿qué? ¿Vas a insistir en fastidiarme la tarde del domingo?

Había quedado en encontrarme con Jenny en el Lamb. Era territorio neutral, e ir a buscarla a su casa hubiera dado la sensación de una cita formal. Yo seguía intentando convencerme de que solo íbamos a salir a navegar. No era lo mismo que llevarla a cenar, con todo el juego de roles sexuales que eso habría conllevado. No habría problemas por el hecho de captar o emitir señales equívocas. En realidad, nada tenía mayor importancia.

Aunque mi impaciencia decía lo contrario.

Me había cuidado mucho de no tomar demasiado vino con el almuerzo y, aunque cuando llegué al pub ya se me habían pasado los efectos, pedí un zumo de naranja. Al entrar había sido recibido con los movimientos de cabeza habituales. No vi indicios que me hicieran sospechar nada especial, pero de todos modos me alegraba de que Carl Brenner no estuviera en el local.

Me llevé la bebida afuera y me recosté en la pared de piedra de la fachada. Estaba tan nervioso que me bebí el zumo en pocos sorbos y me di cuenta de que cada pocos minutos estaba consultando el reloj. Decidido a no volver a hacerlo, me fijé en un coche que llegaba por la carretera. Pude observar que era un viejo Mini; al cabo de un instante reconocí a Jenny al volante. Aparcó y se apeó; al verla, sentí renovarse mis ánimos. «¿Qué está pasando aquí?», me pregunté, pero en cuanto se acercó a mí todas las preguntas se esfumaron.

—No me apetecía caminar —dijo sonriendo mientras se ponía las gafas de sol sobre la cabeza.

Sin embargo, yo sabía que la verdadera razón de que hubiera venido en coche era que pocas mujeres se atrevían todavía a ir a pie. Llevaba unos shorts y una camiseta azul sin mangas. Olía ligeramente a perfume, pero muy suave.

—¿Hace mucho que esperas? —preguntó.

—Acabo de llegar. —Vi que miraba el vaso vacío y encogiéndome de hombros añadí—: Es que tenía sed. ¿Quieres tomar algo?

—Como quieras.

Noté que nos aproximábamos a esa zona de tensión en la que todas las frases suenan vacías. «Decídete. Ya», me dije a mí mismo, consciente de que de ese momento dependía el desarrollo del resto de la tarde.

—¿Qué te parece si pedimos algo para llevarnos? —pregunté para mi propia sorpresa, aunque en cuanto lo hube dicho supe que era la decisión adecuada.

—Suena genial —dijo Jenny ensanchando su sonrisa.

Esperó fuera mientras yo volvía a entrar en el pub para comprar una botella de vino. Intenté no hacer el menor caso de las miradas curiosas que se giraron hacia mí en cuanto pedí prestados un sacacorchos y un par de vasos y me maldije por no haberlo previsto. Aunque sabía la razón: había evitado pensar en todo lo que pudiera conferirle a ese encuentro la apariencia de algo más que una excursión informal. Y por lo visto Jenny había hecho igual.

—Un segundo —dijo cuando volví, y entonces entró ella.

Volvió a los pocos minutos con unas bolsas de patatas y frutos secos.

—Por si nos apetece picar algo —dijo sonriendo.

Después de eso, la tensión desapareció. Dejamos su coche en la plaza y fuimos caminando hasta el lago. Podríamos haber cruzado al embarcadero por el jardín de Henry, pero preferí no molestarlo y seguir por una pista poco transitada que partía de la carretera y bordeaba la casa. El bote yacía inmóvil sobre el agua. Cuando subimos a bordo no soplaba ni una brizna de viento.

—Creo que hoy no vamos a navegar mucho —dije.

—No importa. Basta con estar sobre el agua.

Sin molestarme siquiera en desplegar la vela, tomé los remos y empecé a remar hacia el centro del lago. La superficie brillaba como un cristal a la luz del sol, tanto que molestaba a la vista. El único sonido era el melódico chapoteo de los remos entrando y saliendo del agua. Jenny estaba sentada de cara a mí. Nuestras rodillas se rozaban al remar, pero ninguno de los dos se movió. Mientras yo remaba hacia la orilla opuesta, Jenny introdujo la mano en el agua y sus dedos trazaron una estela.

El agua fue perdiendo profundidad al acercarnos a la orilla, y en algunas partes resultaba impracticable a causa de los densos juncales de color pajizo. De ellos sobresalían bancos de tierra cubiertos por las enmarañadas ramas de los sauces llorones. Dejé el bote a la deriva hasta dar con uno y lo atamos al tronco. La luz del sol se colaba entre las hojas y las volvía de un color verde translúcido.

—¡Es fantástico! —exclamó Jenny.

—¿Quieres que salgamos a dar una vuelta?

Ella vaciló.

—No quiero parecer miedica, pero ¿crees que es seguro? Lo digo por los cepos y todo eso.

—No creo que haya ningún problema. Nadie viene nunca por aquí, así que no creo que tuviera mucho sentido ponerlos.

Dejamos el vino refrescándose en el agua y salimos a explorar. No había gran cosa en esa parte del lago, solo un montículo de rocas y árboles unido a la orilla por una manga de tierra flanqueada por juncos. En el centro había una pequeña edificación en ruinas, sin techo y llena de maleza.

—¿Crees que era una casa? —preguntó Jenny, agachándose para entrar por la pequeña entrada de piedra.

Las hojas muertas crujían al pisar. Aun con ese calor podía sentirse el olor de la humedad y los años.

—Podría ser. Todo esto pertenecía a la mansión de Manham Hall. Pudo haber sido la casa de algún cuidador o algo así.

—No sabía que hubiera ninguna mansión por aquí.

—Ya no. La derribaron justo después de la Segunda Guerra Mundial.

Jenny pasó la mano por el dintel mohoso de una antigua chimenea.

—¿Nunca te has preguntado quién debía de vivir en sitios como este? ¿Qué tipo de gente sería, cómo sería su vida?

—Dura, supongo.

—Pero ¿debió de serlo también para ellos o les parecería lo normal? Me refiero a que dentro de unos cientos de años la gente mirará lo que quede de nuestras casas y pensará: «Pobres diablos, ¿cómo se las apañaban?».

—Es muy probable. Es lo que pasa siempre.

—Siempre quise ser arqueóloga. Antes de hacerme profesora, claro. Tantas vidas pasadas de las que nada sabemos, y nosotros creyéndonos que la nuestra es la más importante —dijo encogiéndose ligeramente de hombros y sonriendo con timidez—. Me da escalofríos, pero al mismo tiempo me fascina.

Me pregunté si mi relación con las vidas pasadas habría llegado a oídos de ella, pero no parecía estar fingiendo.

—¿Y qué pasó? Quiero decir que por qué no te hiciste arqueóloga.

—No lo deseaba lo suficiente, supongo. Así que acabé dando clases. No me malinterpretes, me gusta lo que hago. Pero a veces, cómo decirlo, una se pone a pensar: «¿Y si...?».

—Todavía estás a tiempo.

—No —dijo ella sin dejar de acariciar el dintel de piedra—. Eso ya se acabó.

Me pareció una forma curiosa de decirlo.

—¿A qué te refieres?

—Pues nada, que las ocasiones solo se presentan en determinados momentos. Como una encrucijada o algo así. Si decides una cosa, tiras por un camino; si decides otra, tiras por otro distinto —dijo levantando los hombros—. Y el de la arqueología es uno de esos caminos que no he tomado.

—¿No crees en las segundas oportunidades?

—No hay segundas oportunidades, son oportunidades distintas. La vida nunca vuelve a ser como habría sido de no haber tomado otra decisión la primera vez. —Al decir eso su semblante se ensombreció; de repente apartó la mano de la piedra y adoptó una expresión como avergonzada—. Por Dios, qué cosas digo, perdona —añadió riendo.

185

—No hay nada que perdonar —dije mientras ella se agachaba ya para salir.

La seguí afuera, dándole tiempo de apartar de su mente cualquier oscuro pensamiento que pudiera haber aflorado. Bajo la cabellera rubia, se veía su nuca, bronceada y suave. Un remolino de fino vello blanco bajaba desde el cuello hasta desaparecer bajo la camiseta. Sentí el impulso de tocárselo y tuve que hacer un esfuerzo por apartarlo de mi mirada.

Cuando se dio la vuelta, volvía a estar radiante.

—¿Crees que el vino ya estará fresco?

—Solo hay un modo de saberlo.

Volvimos al bote y sacamos la botella del lago.

—¿Te apetece? —le pregunté—. Porque si no, también tenemos agua.

—No, el vino me parece perfecto, gracias. Esta mañana me he puesto la insulina, así que un vasito no me hará daño —dijo sonriendo—. Además, estoy con un médico.

Lo bebimos junto a la orilla, bajo el sauce. Apenas habíamos hablado desde que habíamos vuelto de las ruinas, pero no era un silencio incómodo.

—¿Echas de menos la vida que llevabas en la ciudad? —preguntó ella por fin.

Yo pensé en mis recientes visitas al laboratorio.

—Hasta hace poco, no. ¿Y tú?

—No lo sé. Echo de menos algunas cosas. No tanto los bares y restaurantes como el gentío. Pero me estoy acostumbrando al campo. En realidad consiste en cambiar el ritmo.

—¿Crees que volverás?

Me miró y luego escrutó el agua.

—No lo sé —respondió arrancando un tallo de hierba—. ¿Qué te ha contado Tina?

—No gran cosa. Que tuviste una mala experiencia, pero no me dijo cuál.

Jenny sonreía mientras hacía pedazos el tallo de hierba.

—Caramba con Tina —dijo en tono seco pero sin rencor.

Esperé a que decidiera si le apetecía contarme algo más o no.

—Sufrí un ataque —dijo al cabo de un rato, sin apartar los ojos de la hierba—. Hará unos ocho meses. Había salido con unas amigas y cogí un taxi para volver a casa. Dicen que es lo que hay que hacer, porque las calles no son seguras y todo eso. Veníamos de un cumpleaños y yo había bebido demasiado. Me quedé dormida, y cuando me desperté, el taxista había parado el coche y estaba a punto de meterse en la parte de atrás conmigo. Cuando me resistí empezó a pegarme. Me dijo que me mataría, y entonces...

La voz empezó a temblarle. Hizo una pausa, hasta que recuperó el aplomo y pudo continuar.

—En realidad no llegó a violarme. Oí que pasaba gente. Estábamos en un aparcamiento vacío, y un grupo de gente pasó por donde estaba el taxi para acortar camino. Fue una cuestión de suerte. Me puse a gritar y a dar patadas en la ventanilla. El taxista se asustó, me sacó del coche y se fue. La policía dijo que había estado de suerte, y así fue. Solo tenía unos cuantos cortes y algún hematoma, podía haber sido mucho peor. Aunque a mí no me parecía estar de suerte. Lo que sí estaba era asustada.

—¿Lo cogieron?

Jenny negó con la cabeza.

—No pude darles una buena descripción y se marchó sin que nadie tuviera tiempo de tomarle la matrícula. Ni siquiera me acordaba del nombre de la empresa de taxis, porque lo había parado por la calle. Así que sigue libre por ahí.

Lanzó el tallo de hierba al agua y este se quedó flotando en la superficie, sin moverla apenas.

—Cogí miedo a salir a la calle. No es que me diera miedo encontrármelo, sino... era un poco todo. Era como si pensara que si algo así podía ocurrirme sin ningún motivo una vez, podía ocurrirme más veces. En cualquier momento. Por eso decidí marcharme de la ciudad e irme a vivir a un lugar seguro. Luego vi el anuncio y terminé aquí —dijo esbozando una media sonrisa—. Menuda vista la mía, ¿eh?

—Me alegro de que vinieras a vivir aquí.

Lo dije sin darme ni cuenta. Enseguida miré hacia el lago, a cualquier parte menos a ella. «¡Idiota! —me dije soltando un bufido—. ¿Por qué demonios has tenido que decir eso?»

Los dos nos quedamos en silencio. Me giré y vi que estaba mirándome. Sus labios amagaron una sonrisa vacilante.

—¿Una patata? —preguntó.

La tensión se diluyó. Aliviado, cogí el vino.

En los días venideros, al echar la vista atrás, vería en aquella tarde el último atisbo de cielo azul antes de la tormenta.

16

A lo largo de la siguiente semana todo pareció flotar en un limbo. Una leve tensión llenaba el aire como si fuera ozono, y todo el mundo estaba inquieto a la espera de que sucediera algo.

No ocurrió nada.

El sentir general era como el paisaje, llano e inmóvil. El tiempo siguió igual de caluroso y espléndido como siempre, sin el menor rastro de nubes. La investigación policial continuó su curso, sin que aparecieran pistas que condujeran hacia un sospechoso o hacia una víctima, y las calles se llenaron con el griterío de los niños, que empezaban las largas vacaciones de verano. Volví a pasar consulta con el horario habitual, y si bien hubo un aumento de los pacientes que solicitaban ser atendidos por Henry o ciertas reservas por parte de aquellos a los que visité, fingí no darme por enterado. Aquella era mi vida, y Manham, para bien o para mal, mi hogar. Tarde o temprano, todo pasaría y las cosas recuperarían cierta normalidad.

O por lo menos eso era lo que me decía a mí mismo.

En los días que siguieron vi a Jenny con regularidad. Una noche cogimos el coche y nos fuimos a cenar a un restaurante de Horning donde ponían manteles de hilo y velas y donde la carta de vinos permitía elegir algo más que entre tinto y blanco. Nos parecía que hacía años que nos conocíamos, cuando en realidad todo era muy reciente. Acaso fuera por nuestro pasado. Ambos habíamos experimentado una cara de la vida que era territorio desconocido para el común de la gente y sabíamos cuán tenue es la línea que separa la cotidianidad de la tragedia. Ese conocimiento nos unía como un lenguaje secreto que las más de las veces no empleábamos pero que no obstante estaba allí. Me pareció lo natural contarle mi historia, hablarle de Kara y Alice y de las labores forenses que había realizado para Mackenzie. Ella había escuchado sin hacer comentarios, limitándose a tocarme un momento la mano al terminar.

—Creo que estás haciendo lo correcto —dijo prolongando el contacto antes de apartar la mano.

A continuación, sin titubeos ni embarazo, nos pusimos a hablar de otras cosas.

Solo durante el camino de vuelta surgieron algunas tensiones. A medida que nos acercábamos a Manham, Jenny parecía cada vez más taciturna. La conversación, que hasta entonces había fluido sin esfuerzo, se tornó torpe y acabó apagándose del todo.

—¿Va todo bien? —pregunté al parar delante de su casa.

Ella asintió con la cabeza, pero con demasiada brusquedad.

—Bueno, buenas noches —dijo de pronto, y abrió la puerta del coche, sin decidirse a bajar—. Verás, lo siento, pero es que... no quiero precipitarme.

Moví la cabeza poniendo cara de circunstancias.

—No, no me refiero... no es que no quiera... —Inspiró profundamente—. Aún no, ¿de acuerdo? —dijo dedicándome una sonrisa insegura—. Aún no.

Antes de que yo pudiera responder, ella ya se había inclinado hacia mí, me había dado un beso fugaz y había entrado en casa. Sentía avidez, ímpetu y culpa, todo a un tiempo.

Pero sus palabras resonaron en mi mente por otra razón. «Aún no.» Esa había sido la respuesta de Linda Yates al preguntarle si había soñado con Lyn. Volví a verla una tarde, en un período de tregua en el que el pueblo entero estaba a la espera de que ocurriera algo. Iba caminando a paso ligero por la calle principal con cara de preocupación y no reparó en mí casi hasta tenerme delante. Al verme se detuvo un momento.

—Hola, Linda. ¿Qué tal están los chicos?

–Bien.

Me disponía a emprender mi camino cuando ella me llamó.

–Doctor Hunter.

Esperé. Ella miró en torno para asegurarse de que nadie pudiera oírnos.

–La policía... ¿todavía sigue ayudándoles como dijo?

–A veces.

–¿Han encontrado algo? –preguntó sin rodeos.

–Vamos, Linda, sabe que no puedo decírselo.

–Entonces, ¿todavía no la han encontrado? A Lyn.

Cualquiera que fuera su motivo para hacerme esa pregunta no era simple curiosidad. Se la veía preocupada de veras.

–No que yo sepa.

Ella asintió con la cabeza, pero no por ello parecía más tranquila.

–¿Por qué? –pregunté, aunque empezaba a sospechar algo.

–Por nada. Por saberlo –murmuró mientras se alejaba.

La observé marcharse, turbado por sus palabras. Me daba la impresión de que su intención no era tanto informarse como confirmar un temor. No necesitaba preguntarle cuál. Al igual que Sally Palmer, por fin Lyn Metcalf se le había aparecido en sueños.

No tardé en desechar mis temores. Llevaba demasiado tiempo viviendo en Manham para empezar a creer en premoniciones o a conferir importancia a los sueños, fueran los suyos o los míos. En mi caso era comprensible que me mostrara confiado: en los últimos tiempos había conseguido dormir sin problemas y al despertarme pensaba en Jenny y en el futuro. Era como si volviera a salir a la superficie después de una larga estancia en el subsuelo. Tal vez fuera egoísta, pero a pesar de todo, era difícil no sentirse optimista.

A mediados de la semana siguiente, la inercia se interrumpió. El cuerpo del joven fue identificado; su historial dental coincidió con el de un varón de veintidós años. Alan Radcliff cursaba un posgrado de ciencias ambientales en Kent y había desaparecido cinco años atrás. Había pasado una temporada en la zona, estudiando los alrededores de Manham. En un momento dado se lo tragó la tierra.

Cuando se hizo público su retrato incluso hubo gente que dijo acordarse de él: un joven bien parecido con una sonrisa encantadora. Durante las semanas que pasó acampado en los marjales se convirtió en un rostro familiar e hizo las delicias de las muchachas del pueblo antes de marcharse.

Solo que no llegó a marcharse a ninguna parte.

En Manham el descubrimiento fue acogido con silencio. Conocida la identidad de la víctima y su relación con el lugar, nadie necesitaba destacar lo obvio: que la localización del cuerpo no era simple casualidad. El pueblo no podía seguir distanciándose de ese esqueleto del pasado.

Fue un golpe inesperado que venía a unirse a los anteriores. Y entonces, cuando el pueblo no se había repuesto aún, llegó otro peor.

Estaba a punto de empezar el turno de tarde cuando recibí la llamada. Había hablado con Mackenzie el día anterior, el día que el cuerpo del estudiante había sido identificado. Que diera por hecho que se trataba de algo relacionado con su caso es indicativo de hasta qué punto había bajado la guardia. Ni siquiera cuando dijo que necesitaba verme de inmediato conseguí atar cabos.

—Estoy a punto de abrir la consulta —dije sosteniendo el teléfono pegado al oído mientras firmaba una receta—. ¿No puede esperar a después?

—No —dijo, y al percibir su brusquedad dejé de escribir—. Lo necesito aquí ahora mismo, doctor Hunter. Lo antes posible —agregó, a guisa de deferencia, aunque era evidente que en esos momentos las cortesías no eran su prioridad.

—¿Qué ha pasado?

Hubo una pausa. Supuse que estaba valorando cuánto podía decirme por una línea de teléfono público.

—La hemos encontrado —dijo.

Existen aproximadamente cien mil especies de moscas, con diferentes formas, diferentes tamaños y diferentes ciclos vitales. Las moscardas, o moscas azules y verdes como se conoce popularmente a las más comunes, forman parte de la familia de las *Calliphoridae*. Se alimentan de materia orgánica en descomposición. Comida podrida, heces, carroña. Casi cualquier cosa. La mayoría de la gente no acierta a ver cuál es su utilidad: son portadoras de enfermedades y lo mismo comen bosta fresca como alta cocina. En ambos casos lo hacen regurgitando sobre ella.

Sin embargo, como todo en la naturaleza, tienen su función. Por repulsivas que puedan parecer, desempeñan una parte esencial en la descomposición de la materia orgánica, contribuyen a acelerar el proceso de disolución, convirtiendo de nuevo los organismos muertos en las materias primas que los componen. Son los mecanismos de reciclaje de la naturaleza. Y en cuanto tales, no deja de haber cierta elegancia en la devoción con que se entregan a su tarea. Lejos de ser inútiles, si se mira con perspectiva, son más importantes que los colibríes o los ciervos, de los que se alimentarán algún día. Desde el punto de vista forense, las moscas no solo son un mal inevitable, sino que tienen un incalculable valor.

Yo las detesto.

No porque me parezcan irritantes o repugnantes, aunque no estoy más por encima de estas consideraciones que cualquier otra persona. Ni siquiera porque me recuerden nuestro último destino físico. Detesto el ruido que hacen.

El rumor de las moscas era audible desde el marjal. Al principio se sentía más que se oía, una vibración grave que parecía producida por el propio calor. Poco a poco, según me acercaba al centro de actividad, se hacía más penetrante, un zumbido estúpido y sin sentido que constantemente alteraba su tono sin cambiar realmente. Aparté las que se sintieron atraídas por el sudor de mi cara, pero para entonces ya percibía algo más.

El olor me resultaba a la vez familiar y repelente. Me unté el labio superior con mentol, pero el olor persistió. Una vez oí que se asemejaba al olor del queso pasado expuesto al sol. En realidad no, pero es la descripción más aproximada que puede darse.

Mackenzie me saludó moviendo la cabeza. Los miembros del equipo de investigación llevaban a cabo su trabajo en medio de un silencio sepulcral, tenían el rostro congestionado y húmedo a causa del calor que les producía el peto. Entonces, miré al objeto en torno al cual se afanaban tanto la policía como la frenética nube de moscas.

—Todavía no lo hemos movido —dijo Mackenzie—. Quería esperar a que llegara usted.

—¿Y el patólogo?

—Ha venido y se ha marchado. Ha dicho que estaba tan descompuesto que por el momento no podía decir nada al respecto, solo que estaba muerto.

Y era bien cierto. Había pasado mucho tiempo desde la última vez que había acudido al escenario de un crimen y había mirado lo que hasta poco antes había sido una persona viva. El cuerpo de Sally Palmer había sido ya levantado cuando yo llegué, y examinarlo después en el aséptico entorno del laboratorio era una tarea mucho más clínica. Incluso los restos de Alan Radcliff llevaban tanto tiempo sepultados que habían quedado reducidos a una mera reliquia estructural que poco permitía adivinar su preciosa humanidad. Esa vez era distinto. Ante mí estaba la muerte en toda su pavorosa gloria.

—¿Cómo lo han encontrado? —pregunté poniéndome un guante de látex.

El resto del equipo me lo había puesto ya en el furgón, aparcado en las proximidades. Estábamos a varios kilómetros del pueblo, en una zona inhóspita de marjales desecados, prácticamente al otro extremo del lugar donde se había hallado el primer cadáver. El lago relucía indiferente unos cientos de metros más allá. Esa vez había ido preparado y debajo del peto solo llevaba un pantalón corto. Aun así, solo había caminado aquel breve trecho y estaba completamente sudado.

—Lo han visto desde el helicóptero. Cuestión de suerte. Tenían no sé qué problema en el sistema, así que estaban de vuelta. De lo contrario no habrían pasado por aquí porque esta zona ya la habíamos peinado.

—¿Cuándo fue la última vez?

—Hace ocho días.

Eso nos daba un máximo de días que el cuerpo podía llevar ahí. Quizá incluso el tiempo que llevaba muerta, aunque eso era menos seguro. En muchos casos el cuerpo se cambia de lugar, en ocasiones más de una vez.

Me puse el otro guante. Ya estaba listo, aunque no sentía ningún entusiasmo por lo que estaba a punto de hacer.

—¿Cree que es ella? —pregunté a Mackenzie.

—A efectos oficiales tendremos que esperar a la identificación formal. Pero me parece que no caben muchas dudas.

También a mí me lo parecía. La investigación ya se había demorado al encontrar la tumba con el estudiante muerto, y por alguna razón no pensé que fuera a haber otra demora.

Lyn Metcalf estaba irreconocible. Su cuerpo yacía boca abajo, medio oculto por las hierbas del marjal. Estaba desnuda, pero uno de los pies estaba calzado con una zapatilla de deporte, incongruente y en cierto modo penosa. Llevaba varios días muerta, eso era obvio. La muerte había provocado sus habituales y siniestros cambios, una alquimia inversa que transforma el oro de la vida en materia abyecta y pestilente. Por lo menos, en esa ocasión el asesino no había añadido sus obscenas modificaciones personales.

No había alas de cisne.

Acallé la parte de mí que seguía obstinada en superponer el recuerdo de la joven sonriente con la que había chocado conmigo en la calle una semana antes y me dispuse a examinar el cuerpo. La piel oscura presentaba lo que parecían varias cuchilladas, pero la herida más llamativa era la de la garganta. Aunque yacía boca abajo, era tan grande que resultaba visible de todos modos.

—¿Puede decir cuánto tiempo lleva muerta? —preguntó Mackenzie—. Aunque sea estimativo —agregó antes de que yo pudiera decir nada.

—Todavía hay tejido blando y la piel apenas ha empezado a desprenderse. Y dado el volumen de actividad larvaria —dije señalando las heridas, convertidas en bulliciosas colonias de gusanos—, es probable que estemos hablando de entre seis y ocho días.

—¿No puede afinar un poco más?

Estuve a punto de decirle que acababa de pedirme un cálculo estimativo, pero me contuve. La situación no era del agrado de ninguno de los dos.

—El tiempo ha sido estable, así que, suponiendo que el cuerpo no haya sido movido, yo diría que con este calor bastan seis o siete días para llegar a este estado.

—¿Algo más?

—Presenta la misma clase de heridas que vimos en Sally Palmer, aunque no hay tantas. Volvemos a tener la garganta seccionada y el cuerpo algo seco. No tanto, claro, porque no lleva muerta mucho tiempo. Me atrevería a decir que se desangró —dije examinando la vegetación ennegrecida en torno al cadáver, quemada por los alcaloides liberados por el cuerpo—. Habría que realizar una prueba para determinar el contenido en hierro, pero me da la impresión de que la mataron en otro lugar y luego la dejaron aquí, como la otra vez.

—¿Diría que es obra de la misma persona?

—Sabe muy bien que eso no puedo saberlo —contesté.

Mackenzie dejó escapar un gruñido. Su desazón era comprensible. En algunos aspectos, el caso recordaba al asesinato de Sally Palmer, pero había suficientes divergencias como para poner en duda que fueran obra del mismo hombre. Por el momento no habíamos visto lesiones faciales y, más importante, los fetichismos aviarios o animales presentes en el otro caso brillaban por su ausencia. A efectos de la investigación, eso planteaba serios problemas. O bien algo había inducido al asesino a cambiar de método o bien era tan imprevisible que sus acciones no seguían ningún patrón. La tercera posibilidad era que los asesinatos hubieran sido cometidos por dos personas distintas.

Ninguna de las opciones daba pie al optimismo.

El monótono zumbido de las moscas me acompañó durante la recogida de muestras. Cuando terminé, tenía las articulaciones y los músculos entumecidos de tanto estar agachado.

—¿Ha terminado? —preguntó Mackenzie.

—Casi.

Di un paso atrás. La fase siguiente nunca era agradable. Habíamos hecho todo cuanto podía hacerse sin mover el cuerpo; las fotografías estaban tomadas y las mediciones apuntadas. Había llegado el momento de ver qué había debajo. Los investigadores empezaron a darle la vuelta al cuerpo con cuidado. El sonsonete de las moscas ganó intensidad al verse estorbadas.

—¡Dios bendito!

No sé quién lo dijo. Todos los presentes estábamos bregados en el oficio pero dudo que ninguno de nosotros hubiera visto antes algo así. Las mutilaciones habían tenido lugar en la parte delantera. El abdomen estaba abierto en canal y multitud de objetos cayeron de la herida abierta al darle la vuelta al cuerpo. Uno de los agentes se dio la vuelta, presa de las náuseas. Por un instante, nadie se movió. Al cabo de poco recuperamos la profesionalidad.

—¿Qué coño es eso? —murmuró Mackenzie horrorizado.

Su rostro, habitualmente rojo por efecto del sol, estaba blanco. Miré, pero en verdad no sabía qué decir. Aquello desafiaba a mi experiencia.

Fue uno de los investigadores el primero que cayó en la cuenta.

—Son conejos —dijo—. Son crías de conejo.

Mackenzie se acercó hasta el Land Rover, en cuyo asiento trasero yo estaba sentado con una botella de agua fría en las manos. Había hecho cuanto podía por el momento. Al quitarme por fin el peto había sentido un gran alivio, pero aunque me había lavado en el furgón de la policía todavía me sentía sucio, y no debido al calor.

Se sentó junto a mí sin decir nada. Bebí un poco más de agua y él abrió un paquete de grageas de menta.

—Bueno —dijo al fin—. Por lo menos sabemos que se trata del mismo hombre.

—No hay mal que por bien no venga, ¿no?

Había sonado más brusco de lo que pretendía. Mackenzie me miró.

—¿Se encuentra bien?

—Es que ya no estoy acostumbrado a estas cosas.

Creí que se disculparía por haberme involucrado, pero no lo hizo. El silencio se prolongó unos instantes hasta que habló de nuevo.

—Lyn Metcalf desapareció hace nueve días. Si lleva muerta seis o siete, como usted dice, significa que la mantuvo con vida al menos dos días. Igual que a Sally Palmer.

—Ya lo sé.

Miró hacia la lejanía, donde la superficie de color mercurio del lago resplandecía bajo el calor.

—¿Por qué?

—No le sigo.

—¿Por qué mantenerlas con vida tanto tiempo? ¿Por qué correr el riesgo?

—Seguro que no le estoy descubriendo nada si le digo que no nos enfrentamos a una mente racional.

—No, pero tampoco es estúpido. ¿Por qué lo hace? —dijo mordiéndose el labio con irritación—. No entiendo de qué va todo esto.

—¿En qué sentido?

—Generalmente, el secuestro y asesinato de una mujer obedece a un móvil sexual. Pero estos casos se apartan del patrón habitual.

—Entonces ¿no cree que fueran violadas? El estado de este segundo cuerpo hace que sea imposible decirlo con seguridad, igual que con Sally Palmer. La verdad es que sería un pequeño consuelo saber que por lo menos no tuvieron que pasar por ello.

—Yo no he dicho eso. Cuando aparece un cadáver sin ropa, es prácticamente seguro que ha habido algún tipo de agresión sexual. Pero un depredador sexual común suele matar a sus víctimas al momento, en cuanto se ha desahogado. Muy de vez en cuando aparece uno que las mantiene con vida hasta que se cansa de jugar con ellas. Pero lo que hace este tipo no tiene sentido.

—Puede que le cueste decidirse.

Mackenzie se quedó un momento mirándome sin decir nada.

—Quizá —dijo encogiéndose de hombros—. Pero por una parte tenemos a alguien lo bastante inteligente para secuestrar a dos mujeres e interrumpir la búsqueda a base de plantar cepos, y por la otra no se molesta en deshacerse de los cuerpos de forma adecuada. ¿Y qué me dice de las mutilaciones? ¿Qué sentido tienen?

—Eso debería preguntárselo a los psicólogos, no a mí.

—Se lo preguntaré, descuide. Pero dudo mucho que sepan darme una respuesta. ¿Se recrea con nosotros o es que realmente le da igual? Es como si nos enfrentáramos a dos mentalidades opuestas.

—¿Quiere decir que es esquizofrénico?

Mackenzie frunció el ceño intentando encajar las contradicciones.

—No lo creo. Un perturbado habría vuelto a actuar mucho antes, y además no creo que fuera capaz de algo así.

—Eso es otra cosa —dije yo—. Ha matado a dos mujeres en ¿qué, menos de tres semanas? La segunda solo diez u once días después de la primera. No es... —Estuve a punto de decir «normal», pero no era ni mucho menos una palabra adecuada para sucesos como ese—. No es habitual, ¿no? Ni siquiera en un asesino en serie.

—No, claro que no lo es —corroboró Mackenzie con el semblante abatido.

—Entonces, ¿a qué viene tanta prisa? ¿Qué es lo que le ha impulsado a hacerlo?

—Si lo supiera, ya estaríamos sobre la pista de ese hijo de perra —dijo mientras se levantaba y se tocaba la espalda con un gesto dolorido—. Haré que envíen el cadáver al laboratorio. Supongo que estará listo para mañana, ¿le parece bien?

Asentí. En cuanto empezó a alejarse lo llamé otra vez.

—¿Qué me dice de los pájaros y los animales muertos? ¿Piensa hacerlo público?

—No podemos dar a conocer ese tipo de detalles.

—¿Ni siquiera si los utiliza para marcar a sus víctimas antes de ir a por ellas?

—No tenemos constancia de que sea su forma de proceder.

—Fue usted quien me dijo que había un armiño en el umbral de la vivienda de Sally Palmer, y Lyn Metcalf le dijo a su marido que había encontrado una liebre muerta el día antes de su desaparición.

—Como usted mismo dijo, estamos en el campo y cada dos por tres aparecen animales muertos.

—Pero no se atan a un monolito ni se introducen en el estómago de una mujer muerta.

—Aun así, no sabemos si realmente los utiliza para señalar a sus víctimas.

—Pero si existe una posibilidad, ¿no cree que la gente debería saberlo?

—¿Para qué? ¿Para que una panda de maniáticos y graciosos nos haga perder el tiempo? Las líneas se colapsarían cada vez que alguien atropellara a un erizo.

—Si no dice nada, podría señalar a otra víctima sin que ella lo supiera. Suponiendo que no lo haya hecho ya.

—Lo sé, pero la gente ya está bastante asustada. No pienso hacer que cunda el pánico.

Detecté una sombra de duda en su voz.

—Volverá a actuar, ¿verdad? —pregunté.

Por un segundo pensé que me contestaría. Luego, sin articular palabra, se dio media vuelta y se marchó.

17

La noticia de que el cuerpo de Lyn Metcalf había sido hallado cayó sobre Manham como una bomba silenciosa. Después de lo ocurrido con Sally Palmer, el acontecimiento cogió desprevenida a poca gente, aunque no por ello el impacto fue menor. Además, mientras que a Sally, pese a ser conocida en el pueblo, se la consideraba una forastera y una inmigrante, Lyn había nacido allí. Había ido a su escuela y se había casado en su iglesia. Formaba parte de Manham de una forma que nunca habría estado al alcance de Sally. Su muerte —su asesinato— tuvo un impacto más visceral sobre la población, que no pudo seguir pretendiendo que, de algún modo, la víctima podía haber traído la semilla del mal desde el exterior. El pueblo lloraba ahora a uno de los suyos.

Y temía a otro.

Ya nadie dudaba de que algo atroz estaba ocurriendo en Manham. Que algo así le sucediera a una mujer era terrible; que les sucediera a dos, en tan breve espacio de tiempo, era algo inaudito. De repente, el pueblo volvía a ser noticia. Manham volvía a ser el centro de atención, una especie de accidente de tráfico colectivo que la gente se queda mirando embobada al pasar. Como cualquier víctima, al principio el pueblo reaccionó con perplejidad y escepticismo; luego con resentimiento.

Después con ira.

A falta de otra vía para liberarla, Manham centró sus frustraciones en los forasteros atraídos por la desgracia. No contra la policía, aunque el resentimiento ante su impotencia empezaba a ser palpable. La prensa, sin embargo, no gozaba de la misma inmunidad. A ojos de muchos, el entusiasmo de los medios no solo se interpretó como una falta de respeto, sino incluso como desprecio. La respuesta fue una hostilidad que primero se manifestó en forma de semblantes fríos y silencio y más tarde por vías más explícitas. En los días siguientes, el equipo de los periodistas se extravió o sufrió misteriosos daños. Aparecieron cables cortados, neumáticos pinchados, depósitos de gasolina rellenos de azúcar. Una periodista, en cuyos maquillados labios estaba permanentemente estampada una sonrisa, al parecer inconveniente, llegó incluso a necesitar puntos de sutura al recibir una pedrada que le abrió una brecha en la cabeza.

Nadie vio nada.

Con todo, aquello no eran más que síntomas, la expresión externa de la verdadera enfermedad. Tras siglos de ostracismo y de confianza en sus propias posibilidades, Manham había perdido la fe en sí mismo. Si semanas atrás había habido un brote de suspicacia, el contagio amenazaba ahora con convertirse en epidemia. Los antiguos feudos y las viejas rivalidades adquirieron una dimensión más siniestra. Una noche se formó una batalla campal entre tres generaciones de dos familias distintas a causa del humo de una barbacoa. Otra mujer llamó a la policía en pleno ataque de histeria y más tarde se descubrió que su «acosador» era un vecino que había salido a pasear al perro. Dos casas sufrieron desperfectos por lanzamiento de ladrillos; en un caso por una supuesta afrenta, en el otro nadie fue capaz de determinar la causa, ni siquiera de admitirla.

Pese a todo, un hombre ganaba preeminencia de día en día. Scarsdale se había convertido en la voz de Manham. Todos los vecinos le giraban la espalda a la prensa, pero él no tenía empacho en comparecer ante cámaras y micrófonos. Se dedicó a enfrentar entre sí a las distintas partes: hablaba de la incapacidad de la policía para atrapar al asesino, de la complacencia moral que según él había conducido a esa situación y —por lo visto sin reparar en la ironía— de la explotación de la tragedia por parte de la prensa. En cualquier otro lugar lo habrían acusado de atraer aún más notoriedad, pero si bien hubo quien objetó la conveniencia de emitir por televisión las imprecaciones del preste, la mayor parte del pueblo cerró filas en torno al buen reverendo. Su voz tronaba con una indignación que hacía mella en todo el mundo, y cuando menos le asistía la razón, más incrementaba su intensidad y volumen.

Pese a todo, y quizá no sin ingenuidad, yo suponía que se reservaría las diatribas más violentas para el púlpito, pero subestimé la capacidad de Scarsdale para sorprenderme, así como su determinación a la hora de capitalizar la relevancia recién recuperada. El anuncio de que el reverendo celebraría una asamblea en el ayuntamiento me cogió tan desprevenido como al que más.

La reunión tuvo lugar el lunes siguiente del hallazgo del cuerpo de Lyn Metcalf. El día anterior se había celebrado en la iglesia un servicio en su memoria. Me extrañó que esta vez Scarsdale no permitiera la entrada a la prensa. Con un punto de cinismo, me pregunté si lo habría hecho por consideración hacia la desconsolada familia o por contrariar a los periodistas. Al llegar al ayuntamiento me di cuenta de que mi sospecha estaba fundada.

El ayuntamiento era un edificio bajo y práctico algo apartado de la plaza del pueblo. Por la mañana, al pasar por delante de camino al laboratorio, había visto a Scarsdale en el jardín, dando órdenes a Tom Mason. El olor de la hierba recién cortada perfumaba el aire y los tejos habían sido podados con esmero. El viejo George y su nieto habían tenido trabajo. Incluso el ya de por sí impecable césped de la plaza del pueblo había sido cortado de nuevo para que la zona bajo el castaño y en torno a la Piedra de la Mártir estuviera perfecta.

A mí me extrañaba tanta molestia para beneficio del pueblo. Excluida del servicio fúnebre, la prensa había fijado su atención en la asamblea. Aunque más que una asamblea, aquello parecía una rueda de prensa, según pude comprobar al entrar en el ayuntamiento. Rupert Sutton estaba de pie justo en la entrada, como si custodiara la puerta, mientras sudaba y respiraba con dificultad. Me saludó con un sobrio movimiento de cabeza, claramente consciente de que yo no gozaba de la simpatía de Scarsdale.

Dentro estaba abarrotado de gente y hacía calor. En el extremo de la sala había una pequeña tarima con una mesa sostenida con caballetes y dos sillas. Frente a una de ellas se había colocado un micrófono. En el suelo, frente a la tarima, había varias hileras de sillas de madera plegables, con espacios libres a los lados y al fondo para las cámaras de televisión y los periodistas.

Los asientos estaban todos ocupados cuando llegué, pero vi a Ben de pie en una esquina donde quedaba algo de espacio, así que me abrí paso hasta él.

—No esperaba verte por aquí —dije escrutando a la gente de la sala.

—Me apetecía saber qué tiene que decir ese cabrón miserable. A ver con qué chorradas nos viene hoy.

Ben les sacaba una cabeza a la mayoría de los presentes. Me fijé en que varios de los cámaras lo miraban, pero ninguno se decidía a probar suerte para entrevistarlo. O tal vez no quisieran arriesgarse a perder su posición.

—Parece que no hay nadie de la policía —comentó Ben—. Pensaba que por lo menos harían acto de presencia.

—No los han invitado —contesté. Mackenzie me lo había dicho antes. No estaba de acuerdo, pero la decisión de no interferir venía de arriba—. Solo vecinos de Manham.

—Tiene gracia, muchos de estos vecinos no me suenan de nada —dijo Ben dirigiendo la vista a las cámaras y los micrófonos. Suspiró y se abrió el cuello de la camisa—. Por Dios, qué calor hace aquí. ¿Tomamos una pinta después?

—Gracias, pero no puedo.

—¿Alguna visita de última hora?

—No, es que he quedado con Jenny. La chica del pub.

—Ya me acuerdo. La maestra —dijo él con una sonrisa—. Últimamente quedáis mucho, ¿no?

Noté que me sonrojaba como un adolescente.

—Solo somos amigos.

—De acuerdo.

Me alegré de que él mismo cambiara de tema.

—Creo que quiere hacerse de rogar —dijo Ben consultando la hora—. ¿Qué crees que estará tramando?

—Pronto lo averiguaremos —contesté.

En ese momento se abrió una puerta que daba a la tarima, pero el que apareció no fue Scarsdale, sino Marcus Metcalf.

En la sala se hizo un silencio absoluto. El marido de Lyn Metcalf tenía un aspecto deplorable. Era corpulento, pero el dolor parecía haberlo consumido. Llevaba un traje arrugado y caminaba con paso cansino, como si algo le doliera por dentro. Al ir a visitarlo después de que la policía le diera la noticia, parecía no haber reparado siquiera en mi presencia. No había querido sedantes, algo de lo que no podía culparlo: hay heridas cuyo dolor no puede mitigarse, e intentarlo no hace más que empeorar las cosas. Sin embargo, al verlo entrar en la asamblea me pregunté si no se habría tomado algo. Parecía aturdido, fuera de sí, un hombre atrapado en una pesadilla.

Scarsdale apareció en escena detrás de Marcus. Todo seguía en silencio y sus pasos resonaban contra las tablas de madera. Al llegar junto a la mesa, el reverendo puso la mano sobre el hombro del joven en un gesto de consuelo (o de supremacía, como no pude evitar pensar). Sentí un aguijonazo de disgusto al ver que la presencia del marido de la última víctima daría mayor credibilidad a cualquier cosa que el reverendo pudiera decir.

Scarsdale lo ayudó a sentarse en una de las sillas. Me fijé en que era la que no tenía micrófono. Antes de tomar su asiento, esperó a que Marcus estuviera sentado. Dio un golpecito al micrófono para asegurarse de que funcionaba y luego escrutó al auditorio.

—Gracias a todos por... —El micrófono se acopló y el reverendo se interrumpió haciendo una mueca de fastidio—. Gracias a todos por venir. Son momentos de luto, y en circunstancias normales lo habría respetado. Desgraciadamente, las circunstancias no tienen nada de normal.

Amplificada, su voz sonaba más grandilocuente de lo habitual. Mientras hablaba, el marido de Lyn Metcalf contemplaba la mesa como si no hubiera nadie más en la sala.

—Seré breve, aunque lo que tengo que decir nos concierne a todos. Concierne a todos los vecinos del pueblo. Solo os pediré que me escuchéis antes de hacer preguntas.

Scarsdale no miraba a los periodistas al hablar, pero era evidente que el último comentario iba dirigido a ellos.

—Dos mujeres a las que todos conocemos han sido asesinadas —continuó—. Por mucho que nos cueste aceptarlo, no podemos seguir negando el hecho de que lo más probable es que el autor sea alguien del pueblo. Como hemos podido comprobar, la policía es incapaz de dar los pasos necesarios para su captura, o tal vez no le interese. El caso es que no podemos seguir de brazos cruzados mientras más mujeres son raptadas y asesinadas. —Con una preocupación premeditada, exagerada casi, Scarsdale hizo un gesto en dirección al hombre sentado junto a él—. Todos sabéis la pérdida que ha sufrido Marcus. Y la pérdida que han sufrido los familiares de su esposa al serles arrebatada su hija, su hermana. La próxima vez podría tratarse de vuestra esposa. O vuestra hija. O vuestra hermana. ¿Hasta cuándo seguiremos sin hacer nada mientras continúan estas atrocidades? ¿Cuántas más mujeres tienen que morir? ¿Una? ¿Dos? ¿Más?

Observó al auditorio como a la espera de una respuesta. Nadie dijo nada. Dándose la vuelta, Scarsdale le susurró algo al marido de Lyn Metcalf. El hombre pestañeó como si acabara de despertarse y lanzó una mirada inexpresiva a la sala llena de gente.

—Tú tienes algo que decir, ¿verdad, Marcus? —dijo el reverendo, acuciándolo y colocándole el micrófono delante.

Marcus volvió en sí. Parecía embrujado.

—Ha matado a Lyn. Ha matado a mi esposa. Ha... —La voz le falló y las lágrimas empezaron a resbalarle por las mejillas—. Hay que pararlo. Tenemos que encontrarlo y... y...

Scarsdale le puso una mano en el brazo, no sé si para consolarlo o para contenerlo. Con una expresión de satisfacción beatífica en el rostro, el reverendo volvió a apoderarse del micrófono.

—Todo tiene un límite —dijo con tono razonable y mesurado—. ¡Todo... tiene... un límite! —repitió golpeando la mesa para añadir énfasis–. No podemos seguir esperando sentados. Dios nos está poniendo a prueba. Ha sido nuestra debilidad, nuestra complacencia, lo que ha permitido que esta criatura con aspecto humano se esconda entre nosotros y nos golpee con impunidad y desprecio. ¿Y por qué? Porque sabe que puede hacerlo. Porque cree que somos débiles y no le teme a la debilidad.

Descargó un puñetazo contra la mesa que hizo saltar el micrófono.

–Pues bien, ha llegado el momento de que nos tema. ¡Ha llegado el momento de demostrar nuestra fuerza! ¡Manham lleva demasiado tiempo siendo la víctima! ¡Si la policía no puede protegernos, nos protegeremos nosotros mismos! ¡Tenemos el deber de expulsarlo de entre nosotros!

Al alzar la voz el micrófono volvió a acoplarse. El auditorio estaba conmovido. Muchos de los asistentes se habían levantado de sus sillas aplaudiendo y voceando gritos de aprobación, los flashes de las cámaras iluminaban el estrado y los periodistas hacían preguntas. Scarsdale, sentado en el centro de la tarima, contemplaba su obra. Por un instante me miró fijamente. Había fuego en su mirada. Y, según percibí, también triunfalismo.

Salí de la sala sin llamar la atención.

–No me lo puedo creer –dije con enfado–. Parece que en vez de apaciguar los ánimos lo que quiere es sembrar cizaña. ¿Por qué lo hace?

Jenny le tiró un pedazo de pan a un pato que se había acercado hasta nuestra mesa. Estábamos en un pub a orillas del Bure, uno de los seis ríos que atraviesan los Broads. Ninguno de los dos había querido quedarse en Manham, y si bien no estábamos a más de unos pocos kilómetros, parecía otro mundo. Había barcos amarrados en el río, los niños jugaban y las mesas estaban llenas de gente que hablaba y se reía. El perfecto pub inglés para un día de verano perfecto. Nada más lejos de la opresiva atmósfera que habíamos dejado atrás.

—Ahora tiene gente que le escucha —dijo Jenny dándole al pato las últimas migajas—. Quizá sea eso lo que quiere.

—Pero ¿no se da cuenta de lo que está haciendo? Ya hay un hombre en el hospital por culpa de un atajo de idiotas, y ahora va él y los anima a formar patrullas vecinales. ¡Y además utilizando a Marcus Metcalf para ganar adeptos!

Recordé cómo Scarsdale había estado a su lado incluso durante la búsqueda de su esposa. No me habría extrañado que el reverendo ya hubiera empezado a condicionarlo entonces, preparándose para sacar partido de la tragedia del marido. Lamentaba no haber hablado con Marcus tras la desaparición de Lyn. No había querido interferir en su dolor, pero no puedo negar que también me había dejado llevar por cierto egoísmo. Verlo me habría recordado mi propia pérdida, pero al mantenerme al margen había dejado vía libre para que Scarsdale ejerciera su influjo. Y él no había desaprovechado la oportunidad.

—¿Crees que eso es lo que quiere? ¿Que haya crispación? —preguntó Jenny.

Ella no había asistido a la asamblea; decía que no le parecía que llevara viviendo en el pueblo el tiempo suficiente como para tomar parte. Aunque creo que también influyó el hecho de no querer encontrarse con toda la gente que la miraba por encima del hombro.

—Es la impresión que ha dado. No sé ni por qué me sorprendo. Los tormentos del infierno dejan más huella que lo de poner la otra mejilla. Además, lleva años celebrando misa en una iglesia vacía. Ahora no quiere perder la oportunidad de decirnos que ya nos lo había advertido.

—Me parece que no es el único que está un poco sobreexcitado.

No me había percatado del mal humor que me provocaba hablar de Scarsdale.

—Perdona. Es que me preocupa que alguien haga alguna estupidez.

—De todos modos, poco puedes hacer. No eres la conciencia del pueblo.

Hablaba como si algo la distrajera. Pensé que durante toda la tarde había estado bastante callada. Observé su perfil, la línea de pecas en las mejillas y la nariz; el fino vello de sus brazos, blanqueado por el sol sobre su piel morena. Miraba hacia la distancia, sumida en algún diálogo interior.

—¿Pasa algo? —pregunté.

—No. Solo estaba pensando.

—¿En qué?

—Oh... cosas —contestó sonriendo, aunque se notaba cierta tensión en ella—. ¿Te importa si volvemos?

—No, si es lo que quieres —dije intentando disimular mi sorpresa.

—Por favor.

Hicimos el camino de vuelta en silencio. Sentía un vacío en el estómago. Me maldije por haberle soltado todo aquel discurso sobre Scarsdale, sin duda había sido eso lo que la había aburrido. «Genial, lo has estropeado todo. Felicidades.»

La luz empezaba a declinar cuando llegamos a Manham. Puse el intermitente para embocar su calle.

—No, no vayas por aquí —dijo—. Pensaba... pensaba que quizá querrías enseñarme dónde vives.

Tardé un momento en comprender.

—De acuerdo.

No lo dije como habría querido. Cuando aparqué el coche noté como si me faltara el aliento. Abrí la puerta de casa y me hice a un lado para que entrara. Al pasar, el olor a almizcle de su perfume me hizo sentir mareado.

Entró en el pequeño salón. Estaba igual de nerviosa que yo.

—¿Te apetece tomar algo?

Sacudió la cabeza. Era una situación tensa. «Haz algo.» Pero no podía. Había poca luz y no podía verla bien. Solo sus ojos, que brillaban en la penumbra. Nos miramos el uno al otro, sin movernos. Cuando habló, lo hizo con voz temblorosa.

—¿Dónde está el dormitorio?

Cuando empezamos Jenny estaba insegura, tensa, y temblaba. Poco a poco empezó a relajarse, y yo también. Al principio, el recuerdo quiso imponer sus formas, texturas y olores. Al final el presente logró prevalecer y barrió todo lo demás. Al terminar, Jenny se quedó tendida junto a mí hecha un ovillo. Yo respiraba acompasadamente. Sentí sus manos acercándose a mi cara, explorando los húmedos surcos que corrían por ella.

—¿David?

—No es nada, es que...

—Ya lo sé. No pasa nada.

Y era verdad. Me reí, la abracé y la tomé por la barbilla. Nos besamos, un beso largo, lento, y sin darme cuenta mis lágrimas se secaron en cuanto volvimos a estrecharnos.

En algún momento de esa misma noche, mientras estábamos juntos en la cama, al otro lado del pueblo Tina creyó oír un ruido en el jardín de la parte trasera. Al igual que Jenny, no había asistido a la asamblea. En vez de ello, se había quedado en casa en compañía de una botella de vino blanco y una tableta de chocolate. La intención era esperar despierta a que Jenny volviera, estaba impaciente por saber qué tal había ido la velada, pero en cuanto acabó el DVD que había alquilado empezó a bostezar y decidió irse a la cama. Al apagar el televisor oyó algo fuera.

Tina no era estúpida. Corría suelto un asesino que ya se había cobrado la vida de dos mujeres, así que no abrió la puerta, sino que cogió el teléfono, encendió la luz y se acercó a la ventana. Teléfono en mano, a punto para llamar a la policía, echó un vistazo al jardín.

Nada. La noche era clara, la luna llena lo iluminaba todo. Ni en el jardín ni en el prado al otro lado del vallado se veían indicios de peligro. No obstante, siguió mirando hasta convencerse de que todo había sido fruto de su imaginación.

No fue hasta la mañana siguiente que vio lo que había fuera. En el centro del jardín había un zorro muerto. Por la posición en que estaba se diría que lo habían colocado a conciencia. De haber sabido lo de las alas de cisne, lo del pato o lo del resto de animales muertos con que el asesino solía decorar y elaborar sus creaciones, Tina no habría hecho lo que hizo a continuación.

Pero como no lo sabía, hizo lo que cualquier otra persona criada en el campo: recoger el zorro y tirarlo a la basura. A juzgar por las heridas, seguramente se había arrastrado hasta allí tras ser atacado por un perro, pensó ella. O tal vez lo hubieran atropellado. Quizá se lo hubiera comentado a Jenny, sin darle mayor importancia. Y entonces Jenny me lo habría dicho a mí. Pero Jenny no había vuelto a casa esa noche. Estaba todavía en la mía, y cuando Tina volvió a verla, la conversación, naturalmente, giró en torno a temas que nada tenían que ver con animales muertos.

De modo que Tina no le mencionó a nadie lo del zorro. No fue hasta días después, cuando su significado se hizo obvio, que recordó el incidente.

Y para entonces ya era demasiado tarde.

18

Dos cosas ocurrieron en las veinticuatro horas siguientes. De las dos, la primera fue la que dio más que hablar. En otras circunstancias, el hecho habría sido objeto de escándalo y comadreo, habría corrido de boca en boca hasta convertirse en parte del folclore de Manham, en un capítulo de la historia del pueblo del que la gente hablaría y se reiría durante décadas. Dado el estado de cosas, sus repercusiones habían de ser mucho más serias que las heridas físicas que provocó.

Tras un enfrentamiento que muchos veían venir desde hacía años, Ben Anders y Carl Brenner se pelearon.

Se debió en parte a la bebida, en parte a la animosidad y en parte a las presiones de los últimos días. A nadie se le ocultaba que no podían verse, y la tensión que se respiraba en el pueblo había agravado enemistades mucho menos profundas que la que había entre ellos. Era casi la hora de cierre del Lamb. Ben acababa de pedir un último whisky y, según él mismo admitió, llevaba una o dos pintas más de la cuenta. Había pasado un día de perros en la reserva: además de los incidentes típicos de la temporada turística, había tenido que dar los primeros auxilios a un observador de aves que había sufrido un infarto a causa del calor. Cuando Carl Brenner entró en el pub, «pavoneándose y lleno de sí mismo», en palabras de Ben, le volvió la espalda porque no le apetecía que lo provocaran y que el día terminara aún peor.

No le salió como planeaba.

Brenner no había ido al pub solo a beber. Enardecido por el llamamiento a las armas de Scarsdale la noche anterior, había acudido a reclutar hombres y a hacer una declaración de intenciones. Con él iba Dale Brenner, un primo suyo, muy distinto a él en aspecto pero calcado en hábitos y temperamento. Formaban parte de un grupo que, a petición de Scarsdale, había decidido patrullar el pueblo día y noche. «Como la policía no hace más que joderlo todo, tenemos que buscar a ese cabrón nosotros mismos», en palabras de Brenner, que traducían el espíritu, si bien no la letra, de las de Scarsdale.

Al principio, Ben guardó silencio mientras los Brenner intentaban reunir voluntarios. Hasta que Carl, envalentonado por el alcohol y su nueva misión, cometió el error de interpelarlo de forma directa.

—¿Y qué pasa contigo, Anders?

—¿Qué pasa conmigo?

—¿Estás con nosotros o no?

Ben apuró lentamente su whisky antes de contestar.

—Conque eres tú el que se va a encargar de encontrar a ese cabrón, ¿verdad?

—Así es. ¿Algo que decir?

—Solo una cosa. ¿Cómo sabes que no es uno de los tuyos?

A Brenner, que no era persona de muchas luces, nunca se le habría pasado por la cabeza esa posibilidad.

—Es más, ¿cómo estar seguros de que no eres *tú*? —le preguntó Ben—. Ese tipo cava agujeros y pone cepos, no sé a quién me recuerda.

Más tarde admitiría que lo había dicho para provocarlo y que no se había detenido a considerar la gravedad de la acusación. Sus palabras hicieron que también Brenner se excediera.

—¡Que te follen, Anders! ¡La policía sabe que no tengo nada que ver!

—¿La misma policía que hace un minuto has dicho que no hacía más que joderlo todo? —dijo Ben sin ocultar el tono de desprecio—. Anda, vuélvete a hacer de cazador furtivo, que es lo tuyo.

—¡Por lo menos yo tengo una coartada! ¿Tú puedes decir lo mismo?

Ben apuntó un dedo hacia él.

—Cuidado, Brenner.

—¿Por qué? ¿La tienes o no la tienes?

—Te estoy advirtiendo...

Crecido por la presencia de su primo, Brenner no se hizo atrás como de costumbre.

—A la mierda tú y tus advertencias. Estoy harto de tu prepotencia. Y la semana pasada saliste a defender a tu amiguito el médico, ¿no? ¿Dónde andaba él cuando Lyn desapareció?

—¿Insinúas que lo hicimos entre los dos?

—¡Demuestra que no fue así!

—A ti no tengo que demostrarte nada, Brenner —replicó Ben, perdiendo la templanza—. Tú y tus machitos podéis coger vuestra patética autoridad y metérosla por el culo.

Cruzaron miradas. Brenner fue el primero en hablar.

—Vámonos —le dijo a su primo, y la cosa estuvo a punto de quedar en eso, pero en un intento por proteger su dignidad, no pudo evitar una última pulla—: Puto cobarde —espetó al darse la vuelta para salir.

Fue en ese preciso instante cuando las buenas intenciones de Ben saltaron por la ventana. Y lo mismo puede decirse de Carl Brenner.

La pelea que siguió duró poco. En el pub había suficientes hombres para interponerse antes de que la situación pasara a mayores, lo que probablemente redundó en beneficio de Ben. Por sí solo Brenner no era una gran amenaza, pero seguramente el grandullón de Ben habría acabado arremetiendo también contra el primo. Cuando lograron separarlos, habían roto ya una mesa y varias sillas, y habrían de pasar varias semanas antes de que Brenner pudiera volver a mirarse al espejo —ya no digamos para afeitarse— sin pestañear. Tampoco Ben salió ileso, pues sufrió varios cortes, hematomas y se dislocó un nudillo. Aunque, en su opinión, había valido la pena.

El verdadero daño, sin embargo, tardó unos cuantos días en hacerse visible.

Yo no estaba en el pub cuando ocurrió la pelea. Había preparado la cena para Jenny, que había venido a pasar la noche conmigo, y los problemas de Manham se habían borrado de mi mente. De hecho, es posible que yo fuera de los últimos en enterarme, ya que a la mañana siguiente tuve que continuar con mi macabro deber en el depósito.

Desde el hallazgo del cuerpo de Lyn Metcalf, Henry me sustituía en la consulta cuando iba al laboratorio. Yo hacía lo posible por regresar a tiempo para la consulta de la tarde, pero la sobrecarga de trabajo le estaba pasando factura. Parecía cansado, aun cuando durante mis ausencias reducía las horas de visita al mínimo indispensable.

Me sentía culpable, pero la situación no se prolongaría mucho más. Medio día más en el laboratorio y habría hecho todo lo posible. Seguí a la espera de la mayor parte de los resultados, pero por el momento el caso de Lyn Metcalf recordaba mucho al de Sally Palmer. No había habido sorpresas, a excepción de la incógnita de por qué el rostro de la primera víctima había sido desfigurado con tanta brutalidad mientras que el de la segunda estaba intacto. Como el estado de descomposición de Lyn Metcalf estaba menos avanzado, todavía encontramos algunas uñas. Estaban rotas y en el laboratorio forense encontraron fibras de cáñamo en algunas de ellas. En otras palabras: restos de cuerda. Fuera lo que fuese lo que hubieran hecho, al parecer la habían atado.

Aparte del corte en la garganta y la espantosa mutilación, las heridas de Lyn eran en su mayoría cortes superficiales. Solo el de la garganta había dejado marca en el hueso. Al igual que la que encontré en Sally Palmer, había sido causada por un filo largo y afilado, tal vez un cuchillo de caza, seguramente el mismo en ambos casos, aunque a esas alturas no había forma de demostrarlo con certeza. El caso es que no se trataba de un filo de sierra. Lo que no sabía era por qué las dos mujeres habían sido asesinadas con un arma, mientras que para el perro había utilizado otra.

Cuando el último paciente se hubo marchado y salí a la sala de espera, seguía dándole vueltas. La consulta de la tarde había sido tranquila, pues había visitado casi a la mitad de pacientes de lo acostumbrado. O bien los vecinos, a la vista de la tragedia, habían abandonado sus preocupaciones más triviales, o bien había otra razón, aún más sombría, para que tanta gente hubiera dejado de acudir a su médico. Por lo menos a uno de ellos, pues Henry tenía más citas que en años anteriores. Al parecer, cada vez más gente prefería esperar antes que visitarse conmigo.

Yo estaba demasiado ocupado con Jenny y mi trabajo en el laboratorio para preocuparme por eso.

Janice estaba limpiando la sala, colocando en su sitio las viejas sillas y apilando las revistas arrugadas.

—Una tarde tranquila —dije.

Ella recogió del suelo un rompecabezas para niños y lo guardó en una caja de madera con el resto de los juguetes.

—Mejor que tener la consulta llena de hipocondríacos y gente que se sorbe los mocos.

—También es verdad —concedí, agradeciendo su tacto. Sabía tan bien como yo que mi lista de visitas era cada vez más corta—. ¿Dónde está Henry?

—Duerme. Creo que esta mañana ha terminado de pasar consulta algo cansado. Y no ponga esa cara, no es culpa suya.

Janice sabía que yo estaba haciendo algo para la policía, aunque no sabía exactamente qué. No podía ocultárselo, ni había motivo para hacerlo. Es posible que sintiera la tentación de comentarlo con las vecinas, pero sabía respetar los límites.

—¿Se encuentra bien? —pregunté intranquilo.

—Solo está cansado. Además, no es únicamente por el trabajo —dijo lanzándome una mirada significativa—. Esta semana habría sido su aniversario.

Me había olvidado. Había estado tan atareado que me había olvidado del día en que vivía. Henry siempre estaba más decaído en esa época del año. Jamás hablaba de ello, ni tampoco yo cuando llegaba mi turno. Pero de todos modos se le notaba.

—Este año habrían cumplido ya treinta —continuó Janice en voz queda—. Me imagino que eso es aún peor. En cierto modo es bueno que tenga trabajo, así no piensa demasiado. –Hizo una pausa y su rostro se endureció visiblemente–. Lo que es una pena es que...

–Janice –dije en tono de advertencia.

–Pues sí, es una pena. Ella no se lo merecía. Él podía aspirar a algo mejor.

Las palabras salieron de su boca a toda velocidad. Parecía a punto de echarse a llorar.

–¿Se encuentra bien, Janice? –pregunté.

Ella asintió sonriendo con timidez.

–Perdone. Es que no puedo soportar verlo abatido por... –Se interrumpió–. Y luego todo lo demás. Es para desmoralizar a cualquiera.

Se puso a ordenar las revistas otra vez. Me acerqué y se las quité de las manos.

–Le propongo una cosa: ¿por qué no se va a casa temprano por un día?

–Pero si aún tengo que pasar la aspiradora...

–Estoy seguro de que por un día podemos permitirnos ser un riesgo para la salud pública.

Se puso a reír, recuperando un poco la compostura.

–Si está seguro...

–Estoy segurísimo. ¿Quiere que la acerque?

–¡No! Hace demasiada buena tarde para encerrarse en un coche.

No insistí. Vivía a unos cientos de metros por la calle principal y había un punto en el que la seguridad lindaba con la paranoia. Con todo, me quedé mirándola desde la ventana mientras salía de la casa.

Cuando se hubo marchado, volví con las revistas y acabé de ordenarlas. Entre la pila se habían colado unos cuantos números del boletín parroquial, traídos por algunos pacientes demasiado perezosos para tirarlos a la basura. Los dejé en la papelera, pero al hacerlo uno de ellos me llamó la atención.

Lo saqué del cubo y vi la luminosa sonrisa de Sally Palmer. Bajo la fotografía había un breve artículo acerca de la «famosa autora» de

Manham. Había sido publicado pocas semanas antes de ser asesinada. No lo había visto antes y resultaba turbador verlo ahora, después de su muerte. Empecé a leerlo y me sentí como si mis pulmones no retuvieran el oxígeno. Me senté y volví a leerlo.

A continuación telefoneé a Mackenzie.

Leyó el artículo en silencio. Cuando le telefoneé estaba en la unidad móvil y cuando le comenté lo del boletín vino de inmediato. Mientras leía pude observar que tenía las manos quemadas por el sol. Al terminar, cerró la revista con semblante inexpresivo.

—Y bien, ¿qué le parece? —pregunté.

—Podría ser una simple coincidencia —dijo frotándose la piel enrojecida y descamada de la nariz.

Hablaba el policía, cauteloso como buen profesional. Y acaso llevara razón, pero me costaba creerlo. Cogí la revista y volví a leer el artículo. Era breve, parecía redactado para llenar espacio en un día parco en noticias. El titular rezaba: «La vida rural da alas a la imaginación de una autora local». La cita que lo inspiraba estaba al final:

> Sally Palmer afirma que vivir en Manham le ayuda a escribir sus novelas. «Me encanta vivir en contacto con la naturaleza. Me ayuda a hacer volar la imaginación. Es lo mejor a falta de alas», asegura la famosa escritora.

Dejé la revista sobre la mesa.

—¿Le parece una coincidencia que alguien le clavara un par de alas de cisne en la espalda dos semanas después de que ella dijera eso?

Mackenzie daba muestras de nerviosismo.

—He dicho que podría ser. No puedo decir ni una cosa ni otra sobre la débil base de un artículo en un boletín.

Parecía incómodo, como alguien obligado a defender la línea de un partido en el que no cree.

—Los psicólogos opinan que podría tratarse de un deseo de transformación frustrado. La mata y le pone unas alas de ángel. Dicen que podría ser un fanático religioso obsesionado con elevar su estado.

—¿Qué dicen los psicólogos acerca del resto de los animales muertos? ¿O de lo que le hizo a Lyn Metcalf?

—Todavía no están seguros. Pero aunque tuviera usted razón, eso —dijo señalando el boletín— tampoco lo explica.

Escogí mis palabras con cuidado.

—En realidad, también quería hablarle de eso.

Mackenzie me lanzó una mirada de cautela y dijo:

—Adelante.

—Después de llamarle revisé el historial médico de Lyn Metcalf. Y el de su marido. ¿Sabía que intentaban formar una familia? Estaban pensando en someterse a un tratamiento de fertilidad.

No tardó ni un segundo en comprender.

—Las crías de conejo. Cielo santo —musitó.

—Pero ¿cómo podía saberlo el asesino?

Mackenzie me miró como si se debatiera sobre algo.

—Encontramos un test de embarazo escondido en un cajón del dormitorio de los Metcalf —dijo despacio—. En la bolsa había un recibo con fecha del día anterior a su desaparición.

Recordé haberme topado con ella a la salida de la farmacia. Qué feliz parecía.

—¿Lo habían utilizado?

—No. Y el marido asegura que no sabía que estaba allí.

—Pero uno no compra algo así a menos que tenga pensado utilizarlo. O sea que ella debía de creer que podía estar embarazada.

Mackenzie asintió con expresión sombría.

—¿Y qué le diría una mujer embarazada a su secuestrador? «No me haga daño, voy a tener un bebé» —dijo pasándose la mano por la cara—. Dios mío, supongo que ya no hay manera de saber si lo estaba o no, ¿verdad?

—Imposible. No con tan poco tiempo de gestación y con el estado del cuerpo.

Asintió con la cabeza, no parecía sorprendido.

–Si lo estaba, o si creía estarlo, coger a este mal nacido va a ser más difícil de lo que esperábamos.

–¿Por qué?

–Porque significa que las mutilaciones no estaban planeadas de antemano. Improvisa sobre la marcha –dijo Mackenzie poniéndose en pie con cara de agotamiento–. Y si ni él mismo sabe lo que hará, ¿qué posibilidades tenemos nosotros?

Cuando se marchó, salí con el coche. No tenía en mente ningún destino, lo único que quería era alejarme de Manham un par de horas. Esa noche no había quedado con Jenny. A ambos nos había sorprendido lo repentinamente que había avanzado lo nuestro, y tras la intensidad de los últimos dos días necesitábamos un tiempo a solas. Creo que ambos queríamos espacio para respirar, tomar distancia y considerar ese inesperado cambio de corriente en nuestras vidas, y adónde podía llevarnos. Aunque no lo dijéramos, era como si ninguno de los dos quisiera estropear las cosas yendo demasiado deprisa. Después de todo, si ambos sentíamos lo mismo, ¿para qué apresurarnos?

Debería haber sabido qué suele pasar cuando se tienta al destino.

Al poco tiempo me encontré en lo alto de una pequeña loma desde donde dominaba las vistas del paisaje que me rodeaba. Paré el coche y me bajé. Me senté sobre un montón de hierba y me quedé mirando cómo el sol se hundía en la tranquilidad de los marjales. La luz arrojaba tonos dorados sobre las albercas y los arroyos que formaban figuras abstractas entre los juncales. Por un momento intenté concentrarme en los asesinatos, pero todo parecía demasiado distante. Los colores del cielo y la tierra empezaron a oscurecerse con la llegada de la noche, pero no sentí ninguna necesidad de moverme.

Por primera vez desde el accidente era como si el futuro se abriera ante mí. Por fin era capaz de mirar hacia delante en vez de hacia el pasado. Pensé en Jenny, y en Kara y en Alice, buscando en mi interior un asomo de culpa, de traición. Nada. Solo impaciencia. El dolor de la ausencia seguía allí, y allí seguiría. Sin embargo, ahora también había aceptación. Mi mujer y mi hija estaban muertas y no podía recuperarlas. Durante una temporada también yo había estado muerto. Ahora, de repente, había vuelto a la vida.

Me quedé sentado mirando la puesta de sol hasta que no quedó más que un leve destello en el horizonte y los marjales no fueron más que una maraña oscura e uniforme empapada de luz. Cuando me puse en pie, entumecido de tanto estar sentado, supe que no necesitaba seguir pensando. Y no quería esperar al día siguiente para volver a ver a Jenny. Busqué el teléfono para llamarla, pero no estaba en el bolsillo. Tampoco estaba en el Land Rover. Recordé haberlo puesto sobre la mesa mientras hablaba con Mackenzie, y como tenía la cabeza en otro sitio debía de habérmelo olvidado.

No me apetecía volver a recogerlo, aunque tampoco quería presentarme en la puerta de Jenny sin avisar. Que yo hubiera resuelto mis dudas no quería decir que ella hubiera resuelto también las suyas. Además, seguía siendo el médico de Manham, y por más que el pueblo albergaba ciertas reservas hacia mí no podía permitirme el lujo de estar ilocalizable. De vuelta al pueblo, pues, pasé por la consulta por el teléfono.

Mientras conducía por la calle se encendieron las farolas. Debajo de una, justo antes de llegar al furgón de policía aparcado en la plaza, vi a un grupo de hombres de pie. Una de las patrullas de Scarsdale, supuse. Al pasar, me miraron con sus suspicaces rostros iluminados por la mortecina luz amarillenta.

Los dejé atrás y doblé por la calle que llevaba a casa de Henry. La grava crujió bajo los neumáticos y los faros iluminaron la fachada de la casa al entrar. Me paré en lo alto de la pendiente. Las ventanas estaban a oscuras, pero no me extrañó porque Henry solía irse a dormir temprano. Como no quería despertarlo, en vez de usar la puerta principal, rodeé el edificio para entrar directamente por la consulta.

Ya había sacado las llaves para abrir la puerta del gabinete cuando me percaté de que la puerta de la cocina estaba abierta. De haber estado encendida la luz tal vez no le habría dado mayor importancia, pero estaba a oscuras y yo sabía que Henry nunca se habría ido a la cama sin cerrar con llave.

Me acerqué y me asomé al interior. Todo parecía en orden. Alargué la mano en dirección al interruptor, pero me detuve. El instinto me decía que algo no marchaba bien. Por un segundo pensé en llamar a la policía, pero ¿qué iba a decirles? Bien podía ser que Henry se hubiera olvidado de cerrar la puerta después de salir al jardín. Mi reputación en el pueblo ya estaba bastante deteriorada sin necesidad de quedar como un estúpido.

Fui al vestíbulo.

—¿Henry? —llamé en voz lo bastante alta para que me oyera si estaba despierto, pero no lo suficiente para despertarlo si estaba durmiendo.

No hubo respuesta. Su estudio estaba al fondo del vestíbulo, tras doblar por la esquina. Consciente de que tal vez estaba haciendo una montaña de un grano de arena, me dirigí hacia allí. La puerta estaba entreabierta y dentro se veía luz. Me quedé quieto a la escucha de algún signo de vida o de movimiento, pero los latidos de mi corazón me impedían oír cualquier otro sonido. Así el pomo de la puerta y empecé a abrirla.

De repente se me escapó de la mano y un bulto negro salió de la habitación empujándome a un lado. Casi sin aliento, me lancé hacia él y sentí una ráfaga de aire frente a mí. Con la mano agarré un pedazo de ropa basta y grasienta y entonces algo me golpeó en la cara. Me tambaleé hacia atrás y la figura salió corriendo hacia la cocina. Cuando llegué, la puerta trasera se cerró delante de mí. Sin pensar, me lancé en su persecución, pero entonces me acordé de Henry.

Perdí solo el tiempo necesario para cerrar y candar la puerta del jardín y corrí al estudio. Cuando estaba a punto de entrar, se encendieron las luces del vestíbulo.

—¿David? ¿Qué demonios ocurre?

Henry cruzaba el vestíbulo con la silla de ruedas, procedente de su dormitorio. Estaba despeinado y sobresaltado.

—Alguien ha estado aquí. Al sorprenderlo ha huido.

Estaba comenzando a reaccionar, la subida de adrenalina empezaba a provocarme temblores. Entré en el estudio. Aliviado, comprobé que el armario metálico estaba cerrado. Quienquiera que hubiera estado allí, por lo menos no había revuelto los medicamentos. Luego me fijé en la vitrina en la que Henry guardaba su colección de reliquias médicas. Las puertas estaban abiertas, y los objetos y las botellas del interior, desordenados.

Henry soltó una imprecación y se impulsó hasta la vitrina.

—No toques nada —ordené—. La policía querrá buscar huellas. ¿Tienes idea de qué pueden haberse llevado?

—No estoy seguro... —respondió observando los objetos con rostro vacilante.

Mientras lo decía, me percaté de una ausencia evidente. Desde que empecé a trabajar ahí, en el estante superior había una antigua botella de vidrio verde cubierta de polvo marcada como veneno. Había desaparecido.

Hasta entonces había creído que el intruso buscaba drogas. Incluso Manham cuenta con su cuota de drogodependientes. Pero me parecía improbable que ni siquiera el adicto más desesperado quisiera llevarse una botella de cloroformo.

—Dios mío, David, ¿estás bien? —exclamó Henry devolviéndome a la realidad.

Tenía la mirada clavada en mi pecho. Estaba a punto de preguntarle a qué se refería, pero lo vi por mí mismo. Me acordé de la ráfaga de aire que había notado al agarrar al intruso en el vestíbulo. Ahora entendía qué había sido.

En la pechera de mi camisa había un gran corte.

19

Tras la conmoción de la noche anterior, el día siguiente empezó como cualquier otra jornada. Eso mismo sería lo que me extrañaría más tarde, aunque debería saber por experiencia que las catástrofes no avisan. Cuando esta llegó, me cogió totalmente desprevenido.

A mí y a todos.

Eran casi las cuatro en punto cuando la policía terminó con la consulta. Habían entrado como una exhalación, sacando fotos, buscando huellas y haciendo preguntas. Mackenzie tenía muy mala cara, como si acabara de despertar de un mal sueño.

—Explíquemelo otra vez. ¿Dice usted que alguien entró en la casa, que le soltó una cuchillada y que consiguió escapar sin que nadie lo viera?

—Estaba oscuro —contesté.

También yo estaba cansado e irritable.

—Entonces, ¿no puede describírnoslo?

—No, lo siento.

—¿Y no podría usted identificarlo?

—Ojalá, pero, como le he dicho, estaba demasiado oscuro.

Tampoco Henry había logrado pegar ojo. Había estado todo el tiempo en su dormitorio, ajeno a todo hasta oír el estrépito. Cuando salió, fue para verme volver de mi frustrada persecución. Un poco más y Manham podría haber despertado con la noticia de otro asesinato. Tal vez incluso dos.

Yo no podía más que sacudir la cabeza. El armario de los medicamentos estaba intacto y en el frigorífico donde guardábamos las vacunas y otros productos no faltaba nada. Con todo, Henry era el único que conocía el contenido de la abarrotada vitrina, y hasta que el equipo de peritos no hubiera terminado con ella no podía decir con certeza si echaba o no algo en falta.

Mackenzie se apretó el puente de la nariz. Tenía los ojos enrojecidos y una mirada furiosa.

—Cloroformo —dijo con tono disgustado—. Ni siquiera sé si han contravenido la ley guardando algo así en la casa. Creía que los médicos ya no lo utilizaban.

—Y no lo utilizan. Era una de las curiosidades de Henry. En alguna parte tiene también una antigua lavativa.

—Si se hubiera llevado la lavativa me daría lo mismo, pero este cabrón ya era bastante peligroso sin una botella llena de anestésico. —Hizo una pausa—. ¿Y cómo coño ha entrado?

—Yo lo dejé pasar.

Ambos nos dimos la vuelta y vimos a Henry entrando por la puerta. Estábamos en mi despacho, una de las pocas habitaciones de la planta baja donde sabíamos que no contaminaríamos ninguna prueba, pues todas las noches lo cerraba con llave. Yo había insistido en que dejaran descansar a Henry de tanto interrogatorio. La incursión le había afectado a los nervios y pasarse una hora contestando preguntas no había sido la mejor de las ayudas. Ahora parecía algo recuperado, aunque todavía tenía mal aspecto.

—Conque lo dejó entrar —repitió Mackenzie en tono monocorde—. Ha dicho que no sabía que hubiera nadie en casa.

—Es verdad, pero ha sido otro descuido. He estado dándole vueltas y... —Inspiró hondo—. En fin... no recuerdo haber cerrado la puerta de la cocina antes de irme a la cama.

—Creía que había dicho que estaba cerrada con llave.

—Sí, eso creía. Quiero decir que es lo que hago siempre. Es la costumbre.

—Pero no esta noche.

—No estoy seguro —dijo Henry carraspeando; estaba visiblemente incómodo—. Por lo que parece, no.

—¿Y qué me dice del gabinete? ¿También estaba abierto?

—No lo sé —contestó Henry con voz cansada—. Guardo las llaves en el cajón del escritorio. Tal vez las ha encontrado o... —Su voz se apagó.

Mackenzie parecía estar haciendo un esfuerzo ímprobo por mantener las formas.

—¿Cuánta gente sabía que guardaba cloroformo?

—Vaya a saber. Llevaba aquí más años que yo. Nunca pensé que fuera un secreto.

—¿Así que cualquiera que entrara en el estudio podría haberlo visto?

—Es posible, supongo —admitió Henry de mala gana.

—Esto es una consulta médica —le dije a Mackenzie—. Todo el mundo sabe que hay sustancias peligrosas. Tranquilizantes, sedantes, etcétera.

—Que se supone que deberían estar a buen recaudo —dijo Mackenzie—. La cuestión es que ese tipo ha entrado y se ha servido a placer.

—¡Oiga, yo no lo invité! —espetó Henry—. ¿Cree que no me siento ya bastante culpable? ¡Llevo treinta años ejerciendo y nunca me había pasado algo así!

—Pues ahora le ha pasado —le hizo notar Mackenzie—. Y ha ocurrido precisamente la noche en que se ha olvidado de cerrar la puerta.

—Podría no haber sido la única vez... —empezó a decir Henry mirándose el regazo—. Últimamente, al despertarme me he encontrado la puerta abierta... en un par de ocasiones. Solo una o dos veces, no más. Generalmente me acuerdo de cerrar con llave —se apresuró en agregar—. Pero... en fin, en los últimos tiempos ando un poco... distraído.

—Distraído —dijo Mackenzie en tono inexpresivo—. Sin embargo, es la primera vez que alguien entra, ¿o no?

Estuve a punto de responder por Henry, diciendo que por supuesto que era la primera. Pero entonces reparé en su rostro angustiado.

—Bueno... —dijo cruzando y descruzando los dedos de las manos—. No estoy seguro.

Mackenzie no le quitaba los ojos de encima. Henry se encogió de hombros resignado.

–La cuestión es que en un par de ocasiones me ha parecido que el estudio estaba... distinto.

–¿Distinto? ¿Quiere decir que faltaban cosas?

–No lo sé, no estoy del todo seguro. Podría ser que me fallara la memoria. Lo siento, David –añadió mirándome con expresión avergonzada–, debería habértelo dicho. Yo esperaba... en fin, creía que haciendo un esfuerzo...

Levantó las manos y las dejó caer en un gesto de impotencia. Yo no sabía qué decir. Me sentí peor que nunca por haberlo obligado a sustituirme en las últimas semanas. Aparte de su discapacidad, siempre me había dado la impresión de estar en plenas facultades, pero en ese momento, a esas horas de la madrugada, percibí síntomas en los que no había reparado antes. Estaba ojeroso y bajo el mentón y el cuello, cubiertos por la plateada barba, la piel colgaba flácida. Aun tomando en consideración el sobresalto, parecía viejo y enfermo.

Miré a Mackenzie con la esperanza de que no se ensañara con él. Apretó los labios y me llevó aparte, dejando al desconsolado Henry con una taza de té que una joven agente le había preparado.

–¿Se da usted cuenta de lo que esto significa? –preguntó Mackenzie.

–Lo sé.

–Podría ser que esto ya hubiera ocurrido otras veces.

–Lo sé.

–Más vale, porque su amigo podría quedar inhabilitado. La cosa ya sería grave si fueran vulgares drogadictos, pero estamos hablando de un asesino en serie. ¡Y ahora resulta que se pasea por la consulta como por su casa desde vaya a saber cuándo!

Estaba a punto de decir «Lo sé» por tercera vez, pero pude contenerme.

–Si sabe lo que coge y cómo usarlo, significa que tiene conocimientos de medicina.

—¡Por favor! ¡Ese tío es un asesino! ¿Cree que se toma la molestia de aplicar solo la dosis necesaria? Además, no hay que ser neurocirujano para saber usar cloroformo.

—Si ya había estado aquí antes, ¿por qué no se había llevado la botella? —pregunté.

—Tal vez no quería que nadie se diera cuenta. Si usted no lo hubiera sorprendido esta noche, tampoco ahora sabríamos nada, ¿no?

No estaba en disposición de contradecirlo. Me sentía tan culpable como si el responsable de la negligencia hubiera sido yo en vez de Henry. Yo era su colega, debería haber estado más alerta de lo que ocurría. De lo que le estaba pasando.

La policía hizo todo lo que pudo y yo me marché a casa. Los gallos anunciaban ya el amanecer cuando recosté la cabeza sobre la almohada.

Casi de inmediato volví a despertarme, o al menos esa fue la impresión que me dio.

Era la primera vez en muchos días que tenía aquel sueño. Había sido tan real como de costumbre, pero por primera vez no me despertaba con un sentimiento de pérdida. Estaba triste pero sereno. Alice no había aparecido, solo Kara. Habíamos hablado sobre Jenny. «No pasa nada —me había dicho sonriendo—. Así es como debe ser.»

Parecía casi una despedida; postergada pero inevitable. No obstante, el recuerdo de las últimas palabras de Kara, pronunciadas con esa leve expresión de temor que yo tan bien conocía, me había provocado cierto malestar.

«Ten cuidado.»

Aunque no sabía por qué debía tenerlo. Estuve pensando un rato en sus palabras antes de caer en la cuenta de que en realidad solo estaba intentando analizar mi subconsciente.

Después de todo no era más que un sueño.

Me levanté y me di una ducha. Solo había estado en la cama unas pocas horas, pero estaba tan descansado como si hubiera dormido la noche entera. Salí temprano para el laboratorio con la intención de pasar a ver a Henry de camino. Estaba preocupado por él después de lo sucedido la noche anterior. Estaba muy desmejorado y yo no podía evitar sentirme culpable. Si no se hubiera agotado tanto con la carga de trabajo extra que le había obligado a llevar, tal vez no se habría olvidado de cerrar la puerta de la consulta.

Entré en la casa y lo llamé. No hubo respuesta. Entré en la cocina, pero tampoco allí había rastro de él. Intenté no prestar atención a una punzada de inquietud y me dije que probablemente estuviera durmiendo aún. Cuando me di la vuelta para salir de la cocina, eché un vistazo por la ventana y me quedé petrificado. Al otro lado del jardín vi la parte del viejo embarcadero de madera que quedaba sobre el lago. La silla de ruedas de Henry estaba ahí.

Estaba vacía.

Salí corriendo por la puerta trasera gritando su nombre. La entrada al embarcadero quedaba un poco más abajo, en una parte del jardín medio oculta por las matas y los árboles. Cuando llegué a la entrada, me detuve aliviado. Junto a la silla vacía estaba Henry, sentado en precario equilibrio sobre el borde del embarcadero e intentando entrar en el bote. Tenía la cara congestionada por el esfuerzo y la concentración, y las piernas le colgaban como un peso muerto sobre la barca.

—Por Dios bendito, Henry, pero ¿qué haces?

Me lanzó una mirada furiosa, pero no se detuvo.

—Voy a salir con la barca, ¿qué coño te parece que hago?

Gruñía mientras cargaba sobre los brazos todo el peso de su cuerpo. Estuve a punto de ayudarlo, pero preferí no hacerlo. Por lo menos, si se caía, ahí estaba yo para sacarlo.

—Vamos, Henry, sabes que no deberías hacerlo.

—¡Tú no te metas en esto!

Me quedé allí mirándolo, estupefacto. Tenía las mandíbulas apretadas aunque temblorosas. Llevó adelante su fútil esfuerzo un rato más, y de pronto perdió la fuerza. Se apoyó contra un poste de madera tapándose los ojos.

—Perdona, David, lo he dicho sin querer.

—¿Te ayudo a volver a la silla?

—Espera un minuto a que recobre el aliento.

Me senté a su lado sobre los ásperos tablones del embarcadero. Su pecho respiraba agitadamente y tenía la camiseta pegada al cuerpo por el sudor.

—¿Cuánto tiempo llevas aquí?

—No lo sé. Un rato —dijo con una frágil sonrisa—. Al principio me parecía una buena idea.

—Henry... —No sabía cómo decírselo—. ¿En qué demonios estabas pensando? Sabes muy bien que no puedes subir a la barca tú solo.

—Ya lo sé, ya lo sé, pero es que... —Su expresión se volvió sombría—. Ese maldito policía me miraba de una forma anoche... Me hablaba como si fuera un... ¡un chiflado senil! Sé que he cometido un error; debería haber comprobado las puertas. Pero que me sermoneen de esa forma...

Se quedó mirándose las piernas apretando las quijadas.

—A veces resulta frustrante. Te sientes impotente. A veces te parece que tienes que hacer algo, ¿sabes?

Contemplé el lago, sereno, grandioso y desierto. No se veía un alma.

—¿Y si te hubieras caído?

—Todo eso que saldríais ganando, ¿no crees? —dijo mirándome y esbozando una sonrisa irónica; volvía a ser el de antes—. No me mires así. No pienso matarme todavía. Ya he hecho bastante el ridículo por hoy.

Se enderezó, haciendo una mueca a causa del esfuerzo.

—Anda, ayúdame a subir a la maldita silla.

Le puse las manos debajo de las axilas, sosteniendo su peso mientras él se acomodaba en la silla de ruedas. Que no tuviera inconveniente en que yo lo empujara hasta casa daba fe de lo cansado que estaba. Llegaba tarde al laboratorio, pero me quedé el tiempo necesario para prepararle un té y cerciorarme de que se encontraba bien.

Cuando me levanté para irme, bostezó y se frotó los ojos.

—Será mejor que vaya a arreglarme. Tengo que abrir la consulta dentro de media hora.

—Hoy no. No estás en condiciones de trabajar. Necesitas dormir.

—¿Lo manda el doctor? —dijo enarcando una ceja.

—Si quieres decirlo así...

—¿Y qué hacemos con los pacientes?

—Que Janice les diga que hemos cancelado las citas de la mañana. Si hay alguna urgencia, que llamen luego.

Por una vez no protestó. Ahora que se le había pasado la frustración, parecía exhausto.

—Escucha, David... No vas a decir nada a nadie sobre esto, ¿verdad?

—Claro que no.

—Bien —dijo aliviado—. Ya me siento bastante idiota.

—No tienes por qué.

Ya estaba en la puerta cuando volvió a llamarme.

—David... —articuló con timidez y haciendo una breve pausa—. Gracias.

Su gratitud no me hizo sentir mejor. Mientras conducía hacia el laboratorio me di cuenta de la presión a la que lo había sometido en las últimas semanas. Había dado por descontada su ayuda no solo en términos profesionales, sino también en otros. Procuraría hacer el esfuerzo de salir a navegar con él por el lago o simplemente de pasar más tiempo con él. Me había involucrado tanto en la investigación, por no hablar de Jenny, que apenas había reparado en Henry.

Decidí que eso tenía que cambiar. Había hecho todo lo que podía hacer en el laboratorio. En cuanto le entregara a Mackenzie mis conclusiones, allá la policía y el uso que hiciera de ellas, y yo podría enmendar mi negligencia de los últimos días. A partir de ese día, me dije a mí mismo, mi vida volvería a la normalidad.

No podía estar más equivocado.

Tras la agitación de las últimas doce horas, volver al aséptico santuario del laboratorio resultó casi una bendición. Ahí, por lo menos, pisaba terreno firme. Los resultados de los análisis habían llegado y confirmaban lo que yo ya suponía. Lyn Metcalf llevaba muerta aproximadamente seis días, lo cual quería decir que su asesino la había mantenido con vida por Dios sabe qué enfermiza razón durante casi tres días antes de rebanarle la garganta. Aquella había sido la herida fatal. Al igual que con Sally Palmer, la sequedad del cuerpo revelaba que se había desangrado hasta morir. El escaso contenido en hierro del suelo en torno al cuerpo demostraba que había muerto en otro lugar y que solo después había sido abandonada en el marjal.

Como en el caso de Sally Palmer, en el escenario no se había encontrado nada indicativo de quién pudiera ser el autor. La tierra estaba demasiado reseca para poder encontrar huellas y, exceptuando las fibras enganchadas en las uñas, no había ninguna otra pista ni indicio forense acerca de la identidad del asesino.

Pero eso ya no era asunto mío. Mi contribución ya casi había concluido. Tomé unos últimos moldes de las vértebras cervicales cortadas por el cuchillo, más seguro que nunca de que ambas mujeres habían sido asesinadas con la misma arma. Hecho esto, no quedaba más que limpiar. Marina me preguntó si me apetecía salir a almorzar para celebrarlo, pero rechacé su oferta. Todavía no había tenido ocasión de hablar con Jenny y no podía esperar más.

La llamé en cuanto Marina hubo salido. Esperé su respuesta con una impaciencia lindante con la ansiedad.

—Perdona —dijo casi sin resuello—. Tina ha salido y yo estaba en el jardín.

—¿Cómo estás? —pregunté.

De pronto me asaltaron los nervios. Había estado tan ocupado mirándome el ombligo que no me había parado a pensar en las conclusiones que ella pudiera haber sacado sobre nuestra relación.

—Yo bien, y tú ¿cómo estás? Todo el mundo habla de lo que pasó en la consulta anoche. ¿Te han hecho algo?

—No, estoy bien. Henry es el que está peor.

—Dios mío, en cuanto me he enterado he pensado que... en fin, que estaba preocupada.

No se me había pasado por la cabeza que pudiera estarlo. Había perdido la costumbre de tomar en consideración a los demás.

—Perdona. Debería haberte llamado antes.

—No pasa nada. Me alegro de que estés bien. Te habría llamado, pero... —Hubo una pausa tensa. «Ahora verás»—. Verás, sé que dijimos que nos íbamos a tomar un par de días, pero... Vaya, que tengo muchas ganas de verte. Si quieres, claro.

No pude reprimir una sonrisa.

—Claro que quiero.

—¿De verdad?

—De verdad.

Nos echamos a reír.

—Por Dios, esto es ridículo, me siento como una adolescente —dijo.

—Yo también —dije mientras consultaba el reloj. La una y diez. Podía estar en Manham a las dos y el turno de tarde empezaba a las cuatro—. Podemos vernos ahora, si te apetece.

—De acuerdo —dijo ella con timidez, aunque pude percibir una sonrisa en su voz. Al fondo se oyó un timbre—. Un segundo, llaman a la puerta.

Oí que dejaba el auricular. Me apoyé en el borde de la mesa de trabajo con una sonrisa idiota plasmada en el rostro, a la espera de que volviera. A hacer puñetas el espacio personal. Si algo sabía, era que quería estar con ella en ese preciso instante, más que ninguna otra cosa que hubiera querido en mucho tiempo. Oí la radio sonando de fondo mientras esperaba. Tardó más de lo que pensaba, pero al fin volvió a coger el auricular.

—¿El lechero? —bromeé.

No hubo respuesta. Al otro lado se oía respirar a alguien. Profunda y algo aceleradamente, como si acabara de hacer un esfuerzo.

—¿Jenny? —dije titubeando.

Nada. Oí la respiración una, dos veces más. Luego hubo un chasquido en la línea. Habían colgado.

Me quedé mirando el auricular con cara de estúpido y después volví a marcar. «Contesta, por favor, contesta.» Pero el teléfono sonaba y sonaba.

Colgué y corrí hacia el coche mientras llamaba a Mackenzie.

20

No era difícil imaginarse lo ocurrido. Bastaba con echar un vistazo a la casa. En la frágil mesa donde habíamos comido la noche de la barbacoa había los restos de un bocadillo medio reseco por el sol. Al lado, una radio sonaba indiferente. La puerta que comunicaba la cocina con el jardín trasero estaba abierta de par en par y la cortinilla de cuentas oscilaba al paso de los agentes de policía. En el interior, la alfombrilla de fibra de coco estaba arrugada contra el armario de la cocina y el auricular del teléfono descansaba sobre el aparato, donde alguien lo había colocado.

De Jenny, ni el menor rastro.

Cuando llegué, la policía no quería dejarme entrar. Habían acordonado la casa y en la calle un grupo de niños y vecinos observaban con solemnidad el ir y venir del personal uniformado. Un joven agente que vigilaba con ojos inquietos el prado y los campos me cerró el paso en cuanto me acerqué a la verja. Se negó a escucharme, aunque hay que decir que mi estado de excitación tampoco obraba a mi favor. Hasta que Mackenzie salió intentando apaciguarme no me dejaron entrar.

—No toque nada —me advirtió al entrar. No hacía falta decirlo.

—¡No soy un maldito novato!

—Entonces deje de comportarse como si lo fuera.

Estuve a punto de replicarle, pero me contuve. Llevaba razón. Respiré hondo, intentando recuperar el control. Mackenzie me escrutaba con aire curioso.

—¿La conoce usted bien?

«Métase en sus asuntos», quise contestarle, pero por supuesto no podía.

—Últimamente quedamos bastante.

Vi a dos investigadores que buscaban huellas en el teléfono y se me cerraron los puños.

—¿Van en serio?

Lo miré. Tras una pausa hizo un leve movimiento con la cabeza.

—Lo lamento.

«¡No lo lamente! ¡Haga algo!» Aunque ya estaban haciendo todo lo posible. Sobre nuestras cabezas se oía el rumor de un helicóptero de la policía y hombres de uniforme peinaban los prados y campos de las proximidades.

—Vuelva a explicarme lo que ha ocurrido —dijo Mackenzie.

Lo hice, incapaz de aceptar lo que estaba sucediendo.

—¿Está seguro de que han llamado a la puerta a esa hora?

—Segurísimo. He consultado mi reloj para saber cuánto tardaría en volver.

—¿Y no ha oído nada?

—¡No! Por el amor del cielo, es pleno día. ¿Cómo es posible que alguien llame a la puerta y se la lleve? ¡El pueblo está tomado por la maldita policía! ¿Qué coño hacen?

—Oiga, sé cómo se siente, pero...

—¡No, no lo sabe! ¡Alguien tiene que haber visto *algo*!

Mackenzie suspiró y empezó a hablar con un tono paciente en el que yo no repararía hasta más tarde.

—Estamos interrogando a todos los vecinos, pero ninguna otra casa tiene vistas a este jardín. Hay un camino que cruza el prado justo hasta la parte posterior. Podría haber llegado en una furgoneta o en un coche y haberse marchado por el mismo camino sin ser visto.

Miré por la ventana. En la distancia, el lago resplandecía calmo e inocente. Mackenzie debió de leerme el pensamiento.

—No hay rastros de ningún barco. El helicóptero sigue rastreando, pero...

No hacía falta que dijera más. Entre la llamada a la puerta y la llegada de la policía habían transcurrido menos de diez minutos, tiempo suficiente para que alguien que conociera el terreno pudiera desaparecer llevándose a otra persona.

—¿Por qué no gritó? —pregunté, algo más sosegado, aunque más que calma era la lasitud de la desesperación—. Ella se habría resistido.

Antes de que Mackenzie contestara, se oyó revuelo en el exterior. Al momento entró Tina como una exhalación, pálida de asombro.

—¿Qué ha pasado? ¿Dónde está Jenny?

No pude más que sacudir la cabeza. Ella miró alrededor con ojos desorbitados.

—Ha sido él, ¿verdad? Se la ha llevado.

Intenté decir algo pero no pude. Tina se llevó las manos a la boca.

—Oh, no. Oh, Dios mío, no, por favor.

Se puso a llorar. Al principio vacilé, pero luego me acerqué a ella. Se derrumbó sobre mí sollozando.

—¿Señor? —interrumpió uno de los investigadores acercándose a Mackenzie.

Llevaba una bolsita de plástico con lo que parecía un pedazo de ropa sucia.

—Estaba en el seto de la esquina —dijo el agente—. Hay un espacio lo bastante amplio para que alguien pueda pasar.

Mackenzie abrió la bolsita y olisqueó con cuidado. Me lo alargó sin mediar palabra. El olor era ligero pero inconfundible.

Cloroformo.

No tomé parte en las pesquisas porque quería ser de los primeros en enterarme de cualquier novedad. Los alrededores de Manham están plagados de zonas donde los teléfonos móviles no tienen cobertura y no quería arriesgarme a quedarme incomunicado en algún marjal o alguna remota arboleda. Por lo demás, sabía que la búsqueda era una pérdida de tiempo. No íbamos a encontrar a Jenny peinando los campos al azar. No hasta que la persona que se la hubiera llevado quisiera que la encontráramos.

Tina nos contó lo del zorro muerto, aunque no era consciente de su importancia. Se quedó desconcertada cuando Mackenzie le preguntó si ella o Jenny habían encontrado pájaros o animales muertos recientemente. Al principio dijo que no pero luego recordó lo del zorro. Sentí un mareo al pensar que aquel aviso había pasado inadvertido.

—¿Todavía le parece que es mejor mantener en silencio lo de las mutilaciones? —le pregunté después a Mackenzie.

Se sonrojó pero no dijo nada. Sabía que estaba siendo injusto, que probablemente la decisión provenía de más arriba, pero tenía que desahogarme con algo, con alguien.

Fue Tina la que se acordó de la insulina de Jenny. Uno de los peritos estaba registrando el bolso de Jenny y al verlo Tina se puso pálida de repente.

—¡Oh, Dios mío, la insulina!

El agente tenía en la mano el inyector de insulina de Jenny. Parecía un lápiz grueso, pero contenía las dosis necesarias para que su metabolismo se mantuviera estable.

Mackenzie me miró en busca de una explicación.

—Es diabética —dije con voz temblorosa a causa de este nuevo golpe—. Necesita inyectarse insulina todos los días.

—¿Y si no?

—Caería en coma.

No dije lo que pasaría después de eso, pero por la expresión de Mackenzie pude ver que había comprendido a la perfección.

Ya había visto suficiente. Visiblemente aliviado al verme marchar, Mackenzie prometió llamarme en cuanto tuviera noticias. Mientras conducía hacia casa, lo único que pensaba era que Jenny había ido a Manham tras sobrevivir a un ataque y ahora acababa de sufrir otro todavía peor. «Vino aquí porque era más seguro que la ciudad.» Me pareció radicalmente injusto, como si el orden natural de las cosas hubiera sido alterado. Era como si me hubieran partido en dos: el pasado proyectándose en el presente para hacerme revivir la pesadilla de la muerte de Kara y Alice una y otra vez. De todos modos, esta vez la sensación era muy distinta. Tras el accidente, la pérdida me dejó desolado. Ahora no sabía si Jenny estaba viva o no. Ni, si lo estaba, qué estaría pasando. No podía evitar pensar en los cortes y las mutilaciones que había visto en las otras dos mujeres ni en las fibras enganchadas bajo las uñas rotas de Lyn Metcalf. Habían sido atadas y sometidas a Dios sabe qué horrores antes de morir. Fuera lo que fuese lo que habían soportado, Jenny correría su misma suerte.

Nunca en mi vida había sentido tanto miedo.

En cuanto entré en casa me dio la impresión de que las paredes se me venían encima. Subí al dormitorio sin dejar de torturarme. Me parecía poder percibir aún el olor de Jenny en el aire, recuerdo agonizante de su ausencia. Miré la cama en la que habíamos yacido apenas dos noches atrás y no pude quedarme un segundo más en la casa. Bajé las escaleras y salí de nuevo a la calle.

Sin saber muy bien por qué, cogí el coche y fui a la consulta. La tarde estaba llena del canto de los pájaros y una luz del color de la clorofila. Su belleza se me antojó cruel y escarnecedora, un recuerdo innecesario de la indiferencia del universo. Cuando cerré la puerta principal detrás de mí, Henry salió de su estudio. Todavía presentaba un aspecto lamentable. Por su rostro comprendí que sabía lo ocurrido.

—David... no sabes cuánto lo siento.

Asentí con la cabeza. Parecía al borde de las lágrimas.

—Es culpa mía. Anoche...

—No es culpa tuya.

—Cuando me han dicho que... No sé qué decir.

—No hay mucho que decir, ¿no crees?

—¿Y la policía? —preguntó frotando el reposabrazos de la silla de ruedas—. Seguramente hayan dado con alguna pista o algo por el estilo.

—La verdad es que no.

—Dios mío, qué desastre —dijo mientras se pasaba la mano por la cara—. Déjame que te invite a una copa —añadió levantando la cabeza.

—No, gracias.

—Tendrás que tomarte una, te apetezca o no —dijo tanteando una sonrisa—. Prescripción médica.

Me rendí solo por no discutir. Fuimos al salón en vez de al estudio. Sirvió dos vasos de whisky y me tendió uno.

—Vamos. De un trago.

—Verás, no...

—Que te lo bebas.

Obedecí. El licor me quemó el estómago. Sin decir nada, Henry me quitó el vaso y volvió a llenarlo.

—¿Has comido?

—No tengo apetito.

Iba a reprenderme, pero lo reconsideró.

—¿Por qué no te quedas a pasar la noche? En un minuto podemos tener listo tu antiguo cuarto.

—No, gracias.

Como no podía hacer otra cosa, di un sorbo al whisky.

—En cierto modo no puedo evitar pensar que he provocado todo esto.

—Vamos, David, no digas bobadas.

—Tendría que haberlo visto venir.

«Tal vez lo vi venir», pensé al recordar la advertencia de Kara en mi sueño. «Ten cuidado.» Pero había preferido no darle importancia.

—Tonterías —espetó Henry—. Hay cosas que no podemos evitar. Lo sabes tan bien como yo.

Tenía razón, pero no por saberlo me quedaba más tranquilo. Me quedé más o menos una hora, buena parte de la cual la pasamos sentados en silencio. No bebí más whisky y rechacé sus intentos por rellenarme el vaso. No quería emborracharme. Aunque la idea era tentadora, sabía que las cosas no mejoran por verlas a través del velo del alcohol. Cuando volví a sentir claustrofobia me marché. Henry estaba tan afligido por su incapacidad para ayudarme que me dio pena, aunque el recuerdo de Jenny enseguida me borró de la cabeza todo lo demás.

Mientras atravesaba el pueblo con el coche, vi a la policía yendo puerta por puerta en otro fútil intento por aparentar tener la situación bajo control. Viéndolos perder metódicamente el tiempo sentí la rabia arder dentro de mí. Pasé por delante de mi casa, consciente de que permanecer en ella me sería igual de imposible que antes. De camino a las afueras del pueblo, me encontré con que un grupo de hombres habían cortado la carretera. Aminoré y reconocí a la mayoría de ellos. Estaba hasta Rupert Sutton, que al parecer se había soltado al fin de las faldas de su madre.

Al frente de todos ellos estaba Carl Brenner.

Se quedaron mirando el coche sin ninguna intención de moverse.

—¿Qué ocurre? —pregunté asomándome a la ventanilla.

Brenner escupió al suelo. Todavía tenía la cara amoratada de la paliza que Ben le había propinado.

—¿Es que no se ha enterado? Ha vuelto a pasar.

Sentí como si alguien me hubiera soltado un puñetazo directo al corazón. Si había habido un cuarto secuestro, solo podía significar una cosa: ya se había deshecho de Jenny. Ajeno a mis sentimientos, Brenner continuó:

—La maestra de la escuela. Se la ha llevado esta tarde.

Dijo algo más que no alcancé a oír. El latido de la sangre en mis sienes me impedía oír nada, aunque comprendí que no había dicho nada que yo no supiera ya.

—¿Adónde va? —preguntó, ignorante del efecto de sus palabras.

Podría habérselo dicho. Podría haberle dicho cuál era mi destino, o incluso inventármelo. Pero al verlo allí, henchido de su autoridad recién adquirida, descargué en él mi rabia.

—No es asunto tuyo.

Mi tono pareció cogerlo por sorpresa.

—¿Alguna visita?

—No.

Brenner levantó los hombros con un gesto inseguro, como el de un boxeador que reúne fuerzas antes descargar un ataque.

—Nadie puede entrar ni salir sin decirnos adónde va.

—¿Y qué pensáis hacer? ¿Sacarme a rastras del coche?

Uno de los hombres se adelantó. Era Dan Marsden, el mozo al que había curado tras resultar herido por una de las trampas del asesino.

—Vamos, doctor Hunter, no se lo tome como algo personal.

—¿Por qué no? A mí toda esta mierda me parece algo personal.

Brenner había recuperado su agresividad habitual.

—¿Qué ocurre, doctor? ¿Algo que ocultar?

Pronunció la palabra como si fuera un insulto, pero antes de que yo pudiera decir nada Marsden lo cogió por el brazo.

—Déjalo, Carl. Eran amigos.

«Eran.» Puse las manos en el volante mientras seguían mirándome con curiosidad mal disimulada.

—Apártense —les dije.

Brenner apoyó la mano en la puerta y dijo:

—No hasta que...

Pisé el acelerador y salió despedido a un lado. Los que quedaban frente a mí se apartaron a tiempo de no ser arrollados por el Land Rover y se quedaron mirándome con cara de estupor mientras los dejaba atrás. Se pusieron a gritar, pero no frené. La rabia no me permitió pensar con claridad hasta que no los hube perdido de vista. ¿En qué estaría pensando? Menudo médico. Podría haber lastimado a alguien. O algo peor.

Conduje sin rumbo hasta que me di cuenta de que estaba en la dirección del pub al que había ido con Jenny unos días antes. Frené en seco, no podía soportar ni siquiera la idea de volver allí. Oí el claxon de un coche que venía por detrás y me coloqué en el arcén, esperé a que pasara y entonces di media vuelta.

Hasta entonces había intentado escapar de lo ocurrido, pero me había dado cuenta de que no podía seguir haciéndolo. Regresé a Manham acosado por el cansancio. No vi el menor rastro de Brenner y sus amigos. Resistí la tentación de ir a casa de Jenny o llamar a Mackenzie. No tenía sentido. Si algo ocurría, me enteraría enseguida.

Me fui a casa, me serví un whisky que no me apetecía y me senté en el jardín mientras el sol declinaba en el cielo. Mi corazón se iba hundiendo con él. Había pasado medio día desde la desaparición de Jenny. Podía decirme a mí mismo que todavía había esperanza, que quienquiera que la retuviera no había matado a las otras dos víctimas de forma inmediata. Pero no me consolaba. No me consolaba lo más mínimo.

Aunque no estuviera muerta —posibilidad que me horrorizaba—, solo contábamos con dos días para encontrarla. Si para entonces la falta de insulina no la había sumido en un coma, la bestia sin rostro la mataría como había hecho con Sally Palmer y Lyn Metcalf.

Y yo no podía hacer nada por evitarlo.

21

Al rato, la oscuridad dejó de ser absoluta. Se veían puntos de luz, tan pequeños que al principio le parecieron fruto de su imaginación. Cada vez que intentaba fijar la vista en ellos, desaparecían. Solo podía verlos cuando miraba a un lado: pequeñas manchas como las de una bóveda celeste colocada frente a sus ojos.

A medida que la vista se le fue acostumbrando, empezó a verlos mejor. No eran puntos. Eran rendijas. Grietas de claridad. Poco después se dio cuenta de que no la rodeaban por completo. La luz venía de una sola dirección. Empezó a pensar en esa parte como la de «delante».

Con esa referencia en mente, Jenny se aplicó a dar forma a la oscuridad.

Le había costado despertarse. La cabeza le dolía y sentía unas palpitaciones que convertían el menor movimiento en un suplicio. Los pensamientos se confundían en su cabeza, pero una terrible sensación de angustia la impelía a no abandonarse otra vez al sueño. Pensó que volvía a estar en el aparcamiento, pero que esta vez el taxista la había metido en el maletero del coche. Se sentía enjaulada y le costaba respirar. Quería gritar, pero la garganta, como el resto del cuerpo, parecía no obedecer a sus órdenes.

Poco a poco, los pensamientos empezaron a volverse coherentes. Se percató de que, estuviera donde estuviese, no se hallaba en el aparcamiento. Aquello pertenecía al pasado. De todos modos, eso no la tranquilizaba. *¿Dónde estaba?* La oscuridad la confundía y la aterrorizaba. Intentó incorporarse, pero algo parecía aferrarle la pierna. Intentó zafarse pero notó que algo se lo impedía. Palpando con los dedos, comprobó que tenía un pedazo de cuerda atado al tobillo. Atónita, siguió la cuerda hasta dar con una pesada argolla de hierro clavada en el suelo.

La habían atado. De repente, relacionó la cuerda, la oscuridad y el duro suelo sobre el que estaba.

Y recordó.

Eran imágenes sueltas; un collage de la memoria que poco a poco iba cobrando forma. Estaba hablando por teléfono con David. Sonó el timbre. Fue a contestar, vio la silueta de un hombre en la puerta, difuminada por la cortina de cuentas del umbral, y... y...

«Oh, Dios mío, esto no puede estar ocurriendo.» Pero estaba ocurriendo. Chilló, gritó el nombre de David, el de Tina. Pidió ayuda. Nadie apareció. Haciendo un esfuerzo, se obligó a callar. «Respira hondo. No pierdas la calma.» Temblando, empezó a calibrar la situación. Dondequiera que estuviese, hacía fresco pero no demasiado. El aire apestaba, impregnado de un fuerte olor que era incapaz de identificar. Por lo menos estaba vestida, no le habían quitado ni el pantalón corto ni la camiseta. Se dijo que era una buena señal. El dolor de cabeza se había reducido a unas sordas punzadas, lo que ahora la apremiaba era la sed. Tenía la garganta hinchada y reseca, y sentía dolor al tragar. También estaba hambrienta, y al pensarlo reparó en algo que la dejó petrificada.

No tenía insulina.

Ni siquiera recordaba cuándo se había inyectado la última dosis. Tampoco sabía cuánto tiempo llevaba allí. Se había administrado la dosis habitual de la mañana, pero ¿cuánto hacía de eso? Si todavía no había pasado la hora de la siguiente, debía de faltar poco. Sin insulina, nada regulaba su nivel de azúcar en la sangre, y si empezaba a subir, sabía perfectamente lo que pasaría.

«No pienses en eso —se dijo con brusquedad—. Piensa en cómo salir de aquí. Sea lo que sea este lugar.»

Alargando las manos, y siempre que la cuerda se lo permitía, había empezado a calcular los límites físicos de su prisión. Tras ella había un muro irregular, pero en los otros tres lados no encontró más que aire. Mientras tanteaba en la oscuridad, tropezó con algo. Dejó escapar un grito y saltó a un lado. Al ver que nada ocurría, se agachó y buscó el obstáculo con cuidado. Era un zapato, pensó, explorándolo con los dedos. Una zapatilla de deporte, demasiado pequeña para ser de hombre...

Entonces ató cabos y se le cayó de las manos. No era solo una zapatilla. Era una zapatilla de mujer.

De Lyn Metcalf.

Por un momento el miedo estuvo a punto de dominarla. Desde el descubrimiento de la cuerda en la pierna, Jenny había intentado rehuir la idea de haberse convertido en la tercera víctima del asesino. Aquello era la brutal confirmación, pero no podía permitirse el lujo de derrumbarse. No si quería salir de allí con vida.

Se acercó a la pared hasta que la cuerda se aflojó y estudió los nudos con los dedos. A juzgar por su consistencia, parecían elaborados con el mismo hierro que la argolla del suelo. El lazo no estaba lo bastante apretado para hacer daño, pero era demasiado estrecho para liberar el pie. Al intentarlo, lo único que conseguía era desgarrarse la piel del tobillo.

Apoyó el otro pie contra la pared y tiró con todas sus fuerzas. Ni la cuerda ni la argolla de hierro se movieron, pero ella siguió tirando hasta que le dolió la cabeza y en sus ojos apareció un fulgor.

Cuando este se apagó y recuperó el aliento, se fijó en las rendijas de luz. Si había luz, había escapatoria, o por lo menos algo más allá de esa lóbrega prisión. Proviniera de donde proviniese, por el momento estaba fuera de su alcance. Se agachó y avanzó en dirección opuesta hasta tensar la cuerda al máximo. Tanteando, extendió la mano y tocó algo duro y rígido a menos de medio metro. Jenny lo palpó con los dedos y notó la textura astillosa de unos tablones de madera sin pulir.

Los halos de luz entraban a través de las grietas y las juntas. Uno de los tablones, el que quedaba justo frente a ella, era algo mayor que el resto. Avanzó un poco más y con una mueca de dolor apoyó la frente sobre la áspera superficie de madera. Luego acercó el ojo a la junta con cuidado.

Al otro lado pudo ver parte de un cuarto alargado y oscuro. Un sótano o una bodega, a juzgar por el aspecto, lo cual explicaría la humedad del aire. Las paredes eran de piedra sin pintar y parecían viejas. Había una serie de anaqueles llenos de latas y frascos viejos cubiertos de polvo. Frente a ella había un banco de trabajo hecho en madera y con toda suerte de herramientas repartidas por encima. Sin embargo, no fue eso lo que le cortó de nuevo el aliento.

Del techo, a modo de macabros péndulos, colgaban cuerpos de animales mutilados.

Había docenas de ellos: zorros, aves, conejos, armiños, topos, incluso uno similar a un tejón. Oscilaban de una forma tétrica, como mecidos por una suave brisa durante una travesía por un mar invertido. Algunos pendían del cuello, otros de los cuartos traseros, con un muñón en el lugar de la cabeza. Muchos de los animales se habían podrido hasta quedar reducidos a piel y hueso; las cuencas de los ojos vacías la escrutaban con una expresión indefinible.

Se apartó de los tablones ahogando un grito. Ya sabía de dónde procedía el hedor. De pronto pensó algo que le puso la carne de gallina. Se puso en pie y con cautela palpó sobre su cabeza. Sus dedos encontraron algo suave. Pieles. Apartó la mano, pero se obligó a volver a tocar. Esta vez notó el suave tacto de unas plumas que cedían a la caricia de sus manos.

También sobre ella había animales colgando.

Sin querer, dejó escapar un grito y se echó al suelo, arrastrándose por él hasta dar de espaldas contra el muro. En ese instante se derrumbó y, hecha un ovillo, empezó a gimotear. Pronto se le agotaron las lágrimas. Se frotó los ojos y la nariz. «Llorica.» Llorando no iba a lograr nada. Además, los animales del techo estaban muertos. No podían hacerle ningún daño.

Haciendo acopio de valor, volvió a la pared de tablones y acercó otra vez el ojo a la rendija. En el cuarto del otro lado nada había cambiado. No había nadie. Esta vez vio algo que el sobresalto causado por los animales muertos le había impedido ver antes. Detrás del banco de trabajo, la pared describía una oquedad de la que procedía la poca luz de la bodega, una luz tenue, artificial. En el interior de la oquedad, visibles solo en parte, se veían unas escaleras.

La salida.

Jenny clavó los ojos en ellas con ansia, se apartó de la rendija y trató de empujar los tablones. Arrodillada, los golpeó con ambas manos. El impacto le hizo daño en las manos y se clavó algunas astillas en las palmas, pero los maderos no cedieron.

Con todo, el esfuerzo la había hecho sentirse mejor. Golpeó una y otra vez, conjurando con cada golpe parte del miedo que amenazaba con paralizarla. Cuando le faltó el aliento, retrocedió hasta que la cuerda se soltó lo suficiente para permitirle sentarse. La pierna aprisionada se le había dormido y el esfuerzo le había acentuado tanto la sed como el dolor de cabeza, pero aun así se sentía satisfecha. Decidió aferrarse a esa satisfacción, negándose a reconocer lo poco que había conseguido. Los tablones no eran infranqueables. Con un poco de tiempo, lograría romperlos. «El problema es que no sabes de cuánto tiempo dispones, ¿verdad?»

Expulsó ese pensamiento de la cabeza, buscó la cuerda y se puso a forzar el nudo.

22

Cuando puse las noticias a la mañana siguiente oí que habían arrestado a un sospechoso.

Me había pasado casi toda la noche sin dormir, sentado en una silla la mayor parte del tiempo, esperando y temiendo a la vez la llamada de Mackenzie. Pero el teléfono no había sonado. A las cinco me había levantado para darme una ducha. Luego había salido a sentarme en el jardín para contemplar ensimismado cómo en torno a mí el mundo volvía a la vida. Al cabo de una hora había vuelto adentro. No había querido poner la radio porque sabía cuál sería la noticia principal. Pronto, sin embargo, el silencio de la casa se había vuelto opresivo, y eso era aún peor. Cuando fue la hora de las noticias de las ocho renuncié y encendí el aparato.

De todos modos, no esperaba oír nada que no supiera. Estaba a punto de prepararme un café, y aunque el sonido del grifo llenando la cafetera no me dejó oír los primeros segundos del boletín, alcancé a distinguir las palabras «arrestado» y «sospechoso». Cerré el grifo a toda prisa.

«... cuya identidad no ha trascendido, aunque la policía ha confirmado que un vecino fue arrestado anoche con relación al secuestro de la maestra de la escuela, Jenny Hammond...»

El locutor pasó entonces a la noticia siguiente. «¿Y qué hay de Jenny?» Tenía ganas de gritar. Si habían detenido a alguien, ¿cómo no la habían encontrado? Me di cuenta de que todavía tenía la cafetera en la mano. La solté sobre la pila y cogí el teléfono. «Vamos, contesta», imploraba tras marcar el número de Mackenzie. Sonó varias veces, y justo cuando creía que iba a activarse el buzón de voz, contestó.

—¿La han encontrado? —pregunté sin darle tiempo a que dijera nada.

—¿Doctor Hunter?

—¿La han encontrado?

—No. Oiga, ahora no puedo hablar. Le llamo enseguida...

—¡No me cuelgue! ¿A quién han detenido?

—No puedo decírselo.

—¡Oh, por el amor del cielo!

—No hay cargos, así que todavía no vamos a revelar su nombre. Ya conoce las reglas —dijo en tono apologético.

—¿Ha dicho algo?

—Todavía lo estamos interrogando.

En otras palabras: no.

—¿Por qué no me ha dicho nada? ¡Me dijo que me llamaría si había alguna novedad!

—Era tarde. Iba a decírselo esta mañana.

—¿Qué pasa? ¿No quería molestarme, o qué?

—Oiga, sé que está preocupado, pero esto es una investigación policial...

—Lo sé, he formado parte de ella, ¿recuerda?

—Le informaré en cuanto pueda. Por el momento estamos interrogando al sospechoso, es todo cuanto puedo decirle.

Reprimí el impulso de ponerme a gritar. Mackenzie no era de los que ceden a amenazas.

—Por la radio han informado de que era un vecino —dije haciendo todo lo posible por mantener la compostura—, lo que quiere decir que, le guste a usted o no, pronto todo el pueblo sabrá quién es. Así que terminaré enterándome. Bastará con hacer cábalas durante un par de horas. —De pronto sentí que ya no me quedaban energías para discutir—. Por favor. Necesito saberlo.

Vaciló. No dije nada, preferí esperar a que él mismo se convenciera.

—Espere —dijo soltando un suspiro.

Tapó el auricular con la mano. Supuse que estaría con alguien y que querría asegurarse de que nadie lo oyera. Cuando volvió, hablaba entre susurros.

—Esto es estrictamente confidencial, ¿de acuerdo? —No me molesté en contestar—. Es Ben Anders.

Había contemplado la posibilidad de que fuera algún conocido. Pero no él.

—¿Doctor Hunter? ¿Sigue ahí? —preguntó Mackenzie.

—¿Ben Anders? —repetí desconcertado.

—Alguien vio su coche cerca de la casa de Jenny Hammond a primera hora de la mañana el día de la desaparición.

—¿Y eso es todo?

—No, no es todo —replicó—. En el maletero encontramos material para preparar trampas. Alambre, cizallas, madera para estacas.

—Es guarda de la reserva, puede que utilice todo eso para trabajar.

—Entonces, ¿qué hacía su coche delante de la casa de Jenny Hammond?

Estaba haciendo un esfuerzo por asimilarlo, mi mente apenas había empezado a trabajar.

—¿Quién lo vio allí?

—Eso no puedo decírselo.

—Ha habido un soplo, ¿verdad? Un informador anónimo.

—¿Por qué lo dice? —preguntó en tono suspicaz.

—Porque sé quién ha sido —dije con repentina convicción—. Carl Brenner. ¿Recuerda que le dije que Ben creía que había estado cazando furtivamente? Pues se pelearon hace un par de noches. Y Brenner perdió.

—Eso no quiere decir nada —dijo Mackenzie, que no estaba dispuesto a ceder.

—Quiere decir que deberían preguntarle a Brenner qué sabe él de todo esto. No me creo que Ben tenga algo que ver en este asunto.

—¿Por qué no? ¿Porque son amigos?

Mackenzie parecía irritado.

—No, porque creo que es una encerrona.

—Ah, y cree que nosotros no lo hemos pensado, ¿verdad? Pues verá, antes de que me lo pregunte, Brenner tiene una buena coartada, y eso es más de lo que puede decirse de su amigo Anders. ¿Sabía que es el ex novio de Sally Palmer?

La noticia me dejó sin palabras.

—Tuvieron una relación hace años —continuó Mackenzie—. En realidad hasta justo antes de llegar usted a Manham.

—No lo sabía —dije azorado.

—Puede que se le olvidara comentárselo. Y apuesto a que también se le olvidó mencionar que fue detenido por violación hace quince años, ¿verdad?

Volví a quedarme sin saber qué decir.

—Ya lo teníamos en el punto de mira antes de que llegara el soplo. Por extraño que parezca, no somos del todo idiotas —continuó Mackenzie, implacable—. Y ahora, si no le importa, tengo cosas que hacer.

Se oyó un chasquido y se cortó la comunicación. Colgué el teléfono. No sabía qué pensar. En circunstancias normales habría puesto la mano en el fuego por la inocencia de Ben. Estaba convencido de que el soplo procedía de Brenner. El muy necio habría recurrido a cualquier treta con tal de ajustarle las cuentas, sin importarle las consecuencias.

Sin embargo, la noticia de Mackenzie me había provocado una fuerte conmoción. No tenía ni idea de que Ben hubiera mantenido una relación con Sally, y mucho menos que estuviera fichado por violación, si bien es cierto que no tenía por qué decírmelo; dada la situación, más bien tenía motivos para ocultármelo. El caso es que no podía dejar de preguntarme hasta qué punto lo conocía. El mundo está lleno de gente que insiste en que la persona que ellos conocen no puede ser un asesino. Por primera vez me pregunté si no sería yo también uno de esos ingenuos.

Mucho más preocupante era la posibilidad de que la policía estuviera perdiendo un tiempo precioso con la persona equivocada. De repente tomé una resolución. Cogí las llaves del coche y salí de casa. Si Brenner había mentido para incriminar a Ben, tenía que saber que Jenny sería la que iba a pagar el precio de su artimaña. Necesitaba saber la verdad y, en caso necesario, convencerlo para retractarse. Si no...

No quería ni pensar en lo que pasaría si no era así.

El sol ya estaba bastante alto cuando crucé el pueblo. Parecía haber más policía y más prensa que nunca. Los grupos de periodistas, fotógrafos e ingenieros de sonido parecían frustrados por la negativa de los vecinos a hacer declaraciones. No podía soportar la idea de que estuviesen allí por Jenny. Al pasar por delante de la iglesia vi a Scarsdale en el cementerio. Decidí parar y bajar del coche. Estaba hablando con Tom Mason, al que daba órdenes mientras señalaba aquí y allá con su dedo huesudo. En cuanto me vio, se interrumpió y me miró con gesto de contrariedad.

–Doctor Hunter –dijo fríamente a modo de saludo.

–Necesito pedirle un favor –dije sin rodeos.

Scarsdale no pudo reprimir cierta satisfacción en su mirada.

–¿Un favor? Usted pidiéndome algo a mí, esto sí que es una novedad.

Dejé que se regocijara. Lo que estaba en juego era más importante que su orgullo o el mío. Hizo ademán de consultar su reloj.

–Sea lo que sea, tendremos que dejarlo para más tarde. Estoy esperando una llamada. Dentro de un rato me entrevistan para la radio.

En otro momento, su tono engreído me hubiera irritado, pero esta vez apenas le presté atención.

–Es importante.

–Entonces no le importará esperar, ¿verdad? –dijo ladeando la cabeza al oír el timbre del teléfono, que llegaba desde una puerta abierta a un lado de la iglesia–. Si me disculpa.

Me vinieron ganas de agarrarlo por las mugrientas solapas y zarandearlo. Pensé incluso en marcharme. Pero la presencia de Scarsdale podía ayudarme a la hora de apelar a los buenos sentimientos de Brenner, si los tenía. Después de lo sucedido el día anterior, cuando por poco lo atropello, difícilmente accedería a escucharme si me presentaba solo, así que no dije nada y esperé a que Scarsdale terminara.

El sonido de las tijeras de poda me ponía cada vez más nervioso. Miré a Tom Mason, que cortaba con esmero la hierba junto a un parterre y hacía lo posible por fingir que no había oído la conversación. Entonces me di cuenta de que ni siquiera lo había saludado.

—Buenos días, Tom —dije tratando de impostar un tono de normalidad. Miré alrededor en busca de su abuelo—. ¿Dónde está George?

—En la cama todavía.

No sabía que estuviera enfermo. Otro signo de hasta qué punto había desatendido la consulta.

—¿Otra vez la espalda?

Tom asintió con la cabeza.

—Pero dentro de unos días ya estará mejor.

Sentí un aguijonazo de culpa. El viejo George y su nieto eran pacientes de Henry, pero las visitas a domicilio eran responsabilidad mía. Además, el viejo jardinero era una institución en Manham, tendría que haberme dado cuenta de que no se lo veía por la calle. ¿A cuánta gente habría descuidado en las últimas semanas? Y a cuánta seguía descuidando, pues esa mañana Henry estaba visitando otra vez sin mí.

Sin embargo, el temor por Jenny podía con todo. La necesidad de hacer algo —cualquier cosa— empezó a invadirme al oír la pomposa cantinela de Scarsdale, que llegaba del otro lado de la puerta abierta. La impaciencia empezaba a apoderarse de mí. En el cementerio, el sol parecía brillar demasiado y la atmósfera estaba cargada de olores nauseabundos. Algo daba vueltas en mi subconsciente, pero fuera lo que fuese se desvaneció al oír que Scarsdale colgaba el teléfono. Al instante, salió del despacho de la iglesia con aire ufano.

—Y bien, doctor Hunter, iba usted a pedirme un favor.

—Voy a ver a Carl Brenner. Quiero que venga conmigo.

—¿En serio? ¿Y por qué debería hacerlo?

—Porque es más probable que a usted le escuche.

—¿Qué tiene que escuchar?

Desvié la mirada hacia el jardinero, pero se había alejado, enfrascado en su labor.

—La policía ha detenido a alguien y creo que podrían haber cometido un error por culpa de algo que les ha dicho Carl Brenner.

—¿Por casualidad este «error» no tendrá algo que ver con Ben Anders? —Mi expresión debió de bastar como respuesta—. Siento desilusionarlo, pero ya lo sabía. Hay testigos del momento de la detención. Un hecho así no podía pasar inadvertido.

—Da igual quién sea, creo que Brenner dio una pista falsa a la policía.

—¿Puedo preguntarle por qué?

—Está resentido con Ben. Es su manera de vengarse.

—Pero no puede demostrarlo, ¿a que no? —dijo Scarsdale frunciendo los labios en señal de desaprobación—. Además, Anders y usted son amigos, si no me equivoco.

—Si es culpable, merece ser castigado. Pero si no lo es, la policía está perdiendo el tiempo.

—Eso debe decidirlo la policía, no el médico del pueblo.

—Por favor —rogué intentando mantener la calma.

—Lo lamento, doctor Hunter, pero me parece que usted no es consciente de lo que me pide. Lo que usted pretende es interferir en una investigación policial.

—¡Lo que pretendo es salvar una vida! —dije casi a voz en grito—. Por favor —repetí bajando la voz—. No lo haga por mí. Hace unos días Jenny Hammond estaba sentada en su iglesia mientras usted hablaba de la necesidad de tomar la iniciativa. Puede que aún esté viva, pero no por mucho tiempo. No hay... No puedo...

La voz se me quebraba. Scarsdale me miraba fijamente. Incapaz de seguir hablando, sacudí la cabeza y di media vuelta para marcharme.

—¿Qué le hace pensar que Carl Brenner querrá escucharme?

Me tomé un segundo para recuperarme antes de darme la vuelta.

—Usted fue quien sugirió organizar las patrullas. Le hará caso a usted antes que a mí.

—Esta tercera víctima... —dijo con prudencia—. ¿La conoce usted?

Me limité a asentir con la cabeza. Scarsdale se quedó observándome unos instantes. Había algo en sus ojos que nunca antes había visto. Tardé un rato en reconocer en ellos la compasión. Pronto desapareció, reemplazada por su altivez habitual.

—Muy bien —dijo.

Nunca había estado en casa de Brenner, aunque era de la clase de sitios que llaman la atención. Quedaba a un kilómetro y medio del pueblo, a pie de una pista polvorienta, llena de baches en verano y de charcos y barrizales el resto del año. Los campos de los alrededores habían sido drenados y convertidos en tierras de cultivo, pero poco a poco estaban volviendo al estado salvaje. En el centro, rodeada de basura y de escombros, se alzaba la casa. Era un edificio alto y destartalado que parecía no tener una sola pared derecha o un solo ángulo recto. Con los años, lo habían ampliado con cobertizos mal construidos, adheridos a las paredes como sanguijuelas. El tejado había sido reparado con una plancha de metal corrugado. Al lado, incongruente en su modernidad, lucía una enorme antena parabólica.

Scarsdale y yo no habíamos cruzado palabra durante el breve trayecto. En el reducido espacio del habitáculo, el olor mohoso y agrio del sacerdote era todavía más perceptible. El Land Rover avanzaba sorteando los baches de la carretera que conducía a la casa. Apareció un perro que corrió hacia nosotros ladrando furiosamente, aunque cuando bajamos del coche se mantuvo a cierta distancia. Llamé a la puerta principal, haciendo caer pedazos de pintura desconchada. Casi de inmediato vino a abrir una mujer de aspecto desaliñado a la que identifiqué como la madre de Carl Brenner.

Estaba extremadamente delgada, tenía el pelo lacio y canoso y la piel pálida, como si algo le hubiera succionado la vitalidad; era viuda, y dada la naturaleza de la familia que le había tocado sacar adelante, es probable que así fuera. Pese al calor, llevaba un vestido medio desteñido y una chaquetilla de punto tejida a mano. Se recompuso la ropa y se quedó mirándonos fijamente sin decir nada.

–Soy el doctor Hunter –dije; Scarsdale no necesitaba presentarse–. ¿Está Carl?

Mi pregunta no suscitó ninguna respuesta. Estaba a punto de repetirla cuando la mujer se cruzó de brazos y dijo:

–Está en la cama.

Su tono era a la vez rápido, agresivo y exaltado.

–Tenemos que hablar con él. Es importante.

–No le gusta que lo despierten.

Scarsdale dio un paso al frente.

–No le robaremos mucho tiempo, señora Brenner, pero es importante que hablemos con él.

Me molestó un poco cómo se había apoderado de la situación, pero se me pasó enseguida. Lo importante era entrar en la casa.

Aunque a regañadientes, la anciana se hizo a un lado para dejarnos pasar.

–Esperen en la cocina. Iré a llamarlo.

Scarsdale entró el primero. El vestíbulo estaba desordenado y olía a muebles viejos y fritanga. El olor a grasa se hizo más fuerte al entrar en la cocina. En una esquina había un pequeño televisor encendido. Sentados a la mesa, dos adolescentes discutían frente a los platos del desayuno vacíos. Scott Brenner estaba sentado un poco más allá, tenía un pie vendado y apoyado en un taburete, y miraba la televisión con una taza medio vacía en la mano.

Los tres se quedaron en silencio al vernos entrar.

–Buenos días, Scott –saludé sin saber muy bien qué decir.

No recordaba el nombre de los otros dos hermanos. Por primera vez, empecé a plantearme si estaría haciendo lo correcto entrando en casa de alguien para acusarlo de embustero. Decidí dejar las dudas a un lado. Estuviera o no en lo cierto, tenía que hacerlo.

Se hizo el silencio. Scarsdale se hallaba de pie en el centro de la estancia, imperturbable como una estatua. Los dos adolescentes seguían mirándonos. Scott había bajado la mirada al regazo.

—¿Qué tal va ese pie? —pregunté para romper el hielo.

—Bien —respondió Scott echándole un vistazo y encogiéndose de hombros—. Duele un poco.

Me fijé en que el vendaje estaba bastante sucio.

—¿Cuándo te cambiaste el vendaje por última vez?

—No lo sé —contestó sonrojándose.

—Porque te lo has cambiado alguna vez, ¿no? —No hubo respuesta—. Es una herida grave, no conviene descuidarla.

—Tampoco puedo ir a ninguna parte con la pierna así, ¿no? —dijo con voz irascible.

—Podríamos haberte enviado una enfermera. O Carl podría haberte acompañado a la consulta.

De pronto le cambió la cara.

—Está demasiado ocupado.

«Sí —pensé—, sin duda lo está.» Aunque yo tampoco podía hablar mucho. Volví a pensar en cómo me había desentendido de mis pacientes. Se oyeron los pasos de alguien que bajaba las escaleras y entonces la madre entró en la cocina.

—Melissa, Sean, salid —dijo a los muchachos.

—¿Por qué? —preguntó la chica.

—¡Porque yo lo digo! ¡Andando!

Se marcharon arrastrando los pies y con gesto enfurruñado. La madre fue a la pila y abrió el grifo.

—¿Va a bajar? —pregunté.

—Bajará cuando esté listo.

No parecía dispuesta a decir más. El único sonido era el rumor del agua y el repiqueteo de los cubiertos y platos que, de mala gana, la mujer se había puesto a lavar. Me quedé escuchando por si oía algún ruido en el piso de arriba, pero no oí nada.

—Entonces, ¿qué debo hacer? —preguntó Scott mirándose el pie con preocupación.

Tuve que esforzarme por prestarle atención. Era consciente de que Scarsdale me observaba. Me debatí por un instante entre la impaciencia y el deber, y terminé cediendo.

—Déjame que le eche un vistazo.

La herida no estaba tan mal como habría cabido esperar a la vista del vendaje. Estaba curándose y era muy probable que recuperara completamente la movilidad del pie. Los puntos parecían obra de una torpe enfermera en prácticas, pero aun así los bordes de la herida estaban empezando a cicatrizar limpiamente. Fui a buscar el botiquín al coche, le limpié la herida y le puse vendas nuevas. Casi había acabado cuando unas fuertes pisadas anunciaron la llegada de Brenner.

Terminé y me levanté en el preciso instante en que él entraba en la estancia. Llevaba unos vaqueros mugrientos y una camiseta ajustada. Su torso era blancuzco pero poderoso, con los músculos bien definidos. Clavó en mí una mirada llena de veneno y luego saludó a Scarsdale con algo que pretendía ser un reticente signo de respeto. Parecía un alumno díscolo a punto de entrevistarse con un severo director de escuela.

—Buenos días, Carl —dijo Scarsdale, tomando la iniciativa—. Perdona que vengamos a molestarte.

Su voz traslucía cierto tono de desaprobación. Al oírla, Brenner pareció tomar conciencia de su aspecto.

—Acabo de levantarme —dijo, aunque era evidente. Su voz arrastraba todavía los tonos roncos del sueño—. Ayer volví tarde a casa.

La expresión de Scarsdale daba a entender que no tenía importancia. Por esa vez.

—El doctor Hunter quiere hablar contigo sobre algo.

Brenner no se molestó en disimular su hostilidad y mirándome fijamente dijo:

—¿Y a mí que coj...? —Pero se contuvo—. ¿Por qué debería interesarme lo que tenga que decirme?

Scarsdale levantó las manos en gesto conciliador.

—Me doy cuenta de que esto es una intrusión, pero el doctor cree que puede ser importante. Me gustaría que lo escucharas —dijo volviéndose hacia mí, como para darme a entender que era cuanto podía hacer.

Tanto su hermano Scott como la madre escuchaban también con atención.

—Ya sabes que han detenido a Ben Anders —dije.

Brenner se tomó su tiempo antes de responder. Se apoyó sobre la mesa y se cruzó de brazos.

—¿Y qué?

—¿Sabes algo al respecto?

—¿Debería?

—Alguien le dio un soplo a la policía. ¿Fuiste tú?

—¿Y eso qué tiene que ver con usted? —dijo en tono abiertamente beligerante.

—Porque si fuiste tú me gustaría saber si de verdad lo viste o no.

—¿Me está acusando? —inquirió entrecerrando los ojos.

—Lo único que yo quiero es que la policía no esté perdiendo el tiempo.

—¿Y qué le hace pensar que están perdiendo el tiempo? Ya iba siendo hora de que la gente se diera cuenta de que Anders es un hijo de puta peligroso.

Scott se removió incómodamente en su silla.

—No sé, Carl, tal vez no...

Brenner se volvió hacia él.

—¿Y a ti quién coño te ha preguntado? Cierra la boca.

—¡No es Ben Anders quien me importa! —exclamé después de que su hermano callara y agachara la cabeza—. Por Dios, ¿es que no lo entiendes?

Brenner se apartó de la mesa cerrando los puños.

—¿Quién cojones se cree que es? Se cree demasiado bueno para hablar conmigo cuando lo paramos anoche y ahora viene aquí diciéndome lo que tengo que hacer.

—Lo único que quiero es que digas la verdad.

—¿Insinúa que soy un puto mentiroso?

—¡Estás jugando con la vida de una persona!

—Estupendo —dijo con una sádica sonrisa—. Por mí pueden colgarlo del palo más alto.

—¡No me refiero a él! —grité—. ¿Y la chica qué? ¿Qué pasará con ella?

La sonrisa desapareció de su rostro. Se diría que la idea no le había cruzado siquiera por la cabeza. Se encogió de hombros, pero había pasado a la defensiva.

—A estas alturas quizá ya esté muerta.

Scarsdale me retuvo con una mano en el hombro al ver que me adelantaba hacia Brenner. Reuní fuerzas para pedírselo por última vez.

—Las mantiene con vida durante tres días antes de matarlas —dije haciendo lo posible por mantener firme el tono de voz—. Las mantiene con vida para hacer con ellas Dios sabe qué. Hoy es el segundo día y la policía todavía está intentando arrancarle la confesión a Ben Anders porque alguien ha dicho que lo vio frente a la casa. —Tuve que hacer una pausa—. Por favor —continué al cabo de un momento—. Por favor, si has sido tú, díselo.

En torno a mí todo eran caras de asombro. Nadie ajeno a la investigación sabía que las víctimas eran mantenidas con vida durante tres días. Mackenzie se pondría hecho una furia si se enteraba de que se lo había dicho, pero yo solo podía pensar en Brenner.

—No sé de qué me habla —murmuró, pero su rostro revelaba inseguridad; evitaba mirar a nadie a los ojos.

—¿Carl? —balbució la madre.

—He dicho que no sé nada, ¿de acuerdo? —espetó otra vez en tono beligerante, y mirándome añadió—: Ya ha dicho lo que tenía que decir, ¡ahora saque el puto culo de aquí!

No sé qué habría ocurrido en ese momento si Scarsdale no llega a estar ahí para interponerse entre nosotros.

—¡Basta ya! —exclamó, y dirigiéndose a Brenner agregó—: Carl, entiendo que estás molesto, pero te agradecería que no utilizaras ese lenguaje en mi presencia, ni delante de tu madre.

A Brenner no parecía sentarle muy bien el reproche, pero la determinación y la autoridad de Scarsdale no admitían réplica. Luego el reverendo se giró hacia mí.

—Doctor Hunter, ya tiene su respuesta. Creo que no hay motivo para seguir alargando esta situación.

No me moví. Clavé la mirada en Brenner, más seguro que nunca de que había incriminado a Ben por puro resentimiento. Cuanto más observaba sus hoscas facciones, más ganas sentía de arrancarle la verdad a puñetazos.

—Como le ocurra algo a Jenny —dije con una voz que ni yo mismo reconocía—, como muera por tus mentiras, te juro que te mataré con mis propias manos.

La amenaza impregnó el aire de la habitación. Noté que Scarsdale me agarraba por el brazo y tiraba de mí en dirección a la puerta.

—Vámonos, doctor Hunter.

Me detuve al pasar junto a Scott Brenner. Estaba lívido y me miraba con los ojos muy abiertos. Scarsdale volvió a tirar de mí hacia el vestíbulo.

Volvimos al Land Rover en silencio. Fui incapaz de articular palabra hasta que llegamos a la carretera del pueblo.

—Miente.

—Si hubiera sabido que iba a perder los papeles de esa manera, tenga por seguro que no habría consentido en acompañarlo —contestó Scarsdale acalorándose—. Su comportamiento ha sido vergonzoso.

—¿Vergonzoso? —repetí mirándolo atónito—. ¡Ha incriminado a un inocente sin importarle las consecuencias!

—No tiene pruebas.

—¡Oh, por favor! Usted estaba delante, lo ha visto todo.

—Lo único que yo he visto es a dos hombres perdiendo los estribos.

—No puedo creer que esté hablando en serio, no es posible. ¿Me está diciendo que no cree que Brenner haya dado el soplo a la policía?

—No es de mi incumbencia juzgar eso.

—No le estoy pidiendo que juzgue. ¡Venga conmigo y dígales que cree que deberían hablar con él!

Se tomó un tiempo antes de contestar, y cuando lo hizo no me dio una respuesta directa.

—Antes ha dicho que las víctimas no eran asesinadas enseguida. ¿Cómo lo sabe?

Vacilé por costumbre, aunque ya me daba igual explicárselo. Ya no tenía importancia.

—Porque yo examiné los cuerpos.

—¿Cómo que usted? —preguntó volviendo la cabeza hacia mí, sorprendido.

—Soy experto en esa clase de cosas. Quiero decir que lo era antes de venir aquí.

Scarsdale necesitó un instante para asimilar el dato.

—¿Quiere decir que usted participa en la investigación?

—Solicitaron mi ayuda, sí.

—Vaya. —Por su tono era evidente que la noticia no era de su agrado—. O sea que ha preferido mantenerlo en secreto.

—Trabajamos con material sensible. No son temas que uno disfrute comentando.

—Desde luego. Después de todo no somos más que un atajo de pueblerinos. Espero que se haya divertido con nuestra ignorancia.

Sus mejillas habían cobrado color. Me pareció que, más que disgustado, lo que estaba era furioso. Por un instante su reacción me dejó descolocado, pero enseguida comprendí. Hasta entonces había disfrutado de una posición preeminente en el pueblo, se veía a sí mismo como el líder de Manham, y de pronto acababa de descubrir no solo que otra persona había desempeñado un papel destacado, sino que había tenido acceso a información que a él le estaba totalmente vedada. Era una patada a su orgullo. Peor aún: a su ego.

—Las cosas no son así —dije.

—¿No? Qué curioso que me lo diga precisamente ahora que quiere algo de mí. Qué ingenuidad la mía. Pero le aseguro que no volverá a tomarme el pelo.

—Aquí nadie le está tomando el pelo. Si le he ofendido, le pido disculpas, pero lo que está en juego es más importante.

—Tiene toda la razón. Y a partir de ahora puede estar seguro de que delego en los «expertos» —dijo dando a la palabra un énfasis mordaz–. Después de todo, no soy más que un humilde sacerdote.

–Necesito su ayuda. Yo no puedo...

–Me parece que usted y yo ya no tenemos nada más que decirnos –cortó él.

El resto del trayecto transcurrió en silencio.

23

Fue el ruido lo que despertó a Jenny. Al principio, la oscuridad la desorientó. No recordaba dónde estaba ni por qué no veía. Dormía siempre con las cortinas descorridas, para que, aun en lo más oscuro de la noche, entrara algo de luz en la habitación. Entonces percibió la dureza del suelo, y el olor, y recordó dónde se encontraba.

Tiró otra vez de la cuerda. Tenía las uñas casi rotas de tanto escarbar en ella; al llevárselas a la boca comprobó que sabían a sangre. Por más que se esforzara, el nudo no cedía. Se desplomó en el suelo. Empezaba a acusar también otras privaciones. El hambre y, sobre todo, la sed. Antes de dormirse, y en el límite de donde le permitía llegar la cuerda, había encontrado un charco con agua que se había ido filtrando por las paredes de la celda. Como no era bastante profundo para beber, había empapado en él la camiseta y la había chupado. Tenía un gusto rancio y salobre, pero aun así le sabía deliciosa.

Luego había descubierto otros dos puntos donde el agua se había filtrado y había hecho lo mismo con ellos, pero no había logrado aplacar la sed. Soñaba con agua y al despertar sentía la garganta reseca y una sensación de letargo de la que no era capaz de desprenderse. Sabía que ambos eran síntomas de la falta de insulina, pero no quería ponerse a pensar también en eso. A fin de mantenerse ocupada, se lanzó una vez más a explorar el suelo de la celda con la esperanza de que los charcos hubieran vuelto a llenarse.

Entonces volvió a oír el ruido. Provenía de la otra sala, del otro lado de los tablones de madera.

Alguien había bajado.

Esperó, sin atreverse casi a respirar. Quienquiera que fuera no había ido a salvarla. Durante un rato siguió oyéndose movimiento, pero no ocurrió nada más. Le dio la impresión de que por los resquicios de los tablones entraba mayor cantidad de luz. Se aproximó; el latido de la sangre en las sienes no le permitía apenas oír. Orientándose con las manos y lo más silenciosamente posible, acercó el ojo a la rendija.

En contraste con la negrura absoluta de su celda, la luminosidad del otro cuarto la cegó. Pestañeó y le cayeron unas lágrimas, hasta que por fin se le acostumbró la vista. Sobre el banco de trabajo brillaba una bombilla desnuda que colgaba de un largo trozo de cable. Quedaba tan baja que la luz iluminaba tan solo una pequeña zona, proyectando sombras deformes sobre el resto de la estancia. Los animales muertos pendidos del techo quedaban ocultos en ellas.

Volvió a oírse el ruido y entonces Jenny vio a un hombre que emergía de la oscuridad. Desde su perspectiva, a ras de suelo, no podía ver mucho. Distinguió unos vaqueros y lo que parecía una cazadora militar. El hombre avanzó hasta situarse delante de la bombilla y su silueta se recortó imponente contra la luz. Luego cogió algo del banco y se dirigió hacia ella.

Jenny se apartó de los tablones. Los pasos del hombre se iban acercando. De pronto se detuvo. Paralizada, Jenny escrutaba la oscuridad. Tras un fuerte chirrido, penetró un haz de luz vertical. Poco a poco, los tablones se fueron abriendo y la luz fue inundando la celda. Jenny se tapó los ojos, deslumbrados por el resplandor, y la oscura silueta se acercó hasta ella.

—Levántate.

Su voz era un leve murmullo. Ella estaba demasiado asustada para fijarse en si le resultaba familiar. Se sentía incapaz de moverse.

Detectó un movimiento inesperado y de pronto sintió un dolor muy agudo. Soltó un grito y se cogió el brazo. Estaba húmedo. Sin dar crédito, se miró la mano llena de sangre.

—¡Que te levantes!

Presionando el corte del brazo, se apresuró a ponerse en pie. Temblaba y mantenía la espalda pegada al muro. Sus ojos empezaban a acostumbrarse a la luz, pero procuraba desviar la mirada. «No lo mires. Si cree que lo has reconocido, no te dejará ir.» Sin embargo, ya no era dueña de sus ojos. Estos no se detuvieron en el rostro del hombre, sino en el cuchillo de caza que llevaba en la mano y cuyo filo apuntaba directamente hacia ella. «Oh, Dios mío, no, por favor...»

−Desnúdate.

Volvía a oír al taxista. Aunque esta vez era peor, porque no había esperanza de salvación.

−¿Por qué? −preguntó, detectando un deje histérico en su voz que la puso aún más frenética.

Sin tiempo siquiera para reaccionar, volvió a sentir el filo del cuchillo. Notó un ardor frío en la mejilla. Aturdida, se llevó la mano a la cara y comprobó que algo húmedo se le escurría entre los dedos. Se miró la mano, brillante de sangre, y empezó a sentir dolor, un dolor límpido que le arrebató el aliento.

−Quítate la ropa.

Reparó en que ya había oído antes aquella voz. Intentó identificarla, pero resonaba como el eco en un pozo. «No te desmayes. No te desmayes.» El dolor de la mejilla la ayudaba a concentrarse. Se tambaleó pero logró mantener el equilibrio. Podía oír la respiración áspera del hombre y vio que le iba acercando el cuchillo despacio. Rozó la piel del brazo desnudo con el filo y luego lo volvió para que la parte lisa del cuchillo se posara suavemente sobre ella. Jenny cerró los ojos y sintió cómo se deslizaba como una pluma hasta su hombro y reseguía el perfil del esternón antes de detenerse junto a la garganta. La punta continuó hacia arriba muy lentamente hasta llegar a la parte inferior de la barbilla. La presión fue en aumento, obligándola a levantar la cabeza. Cuando no pudo levantarla más, la presión cesó, dejando la garganta completamente expuesta y a merced de la punta del filo, afilada como una aguja. Jenny respiraba entre jadeos y hacía lo posible por permanecer inmóvil.

—Quítatela.

Abrió los ojos, evitando en todo momento mirar al hombre que tenía delante. Le pareció que los brazos le pesaban como si fueran de plomo, y empezó a quitarse la camiseta, mojada y sucia después de haberla empapado en los charcos, hasta pasársela por encima de la cabeza. Por un momento, quedó envuelta en una benévola oscuridad. Luego la camiseta desapareció de su cara y Jenny regresó a la fétida celda.

Por primera vez empezó a fijarse en lo que la rodeaba. La celda era poco más que una prolongación del sótano, separada de este por una serie de tablones. Más allá de la luz de la bombilla, el sótano era un espacio en tinieblas lleno de muebles viejos, herramientas y cachivaches por todas partes. Al fondo, quedaban los escalones que había visto antes, levemente iluminados por una fuente de luz que quedaba fuera del alcance de la vista.

Y presidiéndolo todo, los cuerpos mutilados de los animales.

Ahora podía ver que estaban por todas partes, convertidos en poco más que sacos de piel, huesos y plumas, mecidos por alguna extraña corriente. El hombre se acercó un poco más y bloqueó la luz. Jenny no podía apartar los ojos del cuchillo que sostenía en la mano. Se apresuró a desvestirse con la esperanza de evitar un nuevo cuchillazo. Cuando llegó el turno de los pantalones, se quedó inmóvil, pero luego se los bajó y los dejó caer sobre el pie aprisionado. Le quedaban únicamente las bragas. Agachó la cabeza, temerosa de encontrarse con sus ojos como si fueran los de un perro rabioso.

—Todo —dijo el hombre con voz más profunda.

—¿Qué me va a hacer? —murmuró Jenny, despreciándose por el débil tono de su voz.

—¡Hazlo!

Con torpeza a causa del miedo, Jenny hizo lo que le decía. El hombre se puso en cuclillas y cortó los pantalones y las bragas, apartándolos del pie atado a la cuerda y arrojándolos a un lado con impaciencia. Luego alargó una mano y, casi titubeando, empezó a palparle el pecho. Ella contuvo las ganas de gritar, se mordió el labio y apartó la cabeza luchando por reprimir las lágrimas. Al hacerlo vio los cuerpos de los animales colgados del techo.

Instintivamente, le apartó la mano.

Su piel registró un recuerdo táctil del contacto; la aspereza del vello, la consistencia del hueso. Durante un segundo, nada sucedió. Luego el brazo del hombre le propinó un revés en la cara. Jenny se golpeó contra la pared y resbaló al suelo.

Podía oírlo respirar encima de ella. Se encogió y esperó, pero no pasó nada más. Con alivio, oyó cómo se marchaba. La cara le dolía del puñetazo, pero por lo menos el corte estaba al otro lado. «Qué suerte —pensó medio atontada—. Qué suerte y qué estúpida.»

Se oyó un chasquido y de repente volvió a quedar deslumbrada por una luz cegadora. Protegiéndose los ojos con la mano, vio que el hombre había encendido un flexo que estaba sobre el banco de trabajo y que lo había apuntado hacia ella. Distinguió el ruido de una silla arrastrada por el suelo y oyó su crujido bajo el peso del hombre, que se había sentado en la oscuridad.

—Levántate.

Le dolía pero obedeció. En cierta manera, su breve insurrección había introducido un sutil cambio en la situación. El miedo seguía ahí, pero a su lado se había instalado la rabia, una rabia que le hizo reunir la energía necesaria para levantarse de forma casi desafiante. Se dijo que ocurriera lo que ocurriese, no se dejaría arrebatar por completo la dignidad. De pronto, le pareció que aquello tenía una importancia vital.

«Muy bien, pues. Haz lo que tengas que hacer. Acabemos de una vez.»

Desnuda y tiritando, esperó a que diera el siguiente paso. No pasó nada. Se oyeron más ruidos entre las sombras. «¿Qué está haciendo?» Se atrevió a lanzar una mirada fugaz, que no obstante le bastó para entrever a la indistinguible figura sentada con las piernas muy separadas. Los ruidos se convirtieron en un sonido apagado y rítmico, y por fin comprendió.

Estaba masturbándose.

Al otro lado de la luz, los sonidos ganaron en intensidad. El tipo dejó escapar un gemido medio ahogado, arrastró las botas por el suelo y finalmente se quedó quieto. Jenny tampoco se movía, apenas respiraba, escuchando la respiración agitada del hombre, que poco a poco fue apaciguándose.

Después se levantó. Se oyó una especie de crujido y echó a caminar hacia ella. Jenny bajó la mirada y cuando el hombre se detuvo, lo tenía tan cerca que podía olerlo. Dejó caer algo.

—Póntelo.

Alargó la mano para recogerlo, pero se encontró con el cuchillo frente a los ojos. «Suéltalo aunque sea por un segundo. Entonces veremos si eres tan valiente.» No lo soltó. El cuchillo no se separó de su mano, y Jenny cogió el fardo que le ofrecía. Cuando vio que era un vestido, tuvo un atisbo de esperanza y pensó que la dejaría ir. Pero entonces cayó en la cuenta de qué era lo que tenía entre las manos.

Un traje de novia, de satén blanco y encajes, amarillento por los años. Estaba sucio y salpicado de manchas oscuras y resecas. A Jenny le entraron arcadas cuando alcanzó a comprender lo que eran.

Sangre seca.

El traje se le cayó de las manos. El cuchillo salió disparado y trazó en su brazo una línea de color escarlata que al instante empezó a crecer y a gotear.

—¡Recógelo!

Se agachó para recoger el vestido, pero sus miembros parecían pertenecer a otra persona. Se disponía a ponérselo, pero se dio cuenta de que no podría con la cuerda amarrada al tobillo. La esperanza volvió a brillar, pero algo la hizo detenerse antes de pedirle que la desatara. «Eso es lo que quiere.» Lo intuía. «Quiere que le dé una excusa.»

La habitación le daba vueltas, pero la intuición le había hecho cobrar fuerzas. Como pudo, se pasó el traje por encima de la cabeza. Desprendía un olor inmundo, mezcla de naftalina, sudor y un leve rastro de perfume. Cuando los pesados pliegues de ropa cayeron sobre su cara sintió un acceso de claustrofobia y temió que el cuchillo le hiciera otro corte aprovechando que estaba atrapada. Buscó la abertura y al sacar la cabeza abrió la boca en busca de oxígeno.

El hombre se había alejado, estaba en la oscuridad, detrás del flexo, ocupado buscando algo en el banco de trabajo. Jenny se miró. El traje estaba arrugado y rígido. La sangre de los cortes había añadido nuevas manchas a la tela. De todos modos, era de buena factura, el satén era pesado y grueso, y en la parte delantera lucía una flor de lis elaborada con encajes. «En algún momento, lo llevó una novia —pensó confusamente—. El día más feliz de su vida.»

En alguna parte se oía un ruido mecánico, como si alguien le diera cuerda a un reloj. Oculto todavía entre las sombras, el hombre colocó una pequeña caja de madera junto al flexo. Cuando levantó la tapa, pudo ver lo que era.

Una caja de música, en cuyo centro había un pedestal con una pequeña bailarina. Jenny se quedó mirándola, la figurita empezó a dar vueltas y el pestilente aire se llenó de un delicado tintineo. El mecanismo estaba estropeado, pero aun así la melodía resultaba reconocible. *Clair de Lune.*

—Baila.

Jenny volvió a la realidad.

—¿Qué?

—Que bailes.

La orden era tan absurda que le pareció que se la habían dado en otra lengua. Hasta que no vio que el hombre levantaba el cuchillo, no reaccionó. Se puso a saltar sobre uno y otro pie como si anduviera borracha, una burda parodia de una danza. «No llores, que no te vea llorar», se dijo a sí misma. Pero las lágrimas corrían ya por sus mejillas.

Sabía que el hombre la observaba, oculto entre las sombras. En un momento dado, se dirigió a la escalera. Jenny, asombrada, dejó de bailar en cuanto lo vio desaparecer. Por un momento pensó que iba a marcharse sin encerrarla tras los tablones de madera, pero a los pocos segundos volvieron a oírse pasos bajando los peldaños.

Bajaban lentos, mesurados, con una parsimonia que no tenían al subir. Esa macabra escenificación no presagiaba nada bueno. «Pretende asustarte —se dijo a sí misma—. Es otro de sus juegos, como lo del vestido.»

Jenny apartó la mirada en cuanto la figura se materializó al pie de la escalera y volvió a moverse al compás de la música con la cabeza gacha. Podía oírlo avanzar lentamente por el sótano. Hubo un ruido de madera arrastrándose y la silla volvió a crujir. Sabía que la estaba observando y la presión de su mirada hizo que sus movimientos perdieran gracia y coordinación. «¿Disfrutas con esto?», pensó, furiosa, en un intento de avivar la rabia que llevaba dentro. Era la única forma de no claudicar ante el miedo.

La música fue haciéndose más lenta y discordante a medida que al mecanismo se le fue acabando la cuerda. Cuando cesó, hubo un chasquido y se vio la luz de una cerilla. Por un instante, las sombras retrocedieron en torno a la llama amarilla, pero enseguida volvieron a recubrirla. No sin que Jenny viera parte del rostro del hombre.

En ese momento lo comprendió todo.

La música había terminado sin que se diera cuenta. Oyó cómo volvía a darle cuerda a la caja y al mismo tiempo le llegó un olor en el que se mezclaban azufre y tabaco.

Desesperada y trastornada por el descubrimiento, empezó de nuevo a arrastrar los pies mientras la música volvía a cobrar intensidad.

24

La policía dejó en libertad a Ben Anders ese mismo día. Mackenzie me telefoneó para notificármelo.

—He pensado que querría saberlo —dijo.

Hablaba con voz cansada e inexpresiva, como si hubiera pasado toda la noche en vela. Y posiblemente así fuera.

Me encontraba en mi despacho de la consulta, a salvo del vacío que sentía en casa. No sé muy bien cómo encajé la noticia. Me alegré por Ben, claro, pero experimenté también una inesperada decepción. En ningún momento había creído que Ben fuera de veras el asesino, pero en lo más profundo de mí debía de albergar alguna duda. O tal vez era que mientras la policía estuviera interrogando a un sospechoso, fuera quien fuese, había esperanza de encontrar a Jenny. Al liberarlo, también eso se había esfumado.

—¿Qué ha pasado? —pregunté.

—No ha pasado nada. Sabemos que no pudo estar en la casa de la chica la tarde de la desaparición, eso es todo.

—Hace unas horas no opinaba lo mismo.

—Hace unas horas no lo sabíamos —replicó lacónico—. Al principio no quería decirnos dónde había estado. Ahora nos lo ha dicho y todo encaja.

—No entiendo nada —dije—. Si tenía una coartada, ¿por qué no la hizo valer de buen comienzo?

—Puede preguntárselo usted mismo —contestó molesto—. Si quiere, ya se lo contará. Por lo que a nosotros respecta, está limpio.

—¿Y qué pasa con la investigación? —pregunté frotándome los ojos.

—Seguiremos buscando pistas, por supuesto. Estamos examinando las pruebas forenses de la casa, y...

—¡Al cuerno con la maldita cháchara oficial, dígame la verdad! —Hubo un silencio. Respiré hondo—. Lo siento.

Mackenzie dejó escapar un suspiro.

—Estamos haciendo todo lo que podemos. No puedo decirle más.

—¿Hay más sospechosos?

—Todavía no.

—¿Qué me dice de Brenner? —Al final había decidido no mencionar mi visita de la mañana—. Todavía estoy seguro de que fue él quien les dio el soplo para coger a Ben Anders. ¿No valdría la pena hablar con él otra vez?

Mackenzie no pudo contenerse.

—Ya se lo he dicho, Carl Brenner tiene una coartada. Si es el responsable de la pista falsa, iremos por él más adelante. De momento tenemos otros asuntos más importantes de que ocuparnos.

La desesperación que había estado intentando mantener a raya, amenazaba con desbordarme.

—¿Puedo ayudar? —pregunté, sabiendo cuál sería la respuesta pero intentándolo de todas formas.

—Por el momento no —respondió dubitativo—. Oiga, todavía queda tiempo. Las otras mujeres siguieron con vida durante tres días. No hay motivos para creer que vaya a cambiar de patrón.

«¿Lo dice para hacerme sentir mejor?», estuve a punto de gritarle. Aun cuando Jenny siguiera viva, ambos sabíamos que no le quedaba mucho tiempo. Además, se me hacía insoportable pensar en el suplicio por el que podía estar pasando.

Cuando Mackenzie colgó me quedé sentado con la cabeza entre las manos. Llamaron a la puerta y, mientras me enderezaba en la silla, vi entrar a Henry.

—¿Alguna novedad? —preguntó.

Negué con la cabeza. No pude evitar fijarme en su aspecto fatigado. En realidad, no era extraño. Desde la desaparición de Jenny yo no había visitado a un solo paciente.

—¿Te encuentras bien? —pregunté.

—¡Estupendamente! —el despliegue de energía solo duró un instante; luego esbozó una media sonrisa y encogiéndose de hombros agregó—: No te preocupes por mí. Me las voy apañando. De verdad.

No me convencía. Estaba demacrado, saltaba a la vista, pero por mal que me sintiera delegando todo el trabajo en él, por el momento no podía pensar más que en Jenny y en cómo transcurrirían las veinticuatro horas siguientes. Todo lo demás me parecía demasiado lejano.

Consciente de que no tenía muchas ganas de compañía, Henry me dejó solo. Intenté releer los informes forenses de Sally Palmer y Lyn Metcalf con la esperanza de dar con algo que hasta entonces hubiera escapado a mi atención, pero solo sirvió para guiar mi imaginación precisamente por los mismos derroteros que yo procuraba evitar. Frustrado, apagué el ordenador. Me quedé con la mirada fija en la pantalla negra, convencido de que estaba pasando por alto algo importante. Algo que tenía delante de los ojos. Durante un rato estuve atormentándome, porque presentía que tenía la clave al alcance de la mano, pero cada vez que intentaba aferrarla se alejaba un poco más.

Necesitaba hacer algo, así que me puse en pie, cogí el teléfono móvil y me fui corriendo hacia el coche. Solo se me ocurría un lugar al que ir.

Por el camino, volvió a asaltarme la sensación de que algo se me escapaba.

Ben Anders vivía en una gran casa en un extremo del pueblo. Había sido de sus padres y, a la muerte de estos, Ben se había quedado viviendo con su hermana hasta que esta se casó y se mudó. Solía decir que la casa era demasiado grande para él, que lo mejor sería venderla y comprar otra más pequeña, pero nunca se había decidido a hacerlo. Grande o no, en el fondo, para él esa era su casa.

Yo solo había estado allí en un par de ocasiones, tomando una copa al salir del Lamb. Mientras aparcaba frente a la pesada puerta de madera que cerraba el alto muro de piedra, se me ocurrió que no decía mucho sobre nuestra amistad el hecho de que nunca antes hubiera puesto los pies en ella a plena luz del día.

Ni siquiera sabía si estaba en casa. Una vez frente a la puerta, casi deseé no haber ido. Quería oír su versión de por qué lo habían detenido, pero en realidad no había pensado qué iba a decirle.

Resolví dejar las dudas a un lado y llamar a la puerta. La casa estaba construida con ladrillos de tonos pálidos que, pese a no ser especialmente elegantes, daban una atractiva sensación de firmeza. El jardín era grande y, aunque se veía cuidado, conservaba la naturalidad; las ventanas eran blancas, y la gran puerta principal, de color verde oscuro. Esperé y volví a llamar. Al tercer intento, y al no ver señales de vida, decidí dar media vuelta. Aunque no me marché. No sé si fue por la reticencia a seguir esperando de brazos cruzados o si había algo más, en cualquier caso la impresión que me daba era que la casa no estaba vacía.

Un camino rodeaba el edificio hasta la parte trasera. Lo seguí. A medio camino vi unas gotas de algo en el suelo. Sangre. Seguí avanzando. El jardín de la parte posterior era como un campo bien cuidado. Al fondo había una hilera de árboles frutales a cuya sombra se divisaba una figura sentada.

Ben no se sorprendió al verme. A su lado, sobre una mesita de tosca madera sin pulir, había una botella de whisky. En el borde de la mesa, un cigarrillo se consumía hasta las cenizas. A juzgar por el nivel de la botella y por el color de sus mejillas, debía de llevar ahí un buen rato. Cuando llegué junto a él, se sirvió otra copa.

—Hay vasos en casa, por si te animas.

—No, gracias.

—Te ofrecería un café pero, la verdad, creo que no puedo ni levantar el culo del suelo. —Cogió el cigarrillo, lo observó un instante y lo apagó—. El primero en cuatro años. Sabe a mierda.

—He estado llamando.

—Ya te he oído. Pensaba que serían otra vez los periodistas de los huevos. Ya han venido dos. Algún poli bocazas se ha ido de la lengua, supongo —dijo ofreciéndome una sonrisa torcida—. Me ha costado convencerlos para que me dejen en paz, pero al final lo han pillado.

—¿Por eso hay sangre en el camino?

—Hemos intercambiado pareceres sobre mi negativa a hacer declaraciones, así es. —Aparte de la pronunciación forzada, no parecía bebido—. Hijos de puta —agregó adoptando una expresión hosca.

—Creo que liarse a puñetazos con los periodistas no es lo más sensato en estos momentos.

—¿Quién ha hablado de puñetazos? Lo único que he hecho ha sido invitarlos a salir de mi propiedad, nada más. —El rostro se le ensombreció antes de continuar—: Oye, siento lo de Jenny. —Suspiró—. Lo siento. Joder, es que no sé qué decir.

Sus condolencias me cogieron desprevenido.

—¿A qué hora te han soltado?

—Hace un par o tres de horas.

—¿Por qué?

—¿Cómo que por qué?

—¿Por qué te han dejado ir?

—Porque no tenía nada que ver con este asunto —contestó mirándome por encima del vaso.

—¿Y por eso estás aquí sentado emborrachándote?

—¿Alguna vez te han interrogado por asesinato? —preguntó soltando una carcajada—. «Interrogar»... y una mierda, porque no interrogan, afirman. «Sabemos que estabas ahí, alguien vio tu coche, ¿dónde la tienes, qué le has hecho?» No es muy divertido, te lo aseguro. Incluso cuando te sueltan parece que te están haciendo un favor. —Levantó el vaso con un gesto burlón—. Y entonces eres otra vez un hombre libre, pero la gente te mira y piensa que no eres trigo limpio y que cuando el río suena...

—Pero tú no tienes nada que ver.

Vi que apretaba los músculos de la mandíbula, pero cuando habló lo hizo con serenidad.

—Así es, no tengo nada que ver. Ni con ella ni con las anteriores.

No había ido a verlo con la intención de interrogarlo, pero ahora que lo tenía ante mí me costaba resistir la tentación. Suspiró y se encogió de hombros para descargar tensión.

—Ha sido un malentendido. Alguien le ha dicho a la policía que vio mi coche frente a la casa de Jenny. Pero es imposible.

—Si podías demostrar que no habías estado ahí, ¿por qué no lo hiciste? ¿Por qué fingiste estar escondiendo algo, por el amor del cielo?

Apuró el vaso.

—Porque, en realidad, estaba escondiendo algo. Aunque no lo que ellos creían.

—Fuera lo que fuese, espero que valiera la pena —dije, incapaz de disimular el disgusto en mi voz—. ¡Por Dios, Ben, la policía ha perdido horas contigo!

Apretó los labios, pero aceptó el reproche.

—Llevo un tiempo viéndome con una mujer. No la conoces. Vive... bueno, no vive en el pueblo. Estaba con ella.

Me imaginé el resto.

—Y está casada.

—De momento. Aunque ahora que la policía ha llamado a su marido para averiguar si su mujer puede confirmar que estaba en la cama conmigo, no creo que siga estándolo por mucho tiempo.

No dije nada.

—Lo sé, lo sé. Tendría que habérselo dicho antes a la policía —continuó, elevando el tono—. Joder, te juro por Dios que volvería atrás. También yo me habría ahorrado varias horas de sufrimiento y ahora no estaría aquí deseando haber actuado de otra forma. Pero cuando te sacan a rastras de tu casa y te meten en una mazmorra hay cosas en las que no se te ocurre pensar, ¿sabes? —Se pasó la mano por la cara, visiblemente alterado—. Y todo porque alguien se equivocó al creer haber visto mi coche.

—No fue ningún malentendido. Fue Carl Brenner.

Ben se quedó mirándome con ojos brillantes e inquisitivos.

—Creo que me estoy haciendo viejo —dijo al cabo de un momento—. Joder, ni se me había ocurrido.

Ambos habíamos dejado atrás la confrontación, conscientes de que la tensión acumulada había estado a punto de hacer que nos enfrentáramos.

—He estado en su casa. Y aunque no lo ha admitido, juraría que fue él.

—Ese no es de los que admiten nada. Pero gracias por intentarlo.

—No lo he hecho solo por ti. Quería que la policía siguiera buscando a Jenny y que no se desviara por un callejón sin salida.

—Has hecho lo correcto —dijo mirando el vaso y dejándolo en el suelo sin beber—. ¿Qué más te ha dicho tu amigo el inspector?

—Que tuviste una relación con Sally Palmer. Y que violaste a una mujer hace quince años.

Soltó una risa amarga.

—Al final el pasado siempre vuelve, ¿te das cuenta? Sí, Sally y yo estuvimos juntos hace un tiempo. No era ningún secreto, pero tampoco le dimos publicidad. Ni hablar, en un pueblo como este... De todos modos, no era nada serio y tampoco duró mucho. Después mantuvimos la amistad. Fin de la historia. En cuanto a lo otro... en fin, dejémoslo en que fue un error de juventud.

Pero debió de leer la expresión de mi rostro.

—Antes de que pienses lo que no es, que sepas que yo no violé a nadie. Tenía dieciocho años y empecé a verme con una mujer que me sacaba unos cuantos años. Una mujer casada.

—Otra.

—Es una mala costumbre, ya lo sé. No es algo de lo que esté orgulloso. Por aquel entonces pensaba que hay que aprovechar cualquier ocasión, ¿me explico? Era joven y ella llegó como caída del cielo. Más tarde, cuando quise cortar, empezaron los malos rollos. Me amenazó y nos peleamos. Poco después supe que me había denunciado por intento de violación —dijo encogiéndose de hombros—. Al final retiró los cargos. Pero el sambenito no te lo quita nadie. Y si lo que te estás preguntando es por qué no sabías nada, que sepas que no voy por ahí pregonando mis intimidades, ni disculpándome por ellas.

—Tampoco te lo he pedido.

—Entonces en paz —concluyó desperezándose y derramando el whisky por el suelo—. He aquí mis oscuros secretos. Ahora ya puedo pensar qué voy a hacer con ese hijo de la gran puta de Brenner.

—No vas a hacer nada.

—¿Apostamos? —dijo dirigiéndome una sonrisa maliciosa que manifestaba los efectos del whisky.

—Si vas por él, las cosas se empantanarán más todavía. Hay algo más en juego que vuestras venganzas.

Los colores estaban subiéndosele al rostro.

—¿Esperas que lo olvide?

—De momento sí. Después... —La duda sobre qué quería decir con ese «después» fue como un puñetazo en el estómago—. Cuando hayan atrapado al captor de Jenny, puedes hacer lo que quieras.

Al oír esto, recapacitó.

—Tienes razón. No sé en qué estaba pensando. De todos modos, no veo la hora. —Luego se quedó pensativo, y añadió—: No creas que digo esto por rencor, pero ¿te has preguntado qué motivos podía tener Brenner para decirle a la policía que me había visto en casa de Jenny?

—¿Quieres decir aparte de hacer que te arrestaran?

—Quiero decir que quizá tuviera más de un motivo. Tal vez desviar la atención.

—Sí, se me ha pasado por la cabeza. Pero no eres el único que tiene una coartada. Mackenzie me ha dicho que ya la han confirmado.

—¿Dijo cuál era su coartada? —preguntó Ben examinando el vaso vacío.

Intenté recordarlo.

—No.

—Perfecto, pondría la mano en el fuego a que fue la familia la que dio la cara por él. Cierran filas como una maldita banda de ladrones. Por eso mismo nunca hemos podido acusarlo por la caza furtiva. Por eso y porque el cabronazo es muy astuto.

El corazón había empezado a latirme más deprisa. Brenner era un cazador, un tipo famoso por su carácter agresivo e insociable. El asesino tenía un nutrido historial de mutilaciones en animales y mujeres, y Brenner parecía encajar con el perfil. Mackenzie no era imbécil, pero a falta de pruebas o móvil, no tenía motivos para sospechar de él.

No mientras tuviera una coartada.

Me di cuenta de que Ben había seguido hablando, pero no sabía de qué. Mi mente estaba ya cavilando por su cuenta.

—¿A qué hora suele salir a cazar Brenner? —pregunté.

25

Jenny había perdido por completo la noción del tiempo. El febril temblor que la había sacudido al quedarse de nuevo a solas ya casi había desaparecido. Lo que le preocupaba era la sensación de somnolencia. No se trataba de simple cansancio. No sabía cuánto tiempo llevaba allá abajo, pero seguramente el equivalente a dos o tres inyecciones de insulina. El azúcar de la sangre empezaba a aumentar sin control y la ansiedad no hacía más que empeorar las cosas.

La ansiedad y la pérdida de sangre.

Con esa oscuridad era imposible calcular cuánta sangre había perdido. La mayor parte de los cortes estaban cerrándose, excepto el último. El peor. Anudada al pie derecho tenía la camiseta, raída y convertida en un harapo ensangrentado. La ropa estaba pegajosa. Esperó que fuera una buena señal. Significaba que la hemorragia había perdido fuerza. Aunque todavía dolía. ¡Señor, y cuánto dolía!

Le había pasado al quitarse el andrajoso traje de novia. La caja de música había enmudecido por tercera vez y Jenny había dejado de bailar. Medio mareada, se había tambaleado, capaz apenas de mantenerse en pie. Luego se había desplomado en el suelo, vestida todavía con el traje ensangrentado. Había intentado levantarse, pero cada vez veía menos. Creyó notar que algo se movía en torno a ella, pero parecía irse alejando. Pasaron los minutos, hasta que de repente notó unos golpes en el brazo.

Al abrir los ojos, lo primero que vio fue el cuchillo.

Levantó la cabeza para mirar al hombre que lo blandía. Ya no había motivo para no hacerlo. Sabía que, lo identificara o no, no iba a salir de esa con vida.

Al verle la cara, sus sospechas se confirmaron y sintió que se le formaba un nudo en el estómago.

El hombre le dio otro puntapié.

—Quítatelo.

Apoyándose en la pared, Jenny se puso en pie y se quitó el vestido como pudo por encima de la cabeza. El hombre se lo arrancó de las manos y se quedó en pie frente a ella. Jenny agachó la cabeza y sintió los ojos de él recorriendo su desnudez. El corazón le latía con tanta fuerza que le dolía. Podía olerlo, sentir su aliento sobre la piel a medida que se acercaba. «Por Dios, ¿qué quiere hacerme ahora?» Se sentía incapaz de apartar los ojos del cuchillo, con la esperanza de que el tipo lo soltara en algún momento. «Solo una oportunidad. Es todo lo que pido, una oportunidad.» Pero no lo soltó, sino que empezó a levantarlo despacio, exhibiendo el filo antes de acercarlo a la chica. La pinchó y ella se apartó en un acto reflejo.

—No te muevas.

Procuró quedarse quieta. El cuchillo iba avanzando por su piel, pinchándola con la punta. A cada pinchazo aparecía un pequeño punto de sangre que iba hinchándose hasta empezar a resbalarle por la piel. Dolía, pero lo peor era la espera. Notó que el hombre empezaba a respirar más deprisa y que su cuerpo irradiaba excitación como si fuera calor. Se acercó todavía más. Jenny dejó escapar un gemido sin querer y dio un paso atrás al sentir la pisada de una de las botas del tipo sobre su pie. En ese momento el pánico la dominó.

—¡Déjame! —chilló, echándose a correr a ciegas y olvidando la cuerda amarrada al tobillo.

Sintió un tirón, tan repentino que cayó de bruces al suelo. Mientras se retorcía en el suelo, el tipo se colocó encima de ella. Vio algo en sus ojos que la heló por dentro. No había en ellos ni rastro de humanidad.

—Te he dicho que no te muevas —dijo con una calma aterradora, y agachándose la cogió por el pie libre—. No deberías intentar huir. No puedo permitírtelo.

—¡No! Yo no quería...

Pero en vez de escucharla, él se puso a acariciarle el pie con el cuchillo. Poco a poco acercó el filo al dedo gordo con expresión ausente.

—Este cerdito fue al mercado —dijo con una voz suave, casi de falsete. Pasó al siguiente dedo—. Este cerdito se quedó en casa. Este cerdito se comió el asado.

Luego al tercero, y luego al cuarto.

—Este cerdito se quedó sin nada. Y este cerdito...

Jenny supo lo que pasaría un segundo antes de que pasara. El cuchillo se hundió de pronto en su pie, produciendo un dolor incandescente. Gritó e intentó liberar el pie, pero él se lo sujetó y la observó mientras ella forcejeaba. Finalmente lo soltó. El dedo cercenado cayó al suelo como un guijarro ensangrentado.

—Este cerdito no intentó escaparse nunca más.

Él no se movía de encima y el cuchillo iba manchándose de sangre. Por un momento, pensó que se proponía rematar el trabajo. Quiso suplicarle, pero un último destello de terquedad la retuvo. Por lo menos tenía algo de lo que estar orgullosa, y sabía que, de todos modos, de nada habría servido. Solo para que él disfrutara todavía más.

Hecho esto, se marchó y recolocó los tablones en su lugar, dejándola a oscuras otra vez. No sabía cuánto tiempo había transcurrido. Tal vez horas, o minutos, incluso días. El dolor del pie había ido atenuándose hasta convertirse en una cálida pulsación en el hueso, y tenía la garganta tan seca que era como si le hubieran hecho tragar pedazos de vidrio. Cada vez le costaba más mantenerse despierta. Había vuelto a intentar aflojar la cuerda, pero el esfuerzo la sobrepasaba. Como todo estaba en tinieblas, no sabía si la vista se le estaba nublando, aunque era consciente de que la hiperglucemia debía de estar alcanzando niveles preocupantes. Sin insulina, las cosas no podían sino empeorar.

Eso en el caso de que viviera lo suficiente.

Jenny se preguntó por qué no la había violado. Sintió su lujuria y su odio a flor de piel, pero por alguna razón no lo había hecho. Tampoco se hacía ilusiones. Pensó en el rostro que había vislumbrado a la luz de la cerilla. En esa celda no había lugar para la compasión o la esperanza. Por lo demás, sabía que no era la primera mujer a la que encerraba allí. Los cortes, el traje, el baile... todo parecía formar parte de algún ritual incomprensible.

De una forma o de otra, sabía que no sobreviviría.

26

Llegué a casa de los Brenner a última hora de la tarde. Estaba nublado; las nubes habían empezado a acumularse en el cielo, hasta entonces azul y límpido. Me detuve al final de la pista y contemplé el maltrecho edificio. Me pareció más deteriorado que por la mañana. No había signo alguno de vida. Me quedé allí observándolo durante un rato hasta que me di cuenta de que estaba postergando lo que había ido a hacer. Arranqué y volví a tomar el camino sembrado de baches.

Una vez tomada la decisión, lo más difícil era reunir paciencia. El instinto me impelía a actuar sin dilación y presentarme en la casa de inmediato, pero sabía que si quería tener éxito debía asegurarme de que Brenner no estuviera en casa. Ben me había sugerido que aguardara hasta última hora de la tarde, cuando generalmente iba al Lamb o a cazar.

—Es un furtivo, así que sale de madrugada o ya entrada la noche. Tal vez por eso estaba todavía en la cama cuando fuiste a verlo antes. Seguramente habría estado plantando cepos hasta el amanecer.

Pero no podía esperar tanto. A cada hora se reducían las posibilidades de encontrar a Jenny con vida. Al fin, opté por una solución que, por evidente, resultaba ridícula: telefoneé a casa de los Brenner y, sin identificarme, pregunté si podía hablar con Carl. Me contestó su madre. Cuando me dijo que esperara y fue a llamarlo, colgué.

—¿Qué vas a hacer si el teléfono ha memorizado tu número y te devuelve la llamada? —preguntó Ben.

—Da igual. Puedo decirle que me gustaría hablar con él. De todos modos, me dirá que no.

Pero Brenner no había llamado. Dejé pasar un rato y volví a llamar. Esta vez lo cogió Scott.

—No, Carl ha salido —me dijo.

Y no tenía la menor idea de cuándo volvería. Le di las gracias y colgué.

—Deséame suerte —le dije a Ben preparándome para salir.

Se había ofrecido a acompañarme, pero yo me había negado. Hubiera querido llevarlo conmigo, pero sabía que solo me traería problemas. Él y los Brenner eran una combinación volátil en el mejor de los casos; teniendo en cuenta que Ben llevaba encima media botella de whisky, el desenlace era impredecible. Y lo que mi plan requería era persuasión, no confrontación.

Había considerado la posibilidad de advertir a Mackenzie acerca de mis intenciones, pero enseguida la descarté. Mis sospechas no tenían más fundamento ahora que cuando habíamos hablado antes. Además, Mackenzie había dejado bien claro que mis injerencias no le hacían ninguna gracia. No estaba dispuesto a dar ningún paso sin contar con pruebas sólidas.

Y con ese fin me dirigía a casa de los Brenner.

Debo decir que había perdido seguridad en mí mismo. Mi certeza anterior parecía haberse evaporado cuando aparqué en la puerta. Al oír el ruido del coche, el perro volvió a aparecer ladrando por la esquina, esta vez con más determinación. Tal vez porque me vio solo, no se acobardó como por la mañana. Era de tamaño considerable y tenía una oreja desgarrada. Desafiante, se colocó entre la casa y el coche. Saqué el botiquín de primeros auxilios para tenerlo a mano en caso de que me atacara. Cuando empecé a avanzar, se puso a gruñir. Me detuve, pero él siguió resoplando.

—¡Jed!

El perro me lanzó una última mirada de advertencia mientras yo avanzaba hacia la señora Brenner, que había aparecido bajo el umbral. Su rostro enjuto tenía una expresión hostil.

—¿Qué quiere?

Yo tenía la excusa preparada.

—Quisiera echarle otro vistazo al pie de Scott.

Ella me miró con suspicacia. O tal vez fueron mis nervios, que lo interpretaron así.

—Ya se lo ha mirado antes.

—Pero es que entonces no llevaba todo lo necesario. Quiero asegurarme de que no se le infecte. Claro que si es molestia, yo...

Hice ademán de volver al coche.

—No —dijo ella suspirando—. Será mejor que entre.

Intentando disimular mi alivio —y mi nerviosismo—, la seguí adentro. Scott estaba en el salón, tumbado sobre un mugriento sofá frente al televisor. Tenía la pierna estirada encima de unos cojines.

—El doctor ha venido a echarte otro vistazo —dijo la madre cuando entramos.

El muchacho se enderezó y puso cara de sorpresa. Y de culpabilidad, pensé. Aunque también eso pudo ser producto de mi imaginación.

—Carl no ha vuelto todavía —dijo ella.

—No importa. Pasaba cerca de aquí y pensé que sería conveniente echarle otro vistazo al pie. He traído gasas antibacterianas.

Intentaba parecer relajado, pero me daba la impresión de que mi voz sonaba horriblemente falsa.

—¿Ha llamado usted antes preguntando por Carl? —preguntó la madre, dejando traslucir su hostilidad.

—Sí, se me ha cortado. He llamado desde el móvil.

—¿Por qué quería hablar con él?

—Quería disculparme. —Era mentira, pero me salió con una facilidad sorprendente. Me senté en la silla que había más cerca de Scott—. Aunque ahora mismo lo que me preocupa es ese pie. ¿Te importa si lo examino otra vez?

El muchacho miró a su madre y, encogiéndose de hombros, contestó:

—No.

Empecé a deshacerle el vendaje. La madre observaba desde el umbral.

—¿Sería abusar de su confianza pedirle una taza de té? —pregunté sin alzar la vista.

Por un momento creí que se negaría, pero al final se marchó a la cocina suspirando molesta. Cuando se hubo marchado el único ruido era la voz del televisor y el roce de las vendas. Tenía la boca seca. Me atreví a mirar a Scott. Me observaba con un asomo de preocupación estampado en el rostro.

—Dime cómo ocurrió —dije.

—Pisé un cepo.

—¿Dónde dijiste que fue?

—No me acuerdo —dijo bajando la mirada al regazo.

Aparté las vendas. Los puntos de abajo tenían un aspecto deplorable.

—Has tenido suerte de no perder el pie; de hecho, como se infecte aún puedes perderlo.

En realidad, la peor parte ya había pasado, pero yo quería asustarlo.

—No fue culpa mía —me dijo resentido—. No lo pisé a propósito.

—Puede que no. Pero como te haya tocado el nervio, te quedarás cojo el resto de tu vida. Tendrías que haber ido antes a que te lo miraran. —Y levantando la vista agregué—: ¿O quizá Carl no quería que fueras?

Él apartó la mirada.

—¿Por qué no iba a querer?

—Todo el mundo sabe a qué se dedica. Lo último que necesita es que la policía le haga preguntas porque su hermano ha pisado un cepo.

—Ya le dije que no era de los nuestros —murmuró.

—Vale, vale —dije como si me diera lo mismo. Fingí examinar la herida haciéndole flexionar el pie—. O sea que no informaste a la policía, ¿no?

—Se lo dije cuando vinieron a preguntármelo —dijo poniéndose a la defensiva.

Me callé que había sido yo mismo el que había dado parte a Mackenzie.

—¿Y qué dijo Carl entonces?

—¿Qué quiere decir?

—Cuando la policía vino a verte. ¿Te dijo lo que tenías que decirles?

—¿Y a usted qué cojones le importa? —dijo apartando el pie de pronto.

Intenté parecer razonable, creo que sin mucho éxito.

—O sea que Carl le mintió a la policía, ¿verdad?

El muchacho me miraba fijamente. Sabía que me había extralimitado, pero no se me había ocurrido otra forma de acercarme a él.

—¡Fuera! ¡Largo de aquí!

Me levanté.

—Muy bien, pero pregúntate por qué debes encubrir a alguien que prefiere que se te gangrene un pie a llevarte a un hospital.

—¡No tiene ni puta idea de lo que está diciendo!

—Ah, ¿no? Entonces, ¿por qué no te llevó enseguida? ¿Por qué cuando vio lo grave que era fue a buscarme para que te hiciera una cura?

—Porque lo tenía a mano.

—Y porque sabía que el hospital se lo notificaría a la policía. No quería llevarte ni siquiera cuando dije que ibas a necesitar puntos.

Algo en su rostro no me dejó seguir hablando. Observé la torpe factura de los puntos y de repente comprendí.

—No te llevó ni siquiera entonces, ¿verdad? Por eso no te cambiaron el vendaje. No fuiste a ningún hospital.

La rabia de Scott se había evaporado. No podía ni mirarme.

—Me dijo que se curaría solo.

—Entonces, ¿quién te lo cosió? ¿Él?

—Mi primo Dale. —Ahora que lo había descubierto, parecía avergonzado—. Ha estado en el ejército y sabe hacer estas cosas.

El mismo primo al que había visto bloqueando la carretera con Brenner el día anterior.

—¿Y se ha molestado en hacerte una segunda revisión?

Scott sacudió la cabeza patéticamente. Lo sentí por él, pero no tanto como para hacerme renunciar.

—¿Sabes si se dedica a ayudar a Carl también con otras cosas? ¿Con la caza, por ejemplo?

Asintió con renuencia. Presentí que estaba a punto de averiguar algo más. Dos hombres. Dos cazadores, uno de ellos ex militar.

Dos cuchillos distintos.

—¿Y qué más?

—Nada —respondió, pero su afectación de ignorancia no me convenció.

—Bien, te han puesto en peligro. Te das cuenta, ¿no es así? —dije—. ¿Qué es tan importante como para que tú pierdas el pie por ello?

El muchacho miraba a un lado y a otro. Consternado, vi que estaba a punto de echarse a llorar, pero no podía permitirme ser considerado.

—No quisiera meterlos en problemas —dijo con voz queda, casi un susurro.

—Ya están en problemas. Y a ellos no les importaba tanto lo que pudiera pasarte a ti.

Estuve a punto de seguir hurgando, pero el instinto hizo detenerme.

Esperé a que Scott tomara una decisión.

—Últimamente se han dedicado a atrapar pájaros —dijo al fin—. Especies raras. Y otros animales: nutrias, todo lo que pueden. Carl pensó que si los huevos tienen salida, también la tendrían los animales vivos. Quería vendérselos a coleccionistas.

—¿Los dos están metidos en el negocio?

—Más o menos. Pero Carl es el que más caza. Guarda los animales en el marjal, en el antiguo molino.

Mi mente iba tan deprisa que los pensamientos parecían derrapar. El molino estaba completamente en ruinas, aislado y abandonado desde hacía años. O tal vez no.

Empecé a vendarle el pie otra vez.

—Fue ahí donde pisaste la trampa —afirmé.

Recordé lo que habían dicho al entrar en el Lamb aquella noche. Y de cómo Brenner lo había cortado para que no hablara más de la cuenta.

Scott asintió.

—Cuando la policía empezó a buscar a las mujeres, Carl tuvo miedo de que miraran ahí. Normalmente no me deja ir con él. Dice que debería buscarme un trabajo y no meterme en eso. Pero Dale estaba fuera esa semana, así que tuve que ayudarle a cambiarlo todo de sitio.

—¿Adónde?

—Por todas partes. Hay varios escondites. La mayoría de los animales los trajimos aquí, a los anexos. A mamá no le hizo ninguna gracia, pero solo iban a ser un par de días, hasta que la policía inspeccionase el molino. Entonces fue cuando pisé la trampa y tuvo que hacerlo él todo —dijo abatido—. Se puso como loco. Pero no lo hice a propósito.

—¿La trampa era suya?

Negó sacudiendo la cabeza.

—Dijo que tenía que ser de ese chiflado que va por ahí cargándose a mujeres.

Mantuve la cabeza baja, simulando preocuparme por el pie.

—Entonces, ¿todavía los tiene ahí?

—Claro, no tiene dónde ponerlos. Dale no quiere arriesgarse a cambiarlos de sitio con la policía rondando por todas partes.

—¿Y Carl sigue yendo al molino?

—Todos los días. Tiene que mantenerlos con vida hasta que pueda venderlos —dijo encogiéndose de hombros—. Aunque no sé hasta cuándo seguirá haciéndolo. No han conseguido vender muchos.

Me costaba lo indecible comportarme de forma normal. Procuraba hablar con el mayor desenfado posible.

—Entonces, ¿encubriste a Carl delante de la policía?

—¿Cómo? —exclamó mirándome confuso.

Las manos me temblaban, pero ya estaba acabando de vendarle el pie.

—Cuando vinieron preguntando por las mujeres desaparecidas. No podía decirles que su coartada era el cuidado de los animales, ¿no?

Scott sonrió.

—No, claro. Dijimos que había estado con nosotros todo el tiempo. —En ese momento se le desdibujó la sonrisa—. No le dirá que yo se lo he dicho, ¿verdad?

—No —contesté—. No le diré nada.

Ya había hablado demasiado. Recordé mis palabras de la mañana: «Las mantiene con vida durante tres días antes de matarlas». Con eso sabía que la policía estaba al corriente de su proceder. Gracias a mí, tal vez Jenny iba a perder incluso esa escasa posibilidad de supervivencia.

Por Dios, pero ¿qué había hecho?

Me levanté y guardé el material justo cuando la madre de Scott volvía con una taza de té.

—Lo siento, debo irme.

—Creía que quería una taza de té —dijo ella enojada, apretando los labios.

—Lo siento —dije abandonando el salón.

Scott me miraba con incertidumbre, como si empezara a arrepentirse de su confesión. De pronto, sentía la necesidad imperiosa de marcharme y casi temía que Brenner apareciera de improviso para intentar detenerme. Metí el botiquín de primeros auxilios en el Land Rover y encendí el contacto, consciente de que, en la puerta, la señora Brenner no me quitaba los ojos de encima.

En cuanto los perdí de vista cogí el teléfono, pero cuando intenté llamar a Mackenzie la cobertura iba y venía hasta perderse del todo.

—¡Venga, venga!

Llegué a la carretera asfaltada y tomé la dirección del antiguo molino con la esperanza de que en algún momento lograra tener cobertura. Cuando lo conseguí, llamé otra vez a Mackenzie.

Me contestó el buzón de voz. «¡Mierda, joder!»

—La familia de Carl Brenner mintió en lo referente a su coartada —dije ahorrándome preámbulos—. Él estaba...

De repente, Mackenzie descolgó.

293

—Dígame que no ha ido a verlo.

—A Brenner no, a su madre, pero...

—¡Le dije que no hiciera nada!

—¡Escúcheme! —grité—. Brenner se dedica a cazar pájaros y animales para venderlos con la ayuda de su primo, Dale Brenner, un ex militar. Los guardan en un molino abandonado que hay a kilómetro y medio del pueblo, y ahí fue donde Scott Brenner pisó la trampa.

—Espere. —Había conseguido captar su atención. Al fondo se oían unas voces apagadas—. Ya sé dónde quiere decir. Pero inspeccionamos el lugar y no encontramos nada.

—Los cambiaron de sitio cuando empezó la búsqueda de Lyn Metcalf y luego los volvieron a poner ahí. Fue entonces cuando el hermano de Brenner se hizo la herida. Brenner tenía tanto miedo de que la policía se enterara que ni siquiera lo llevó al hospital.

—Se dedica a la caza furtiva, eso ya lo sabíamos —dijo Mackenzie con tozudez.

—Lo que no sabían es que la familia mintió para protegerlo. Ni que un cazador y un ex militar andan por ahí atrapando animales y encerrándolos en un edificio abandonado, ni que por lo menos uno de ellos no tiene coartada. ¿Es que voy a tener que deletreárselo?

La obscenidad que murmuró me confirmaba que no era necesario.

—¿Dónde está ahora?

—Acabo de salir de casa de los Brenner.

No le dije que estaba de camino al molino.

—Y Brenner ¿dónde está?

—Ni idea.

—Muy bien, mire, estoy en la unidad móvil. Venga lo antes posible.

Eso quedaba justo en dirección contraria.

—¿Para qué? Le he dicho todo lo que necesitaba saber.

—Y a mí me gustaría comentar los detalles. No quisiera que nadie cometiera ninguna imprudencia, no sé si me entiende.

No respondí. Seguí conduciendo con el teléfono en el oído, escuchando el rumor del asfalto bajo las ruedas del coche, cada segundo un poco más cerca del lugar en que sin duda Jenny estaba retenida.

–¿Me ha oído, doctor Hunter?

La voz de Mackenzie se había vuelto dura como el acero. Levanté el pie del acelerador. Era una de las decisiones más duras que había tomado en la vida.

–Le he oído –contesté entre dientes.

Di la vuelta y regresé.

El cielo había adquirido un brillo malsano. Frente al sol se había formado un pequeño cúmulo de nubes que confería a la luz un tono ictérico. Por vez primera en semanas, la brisa transportaba algo más que aire sobrecalentado. En alguna parte, no muy lejos, acechaba la lluvia, pero por el momento el incremento de la humedad apenas conseguía otra cosa que acentuar la sensación de bochorno.

Incluso con las ventanillas bajadas, llegué sudando al furgón de la policía. En torno a él había más actividad de la acostumbrada. Cuando entré Mackenzie estaba sentado a una mesa estudiando un plano con un grupo de agentes, algunos de paisano, otros de uniforme. Los que iban con uniforme llevaban chalecos antibalas. En cuanto me vio, se quedó en silencio.

Vino hacia mí, y no parecía muy satisfecho.

–No puedo decir que esté contento después de lo que ha hecho –dijo sacando la mandíbula de forma amenazante–. Le estoy agradecido por su ayuda de los días anteriores, pero esto es una investigación policial y no pienso permitir intromisiones por parte de un civil.

–Intenté advertirle sobre Brenner, pero usted no quiso escucharme. ¿Qué podía hacer?

Pude ver que tenía ganas de discutir, pero se contuvo.

–El superintendente quiere hablar con usted.

Me condujo a la mesa donde estaba el grupo de agentes y me presentó. Un hombre alto y adusto con un aura de autoridad inconfundible me tendió la mano.

—Soy el superintendente Ryan. Creo que dispone de nueva información, ¿verdad, doctor Hunter?

Les expliqué lo que Scott Brenner me había dicho, procurando ceñirme estrictamente a los hechos. Cuando terminé, Ryan se volvió hacia Mackenzie.

—Entiendo que conoce usted a ese tal Carl Brenner, ¿no es así?

—Efectivamente, y lo hemos interrogado. Encaja con el perfil, pero tenía coartadas, tanto para la desaparición de Lyn Metcalf como para la de Jenny Hammond. Además, la familia las ha confirmado.

—Hay otra cosa —interrumpí. El corazón me latía desbocado, pero tenían que saberlo—. Esta mañana le dije a Brenner que el asesino mantiene a las víctimas con vida.

—Cielo santo —dijo Mackenzie por lo bajo.

—Quería que se diera cuenta de que el asunto era más importante que él y Ben Anders.

La justificación me pareció inadecuada incluso a mí. En la mirada de los policías se mezclaban la indignación y la hostilidad. Ryan asintió con un leve movimiento de cabeza.

—Gracias por venir, doctor Hunter —dijo con serenidad—. Ahora debe disculparnos. Tenemos mucho que hacer.

Se dio la vuelta y Mackenzie me llevó afuera. Se contuvo hasta que salimos del furgón.

—¿Qué demonios le hizo decirle eso a Brenner?

—¡Porque sabía que estaban interrogando al hombre equivocado! Además, créame si le digo que nada de lo que pueda decirme me hará lamentarlo más de lo que ya lo lamento.

Su enfado se mitigó un poco al ver que decía la verdad.

—Es posible que no influya —dijo—, mientras el hermano no diga nada. Él todavía no sabe que es sospechoso.

Eso no me hacía sentir mejor.

—¿Van a mirar en el molino?

–En cuando podamos. El rescate de un rehén no puede dejar-se a la improvisación.

–Pero ¡si solo están Brenner y su primo!

–Posiblemente armados, y uno de ellos tiene instrucción mili-tar. No se puede orquestar una operación sin planificar. –Suspiró–. Oiga, sé que para usted es difícil, pero sabemos lo que hacemos, ¿de acuerdo? Confíe en mí.

–Quiero ir con ustedes.

El gesto de Mackenzie se endureció.

–Ni hablar.

–Me quedaré en los coches, no me pondré en la línea de fuego.

–Que lo olvide.

–¡Es diabética, por el amor del cielo! –dije alzando la voz y atra-yendo las miradas de la gente que pasaba a nuestro alrededor–. Soy médico –agregué moderando el tono–. Necesitará insulina ense-guida. Tal vez esté herida, o en coma.

–Habrá una ambulancia medicalizada.

–Necesito estar ahí, ¡por favor! –insistí una vez más.

Pero el inspector se dio la vuelta para dirigirse al furgón. Casi como si acabara de ocurrírsele algo, se dio media vuelta y añadió:

–Ni se le ocurra ir por su cuenta, doctor Hunter. Por el bien de su chica, es lo último que nos hace falta.

No hacía falta que dijera lo que ambos pensábamos: «Ya ha complicado usted bastante las còsas».

–De acuerdo.

–¿Me da su palabra?

Inspiré hondo.

–Sí.

Su expresión se relajó, aunque solo un poco.

–Procure mantener la calma. Le llamaré en cuanto tengamos noticias.

Y, tras dejarme allí, regresó al furgón.

27

Un verano, cuando Jenny tenía diez años, sus padres se la llevaron a Cornualles. Acamparon en un lugar próximo a Penzance, y el último día el padre se los llevó en coche por la costa hasta una pequeña cala. Nunca supo si tenía nombre, solo que estaba formada de arena blanca y fina y que en los acantilados de los alrededores anidaban numerosas aves. Era un día caluroso y la frescura del mar resultaba deliciosa. Jugó en la orilla y en la arena, y luego se tumbó al sol a leer un libro que le habían regalado, *Las crónicas de Narnia*, de C. S. Lewis. Leerlo la hacía sentirse adulta.

Habían pasado allí el día entero. En la cala habían encontrado a unas cuantas familias más, pero poco a poco habían marchado hasta quedar solamente Jenny y sus padres. El sol había empezado a declinar sobre el mar, proyectando sombras cada vez más alargadas. Jenny, que no quería que el día terminara, esperaba que en cualquier momento su padre o su madre se levantaran diciendo que era hora de marcharse. Pero no. Pasó la tarde, llegó el atardecer y sus padres parecían tan reacios como Jenny a ponerle fin al día.

Al bajar la temperatura, se habían puesto un jersey. Habían estado riéndose de la madre de Jenny, que insistía en tomar un último baño pese a tener la carne de gallina. La cala estaba orientada hacia el oeste, por lo que podían disfrutar de una maravillosa vista de la puesta de sol. Fue precioso: un inmenso resplandor dorado y púrpura que los hizo enmudecer mientras la noche seguía avanzando. Solo cuando el sol estuvo totalmente oculto tras el horizonte, el padre se puso en pie y dijo:

—Hora de irse.

Recorrieron la playa a la luz del crepúsculo, dejando en Jenny la indeleble impronta del día más perfecto de su infancia.

Pensaba en aquel día, intentando volver a sentir el sol sobre la piel y la arena escapándosele entre los dedos. Podía oler la crema solar de coco de su madre, saborear el salitre del mar en los labios. La cala seguía estando allí, y en alguna parte del universo, pensó Jenny, tal vez incluso existiera todavía la niña Jenny, atrapada para siempre en ese día interminable.

Tendida en el suelo de la celda, el dolor del dedo amputado se había unido al del resto de las heridas formando una oleada de sufrimiento de la que le era imposible evadirse. No obstante, en esos momentos incluso el dolor le parecía lejano, como si en vez de sufrirlo en carne propia lo observara desde la distancia. A cada momento le parecía que iba a perder el conocimiento, y cada vez le costaba más distinguir los delirios de la brutal realidad. Sabía que por una parte era una mala señal y que estaba empezando a sumirse en el coma. Por otra parte, tal vez eso fuera mejor que soportar el martirio que su captor le tuviera reservado. «Vamos, mira la parte buena.» De una forma o de otra, Jenny sabía que moriría en ese agujero.

Mejor morir antes de que volviera.

Pensó en sus padres y en cómo reaccionarían al conocer la noticia. Sintió tristeza, pero una tristeza vaga. El pesar que le producía el recuerdo de David era más profundo, aunque tampoco podía hacer nada por él. Incluso el miedo iba diluyéndose y desdibujándose, como los objetos al mirarlos a través del agua. La rabia era la única emoción que todavía ardía en ella con una intensidad febril. Rabia hacia ese hombre dispuesto a segar su vida con la indiferencia de quien barre una mota de polvo.

En un momento de lucidez intentó de nuevo aflojar el nudo, pero apenas le quedaban fuerzas. Sus dedos habían perdido el vigor y los temblores que empezaron poco después impedían volver a intentarlo. Exhausta, se dejó caer al suelo y enseguida volvieron los delirios. En uno de ellos soñó con poseer el cuchillo de su captor. Era largo y brillante como una espada. Cortaba la soga sin problemas y luego empezaba a flotar y salía volando hacia la libertad y la luz del día.

Después el sueño acabó y volvió a encontrarse en el suelo sucio y ensangrentado de la bodega.

Al principio, el ruido de la madera arrastrándose parecía formar parte también de un sueño. Incluso la luz que se derramó sobre ella dio paso a imágenes de cielos azules, árboles y hierba. Luego algo la golpeó en la cara, abriéndole el corte de la mejilla con un dolor gélido, y cayó en la cuenta de dónde estaba. Sintió que alguien la levantaba del suelo tomándola por las axilas y sacudiéndola bruscamente.

—¿David...? —dijo ella intentando identificar la borrosa figura inclinada sobre ella.

O quizá solo intentara decirlo, pues el único sonido que emitieron sus labios fue un gemido lánguido y seco. De pronto una mano pesada le dio una bofetada que le giró la cara.

—¡Despierta! ¡Despierta! ¿Me oyes?

Enfocó el rostro que tenía ante los ojos. «Oh. No es David.» Las facciones del hombre estaban contraídas en una mueca de furia y decepción. A Jenny le entraron ganas de llorar. Después de todo, la muerte no llegaría a tiempo. Le parecía terriblemente injusto. Al menos estaba volviendo a perder el conocimiento. Apenas se percató de que el hombre la dejaba caer e incluso el dolor de la cabeza impactando contra el duro suelo no le pareció más que una molestia menor.

De pronto un golpe de frío la hizo volver en sí. Por un momento, le pareció que se le paraba el corazón. Empezó a boquear, era como si el diafragma se le hubiera transformado en piedra. Logró inspirar una vez, luego otra. Parpadeando a través de la cortina de agua, vio al hombre de pie encima de ella. En la mano llevaba un cubo de agua, todavía goteante.

—¡Aún no! ¡No vas a morir aún!

Dejó caer el cubo y la aferró con fuerza por el pie. Con unos pocos y hábiles movimientos deshizo el nudo que la aprisionaba.

Sin esperar a que recuperara el resuello, la obligó a levantarse. A rastras y a cuestas, la llevó hasta el fondo del sótano, donde había un tabique de ladrillo. La dejó detrás, sobre un suelo duro y compacto. Jenny veía borroso, pero al mirar hacia lo alto distinguió un grifo oxidado sobresaliendo de la pared. Reparó también en otra cosa, algo que se le impuso aun a pesar de las brumas provocadas por la falta de insulina. Junto a ella había un sumidero de hierro circular; en un destello de intuición, Jenny supo lo que debía fluir por él.

La había llevado al matadero.

El hombre reapareció cargando un saco. Desató la cuerda que lo cerraba y le dio la vuelta, esparciendo un montón de plumas al lado de la cabeza de Jenny, que de repente se encontró cara a cara con los ojos aterrados y amarillentos de una lechuza.

—Un ave sabia, apropiada para una maestra —dijo el hombre, en cuyo rostro lucía una sonrisa.

Cuchillo en mano, se agachó y agarró la lechuza por las patas. Jenny vio que las tenía atadas, pero al levantarlo el animal se revolvió. Por un momento, la lechuza pareció pegarse a la mano del hombre. El desesperado batir de las alas hizo caer el cuchillo al suelo con gran estrépito. Luego el hombre arrojó el animal contra la pared y este cayó al suelo, donde hubo una pequeña explosión de plumas. El captor observó en silencio la herida que se había hecho en la mano: el pico de la lechuza le había traspasado la carne y la sangre le manaba en abundancia. La habitación empezaba a desenfocarse otra vez.

«Bien», dijo con entusiasmo una voz en su interior. El hombre succionó la herida y sus ojos se cruzaron. «Todavía no. Espera un poco más y me dará igual lo que hagas conmigo», pensó leyéndole las intenciones en la mirada.

Pero él ya iba hacia ella.

—Estás de parte de la lechuza, ¿verdad? Pobre lechuza. Pobrecita lechuza.

Se quedó de pie frente a ella con expresión meditabunda. De pronto, ladeó la cabeza, como si escuchara algo. A través de la bruma gris que le nublaba la vista, Jenny vio reflejado en su rostro algo inesperado. Al cabo de un instante, y aun a través de la nube de algodón que parecía envolverla, también ella lo oyó. En el piso de arriba se había oído un fuerte portazo.

Había alguien arriba.

28

Ciento cincuenta años atrás, el antiguo molino había sido el orgullo de Manham. Más que un molino de grano, era una bomba eólica, una de las centenares que se emplearon para desecar los marjales de los Broads. Actualmente no era más que una estructura ruinosa en la que nada hacía adivinar su gloria pasada. De las majestuosas aspas no quedaba otro rastro que el espacio vacío en la mampostería medio derruida en la que antaño habían estado encajadas. En los alrededores, la naturaleza había vuelto a reclamar sus dominios. Con los años, los terrenos anegados cedieron ante los árboles y la maleza, hasta que la torre quedó casi oculta.

Oculta, pero no sin utilidad.

Conseguí hacer una reconstrucción de lo sucedido a partir de lo que Mackenzie me relató posteriormente. El plan consistía en irrumpir a la vez en el molino, en la casa de los Brenner y en el caserón donde vivía Dale Brenner. La intención era atrapar a ambos sin que ninguno de ellos o de los familiares tuviera tiempo de avisar al otro. Aunque la planificación llevaría más tiempo, se creyó que era lo mejor si queríamos encontrar a Jenny con vida. Siempre y cuando todo saliera según lo planeado, desde luego.

Podría haberles dicho que las cosas nunca salen así.

Mackenzie fue con los grupos especiales que irrumpieron en el molino. Cuando los coches y furgonetas que transportaban a los agentes equipados con chalecos antibalas llegaron al objetivo ya estaba anocheciendo. Con ellos iba una unidad de respuesta armada y también una ambulancia medicalizada, lista para llevarse a Jenny o a quien fuera al hospital. Dado que el único acceso al molino era por una pista estrecha y llena de maleza, decidieron aparcar en la linde del bosque y recorrer el último trecho a pie.

Una vez en el molino, se quedaron tras una hilera de árboles mientras un equipo se encargaba de cubrir las puertas y ventanas de la parte posterior. Mientras esperaba a que tomaran posiciones, Mackenzie estudió el edificio en ruinas. Tenía todo el aspecto de estar abandonado; a la luz del crepúsculo, las piedras de los muros parecían diluirse en la oscuridad. Entonces la radio crepitó y una voz le comunicó que todo el mundo estaba preparado. Mackenzie miró al agente al mando de los equipos especiales y le hizo un leve gesto la cabeza.

—Adelante.

En ese momento no se me informó de nada de todo eso. Lo único que sabía era que debía sufrir la agonía de esperar. Mackenzie tenía razón: tanto él como yo sabíamos por experiencia que si una operación policial no se planifica al detalle, no llega a buen puerto. Sin embargo, eso no me hacía la espera más llevadera.

Al fin había aceptado quedarme en el furgón policial, pero era evidente que no era bienvenido. Como de todos modos se me hacía insoportable la frustración de tener que esperar y adivinar el desarrollo del operativo por la expresión sombría de los presentes, volví al Land Rover y telefoneé a Ben. Debía de estar impaciente por saber qué tal había ido todo. Mientras marcaba su número, las manos me temblaban.

—Oye, ¿y por qué no vienes y esperas conmigo? —propuso—. Así me ayudas a acabar el whisky. Es mejor que no te quedes solo.

Le agradecí el interés, pero decliné la invitación. Lo último que necesitaba en esos momentos era alcohol. O compañía. Colgué y miré por el parabrisas. El cielo de Manham se había apagado hasta quedar de color cobrizo, y empezaban a acumularse unas nubes aún más oscuras. El aire estaba impregnado de una promesa de lluvia. La ola de calor tocaba a su fin justo a tiempo. «Como tantas otras cosas.»

Sin pensarlo, salí del coche, decidido a hablar de nuevo con Mackenzie para persuadirlo de que me permitiera ir con ellos, pero me detuve antes de llegar al furgón. Sabía cuál sería la respuesta, y que a Jenny no la beneficiaría una nueva injerencia.

La solución se manifestó ante mí sin esperarlo. Tal vez no pudiera ir con ellos al molino, pero no podían prohibirme que aguardara en las proximidades. Para eso no necesitaba ni siquiera pedirle permiso a Mackenzie. Podía llevarme un poco de insulina y prepararme para cuando encontraran a Jenny. No era un gran plan, pero era mejor que esperar sentado. Ya había perdido a Kara y a Alice; no iba a quedarme de brazos cruzados mientras se decidía el destino de Jenny.

En mi botiquín no disponía de insulina, pero guardábamos unas dosis en el frigorífico de la consulta. Volví corriendo al coche y me dirigí a Bank House. Entré dejando el motor del Land Rover en marcha. Las visitas de la tarde habían finalizado, pero Janice todavía no se había marchado. Cuando entré me miró atónita.

—Doctor Hunter, no esperaba... es decir, ¿se sabe algo?

Sacudí la cabeza, llevaba demasiada prisa para responderle. Entré como una exhalación en el despacho de Henry y abrí el frigorífico. Ni siquiera me di cuenta de que Henry había entrado en la habitación.

—David, ¿qué demonios haces?

—Busco la insulina —dije revolviendo entre botellas y cajas—. Vamos, ¿dónde coño está?

—Tranquilízate y dime qué ha pasado.

—Han sido Carl Brenner y su primo. Tienen a Jenny en el antiguo molino. La policía va a ir a buscarlos.

—¿Carl Brenner? —dijo intentando asimilar la noticia—. Entonces, ¿para qué quieres la insulina?

—Porque voy para allá.

Tenía la insulina delante. La cogí y abrí el armario de acero en busca de una jeringa.

—Pero ¿no han preparado una ambulancia?

En vez de responder seguí buscando las jeringas obstinadamente por los estantes del armario.

–David, piensa un poco. Cuentan con equipos de emergencia perfectamente preparados, llevan insulina y cuanto sea preciso. ¿Qué favor vas a hacerles yendo tú también?

La pregunta hizo mella en mi frenesí. Toda la energía insana que hasta entonces me había aguijoneado pareció evaporarse. Me quedé contemplando la insulina y las jeringas con una expresión estúpida.

–No lo sé –dije con voz ronca.

Henry suspiró.

–Guarda eso, David –dijo con voz afable.

Me resistí un instante, pero acabé por hacerle caso.

–Ven, siéntate –dijo cogiéndome del brazo–. Tienes muy mal aspecto.

Dejé que me acompañara al sillón, pero no me senté.

–No puedo sentarme. Necesito hacer algo.

Henry me miraba preocupado.

–Sé que es difícil. Pero a veces, por más que uno lo desee, no puede hacer nada.

Tenía un nudo en la garganta y las lágrimas me humedecían los ojos.

–Quiero estar ahí cuando la encuentren.

Henry guardó silencio un instante.

–David... –dijo con una inflexión de inseguridad–. Sé que no quieres oír esto, pero... en fin, ¿no crees que deberías prepararte?

Sentí como si algo se me hubiera clavado en el estómago. No podía respirar.

–Sé lo mucho que la quieres, pero...

–No lo digas.

Henry hizo un gesto cansino con la cabeza.

–Muy bien. Bueno, déjame que te traiga una copa.

–¡No quiero ninguna copa! –exclamé intentando no perder los estribos–. No puedo esperar sentado. No puedo.

Henry me miraba impotente.

–Ojalá supiera qué decir. Lo siento.

—Déjame hacer algo. Lo que sea.

—No sé el qué. Solo hay una visita programada, y...

—¿Quién es?

—Irene Williams, pero no es urgente. Estarás mejor si te quedas aquí...

Pero yo ya me dirigía hacia la puerta. Salí sin las notas sobre la paciente y casi sin reparar en la mirada de preocupación de Janice. Tenía que moverme, evitar pensar en el hecho de que el destino de Jenny no estaba en mis manos. Intenté quitármelo de la cabeza mientras me dirigía a la pequeña casa adosada de las afueras del pueblo en que vivía Irene Williams. Era una mujer de más de setenta años, muy habladora, que esperaba con un buen humor digno de un estoico a que la operaran de una cadera artrítica. Normalmente disfrutaba visitándola, pero esa tarde me veía incapaz de mantener una charla con ella.

—Qué callado está hoy. ¿Se le ha comido la lengua el gato? —preguntó mientras le firmaba la receta.

—Es que estoy un poco cansado.

Vi que le había recetado insulina en vez de analgésicos. La arrugué y empecé a escribir otra.

—Usted cree que yo no sé lo que le pasa —dijo ella con una risita.

Me quedé mirándola. Sonrió. Los dientes postizos eran lo único que conservaba algo de vigor en aquel rostro apergaminado.

—Lo que necesita es una buena chica. Ya vería cómo le cambiaría la cara.

Me vinieron ganas de salir corriendo.

Ya a salvo en el Land Rover, apoyé la cabeza en el volante. Miré el reloj. Las manecillas parecían moverse con una lentitud pasmosa. De todos modos era demasiado temprano para tener noticias. Conocía muy bien la forma de proceder de la policía: lo más probable era que todavía estuvieran hablando, dando instrucciones a los equipos especiales y ultimando el plan.

Aun así, comprobé el móvil. La intensidad de la señal subía y bajaba, pero en cualquier caso había suficiente cobertura para recibir llamadas o mensajes. Nada. Miré hacia el pueblo a través del parabrisas. Me asombró lo mucho que odiaba Manham en ese momento. Odiaba sus casas de piedra y su paisaje llano y pantanoso. Odiaba la desconfianza y el resentimiento que destilaba el carácter de sus habitantes. Odiaba a ese homicida pervertido que había conseguido pasar inadvertido hasta dar rienda suelta a su demencia. Por encima de todo, odiaba el hecho de que ese pueblo me hubiera hecho conocer a Jenny para arrebatármela. «¿Ves esto? Pues así es como podría haber sido vuestra vida.»

Aquel sentimiento malsano se diluyó con la misma rapidez que había aflorado. Cuando puse en marcha el coche, unas nubes negras oscurecían el cielo como una magulladura en expansión. No podía hacer otra cosa sino volver, sentarme y esperar esa llamada telefónica que tanto temía. Pensar en ello me desesperaba.

En ese momento recordé algo. Por la mañana, al ir a ver a Scarsdale a la iglesia, Tom Mason me había comentado lo de las molestias de espalda de su padre. Era un problema crónico, el precio de pasarse la vida encorvado sobre los parterres. Si iba a visitarlo, mataría unos minutos y me distraería hasta tener noticias de Mackenzie. Entre aliviado y desesperado, di media vuelta con el coche y me dirigí a casa de los Mason.

El viejo George y su nieto vivían cerca del bosque, a orillas del lago, en la que antaño fuera la casa del guarda de Manham Hall. Los miembros de la familia llevaban generaciones trabajando en la jardinería. El propio George había trabajado de joven en Manham Hall, hasta que la mansión fue derribada después de la guerra. Actualmente no quedaba más que la casa del guarda y unos cuantos acres de tierras de cultivo que todavía resistían al avance del bosque.

Desde el patio de la casa, donde había aparcado, podía verse el resplandor plomizo del lago entre los árboles. Me acerqué para llamar a la puerta, decorada con un panel de cristal esmerilado que tembló bajo los golpes de mi mano. Al no obtener respuesta, volví a llamar. Mientras esperaba oí un trueno que hizo vibrar el aire. Miré al cielo y me sorprendí de lo rápido que había declinado la luz. Las nubes de tormenta que se arremolinaban sobre el pueblo habían hecho que el día tocara a su fin antes de hora. En poco tiempo oscurecería del todo.

Tardé un poco en reparar que no se veían luces en la casa; de haber alguien, habrían estado encendidas. Allí vivían solo ellos dos, ya que los padres de Tom habían muerto cuando él era pequeño. Quizá a última hora George se hubiera recuperado y hubiera ido a trabajar. Di media vuelta en dirección al Land Rover, pero a los pocos pasos me detuve. Me sentía inquieto, como si estuviera pasando algo por alto. El aire traía un silencio fantasmal, la calma previa a la tormenta. Eché una ojeada al patio, convencido de que cualquier cosa iba a suceder de un momento a otro. No vi nada.

Noté algo en el brazo y di un respingo. Me había caído encima una gruesa gota de lluvia. Poco después, los relámpagos iluminaron el cielo. Por un instante, todo quedó teñido de un blanco deslumbrante. Durante el pesado silencio que siguió, percibí, más con la intuición que con el oído, un sonido. Al momento quedó ahogado por la violenta descarga de un trueno, pero estaba seguro de que no había sido mi imaginación. Un zumbido grave, casi subliminal, que me resultaba demasiado familiar.

Moscas.

Mientras la sospecha empezaba a nacer en mí, a varios kilómetros de distancia Mackenzie observaba con semblante adusto unas pilas de jaulas llenas de aves y animales atemorizados. Un sargento se acercó y con voz entrecortada le dijo lo que ya sabía.

–Hemos mirado en todas partes. Aquí no hay nadie.

29

Era difícil precisar la procedencia exacta del zumbido de las moscas, pero estaba seguro de que provenía de la casa. Las oscuras ventanas parecían escrutarme inexpresivas. Fui hacia la que tenía más cerca y miré dentro. Pude distinguir la cocina, pero poco más. Probé con la siguiente: un salón, la pantalla de un televisor apagado frente a dos viejos sillones.

Volví a la puerta, alcé la mano para llamar otra vez, pero la bajé antes de hacerlo. Si alguien hubiera podido abrirme, ya lo habría hecho. Me quedé de pie en el zaguán, sin saber qué hacer.

Sin embargo, sabía lo que había oído y era consciente de que no podía irme sin más. Posé la mano en el picaporte. Si estaba cerrado, la decisión ya no estaría en mis manos. Lo giré.

La puerta se abrió.

Vacilé. Sabía que ni siquiera tenía que haberme pasado por la cabeza hacer una cosa así. Entonces sentí el olor que procedía del interior de la casa. Fétido y dulzón, un olor que me resultaba extremadamente familiar.

Abrí del todo la puerta y me encontré con un vestíbulo oscuro. El olor era inconfundible. Con la boca seca, saqué el teléfono con la intención de llamar a la policía. Aquello no era perseguir fantasmas: allí había algo —alguien— muerto. Ya había empezado a marcar cuando me di cuenta de que no había cobertura. La casa de los Mason estaba en una zona muerta. Solté una imprecación y me pregunté cuánto tiempo debía de llevar ilocalizable en caso de que Mackenzie hubiera intentado ponerse en contacto conmigo.

Razón de más para entrar. De todos modos, aunque no hubiera necesitado un teléfono fijo, no tenía elección. No me apetecía lo más mínimo entrar en la casa, pero ya no podía echarme atrás.

El olor se hacía más intenso. Yo seguía inmóvil en el vestíbulo, intentando hacerme una idea de la casa. A primera vista, todo parecía en su sitio, pero por todas partes se veía una fina capa de polvo.

—¿Hola? —grité.

Nada. A mi derecha había una puerta. La abrí y me encontré con la cocina que había visto a través de la ventana. Platos sucios acumulados en la pila, comida solidificada y podrida. Unas cuantas moscas de tamaño considerable salieron volando, pero no eran suficientes para producir el rumor que había oído antes.

El salón estaba igual de descuidado. Las mismas butacas que había visto por la ventana encaradas hacia el televisor. Ningún teléfono a la vista. Salí del salón y me encaminé a las escaleras. Los peldaños estaban cubiertos con una moqueta vieja y raída, y el piso de arriba estaba envuelto en penumbra. Me quedé quieto al pie de la escalera con la mano apoyada en la barandilla.

No quería subir, pero había llegado demasiado lejos para irme. Vi un interruptor. Lo encendí y me llevé un susto al ver que la bombilla parpadeaba y finalmente se apagaba. Empecé a subir despacio. A cada paso, el olor se hacía más penetrante. Noté también otro olor, empalagoso, alquitranado, que se me quedó clavado en el subconsciente. No tenía tiempo para pensar qué podía ser. Las escaleras desembocaban en un distribuidor. A través de la oscuridad alcancé a distinguir un cuarto de baño sucio y vacío y otras dos puertas. Me acerqué a la primera y la abrí. En el interior había una pequeña cama deshecha; el suelo era de tablones de madera sin pintar. Salí y me dirigí a la segunda puerta. Allí el olor se sentía con más fuerza. Puse la mano en el picaporte y lo giré; la puerta no se abrió y, por un momento, pensé que estaba cerrada con llave. Probé imprimiendo más fuerza, vencí la resistencia y la abrí.

Una nube de moscas salió volando hacia mi cara. Intenté espantarlas, ahogándome casi bajo el hedor que desprendía el cuarto. Creía estar acostumbrado a esa clase de olores, pero aquello era insoportable. Las moscas se calmaron y volvieron a posarse sobre una figura tendida en una cama. Me tapé la boca con una mano y, respirando lo menos posible, decidí acercarme.

Lo primero que sentí fue alivio. El cuerpo estaba en estado de descomposición avanzado y, aunque a primera vista resultaba imposible determinar su sexo, fuera quien fuese llevaba muerto hacía bastante tiempo. En cualquier caso, bastante más de dos días. «Gracias a Dios», pensé.

Las moscas que cubrían el cuerpo se movieron irritadas cuando intenté acercarme más. Empezaba a estar demasiado oscuro para que se mantuvieran activas. De haber llegado a la casa un poco más tarde o de no haberlas asustado el rayo, tal vez nunca hubiera oído el zumbido delator. Me fijé en que la ventana no estaba del todo cerrada. La rendija era demasiado pequeña para renovar el aire de la habitación, pero lo bastante grande para que las moscas se sintieran atraídas por el olor a putrefacción y pudieran poner sus huevos.

El cuerpo estaba apoyado sobre unas almohadas y los brazos descansaban sobre las sábanas. Junto a la cama había una vieja mesita de noche de madera con un vaso vacío y un despertador parado. Al lado, un reloj de pulsera masculino y un frasco con pastillas. Estaba demasiado oscuro para leer la marca, pero de repente cayó otro rayo, iluminando los detalles de la estancia como una instantánea silenciosa: papel de pared con flores deslucidas, una fotografía enmarcada sobre el cabezal de la cama. Llegué incluso a ver la etiqueta del frasco. Analgésicos Coproxamol, los de George Mason.

Tal vez el viejo jardinero tuviera problemas de espalda, pero sin duda no era ese el motivo por el que no se lo había visto por el pueblo últimamente. Recordé las palabras de Tom Mason cuando en el cementerio le había preguntado dónde estaba su abuelo: «En la cama todavía». Me pregunté cuánto tiempo debía de llevar muerto el viejo George. Y lo que pudiera significar el hecho de que nadie en Manham hubiera notado su ausencia.

Decidí salir, con cuidado de no tocar nada. La estampa apuntaba más a una tragedia familiar que al escenario de un crimen, pero no quería complicar las cosas todavía más. Alguien tendría que determinar la causa de la muerte y averiguar por qué el nieto no la había notificado. Alguien en sus cabales no hubiera hecho una cosa como esa, pero a veces el duelo es difícil de comprender. No sería el primero que se hubiera negado a aceptar la muerte de un ser querido.

Al volver al distribuidor sentí otra vez aquel olor empalagoso. Con la puerta abierta entraba un poco más de luz, lo que me permitió ver una serie de grandes manchas en el marco. En el umbral podían verse todavía unos periódicos doblados y con idénticas manchas. Por eso me había costado abrir la puerta. Al tocar con los dedos aquella sustancia negruzca noté que era pegajosa.

Betún.

De pronto supe qué era lo que mi subconsciente llevaba todo el día intentando decirme. Debajo del aroma de las flores y la hierba recién cortada del cementerio, había percibido otro olor más tenue. En ese momento tenía demasiadas cosas en la cabeza para prestarle atención, pero ahora sabía lo que era. Betún, que se habría pegado a la ropa de Mason o a sus herramientas tras sellar el dormitorio del abuelo.

La misma sustancia que había encontrado en la muesca de las vértebras de Sally Palmer.

Intenté tranquilizarme y pensar con calma. Me parecía inconcebible que Tom Mason fuera el asesino. Demasiado ingenuo, demasiado bonachón como para tramar tales atrocidades, no digamos ya para cometerlas.

Sin embargo, sabíamos que el asesino se había estado escondiendo a la vista de todos. Y eso mismo era lo que había hecho Mason, que en ningún momento había dejado de cuidar con esmero el cementerio y el prado del pueblo, camuflándose con tanta eficacia que a nadie le había llamado la atención. Siempre a la sombra del abuelo, un tipo dócil, de los que pasan por la vida sin pena ni gloria.

Hasta ese momento.

Me dije a mí mismo que anticipaba conclusiones. Pocos minutos antes estaba convencido de que Carl Brenner era el asesino. Claro que Mason también encajaba con el perfil y Brenner no guardaba el cadáver en descomposición de su abuelo en casa. Ni había intentado disfrazar el olor con la misma sustancia encontrada en el cuello de una mujer asesinada.

Las manos me temblaban cuando saqué el teléfono para llamar a Mackenzie, olvidándome de que no tenía cobertura. Me precipité escaleras abajo soltando improperios, y al llegar abajo pensé que, si bien el inspector debía conocer mi hallazgo, tampoco yo podía marcharme sin asegurarme de que Jenny no estaba ahí. Recorrí la casa a oscuras, abriendo todas y cada una de las puertas. En ninguna de las habitaciones había signo alguno de vida, ni tampoco un teléfono desde el que pudiera llamar.

Salí corriendo hacia el Land Rover, intentando llamar con el móvil por si por algún azar atmosférico lograba obtener señal. Mientras ponía en marcha el coche estalló un trueno. Ya había anochecido y las gotas de lluvia empezaban a caer sobre el parabrisas. El patio no me permitía maniobrar, así que salí dando marcha atrás. Al hacerlo, los faros del coche iluminaron los árboles que tenía enfrente y, en un momento dado, algo reflejó la luz.

Por suerte el coche era automático, si no, se me habría calado al pisar el freno con tanta fuerza. Observé la parte de bosque de donde había surgido el reflejo, pero fuera lo que fuese lo que lo había provocado permanecía oculto. Con la boca seca, deshice el camino y, cuando los faros iluminaron otra vez los árboles, vi de nuevo el reflejo.

Era un rectángulo luminoso de color amarillo: una matrícula de coche.

Por lo visto, el camino no terminaba en el patio, sino que continuaba en el interior del bosque. Aunque estaba invadido de vegetación, todavía resultaba practicable. El vehículo aparcado en el bosque quedaba demasiado lejos para ser visible. De no ser por el reflejo, nunca habría descubierto su existencia.

Necesitaba hablar con Mackenzie, pero el bosque me llamaba. Aquellos terrenos eran propiedad privada y distaban varios kilómetros de los lugares donde habían sido encontrados los cuerpos, por lo que seguramente no habían sido inspeccionados. Tenía que haber una razón para que ese vehículo estuviera ahí. Me debatía entre dos alternativas incompatibles. Finalmente, pisé el acelerador y seguí el camino.

Casi al instante tuve que aminorar, porque las ramas estrechaban el paso. Apagué los faros para no pregonar mi llegada, pero sin luces era imposible ver nada. Cuando volví a encenderlas, el camino pareció desaparecer bajo su brillo. Había empezado a llover bastante. Puse en marcha los limpiaparabrisas y pegué los ojos al cristal mientras el coche avanzaba por la superficie desigual. Los faros volvieron a iluminar la matrícula, que brilló como un farolillo en las tinieblas. Por fin pude ver el vehículo. No era un automóvil, sino una furgoneta.

Estaba aparcada junto a un edificio bajo oculto entre los troncos de los árboles.

Paré el coche. Cuando apagué los faros todo desapareció. Busqué la linterna en la guantera, rezando por que las pilas funcionaran aún. La encendí y proyectó un haz de luz amarilla. Abrí la puerta del automóvil con el pulso retumbándome en los oídos y barrí los alrededores con la linterna. Nadie a la vista, tan solo árboles. A través de ellos podía adivinar la sólida negrura del lago. Estaba empapado y no oía más que la lluvia. Abrí el maletero y saqué la llave inglesa de la caja de herramientas. Al sopesarla me sentí algo más seguro y, con ella en la mano, me dirigí al edificio.

La furgoneta aparcada delante era vieja y estaba oxidada. Las puertas posteriores estaban cerradas con un pedazo de cordel. Cuando lo desaté se abrieron chirriando. Dentro había toda clase de útiles de jardinería: palas, bieldos, incluso una carretilla. Vi que había también un carrete de alambre y pensé que Carl Brenner le había dicho la verdad a su hermano. El cepo que había pisado Scott no era de los suyos.

Ni tampoco ninguno de los otros.

Cuando iba a darme la vuelta, la linterna iluminó algo más. Junto a una montaña de herramientas había una navaja. Estaba abierta y podía verse que el filo era dentado como el de una sierra en miniatura. Tenía unas manchas negras.

Supe que tenía ante mí el arma que había matado al perro de Sally Palmer.

Me sobresalté al ver el reflejo de un rayo. El trueno estalló casi de inmediato e hizo temblar el aire con su bramido. Comprobé el teléfono una vez más, aunque no esperaba encontrar señal. En efecto, no la había. Dejé atrás la furgoneta, caminé hacia el edificio y de pronto noté que la cadera se me había enganchado con algo. Bajé la vista y vi una alambrada oxidada que atravesaba la maleza. De ella colgaban una serie de objetos oscuros. Al principio no supe qué eran, pero al enfocarlos con la linterna distinguí un brillo óseo. Los animales pendían de la alambrada a la espera de que se pudrieran.

Los había por docenas.

La lluvia tamborileaba en las hojas de los árboles. Me dispuse a reseguir la alambrada. A los pocos metros, terminaba de forma brusca y sobre la hierba aún se veían restos de alambre retorcidos. Atravesé el cercado y rodeé el edificio. Era un bloque de poca altura, sin rasgos especiales y sin puertas ni ventanas. En algunas partes el hormigón de las paredes se había desconchado y dejaba a la vista el armazón de hierro. Cuando llegué al lado opuesto y vi la puerta hundida y el estrecho ventanuco, comprendí lo que era. Un viejo búnker antiaéreo. Sabía que algunas casas de campo disponían de ellos; la mayor parte habían sido construidos a comienzos de la Segunda Guerra Mundial y nunca se habían utilizado.

Sin embargo, alguien le había encontrado una utilidad a ese.

Me acerqué a la puerta con sigilo. Era de acero pero el óxido la había vuelto de un color rojizo. Supuse que estaría cerrada, pero al empujarla se abrió sola.

Sentí una bocanada de aire mohosa. Entré, el corazón casi se me salía del pecho. Con la linterna iluminé una pequeña habitación, vacía a excepción de unas cuantas hojas secas esparcidas por el suelo. Enfoqué las paredes desnudas hasta que di con una segunda puerta, escondida, casi invisible, en una esquina.

Oí un ruido detrás de mí que me hizo darme la vuelta de golpe, justo a tiempo para ver cerrarse la puerta de entrada. Intenté detenerla pero no llegué a tiempo. El portazo resonó con fuerza. Cuando el eco dejó de oírse, supe que quienquiera que estuviera ahí tenía que haber advertido mi presencia.

No quedaba más opción que seguir. Fui hacia la segunda puerta sin preocuparme por no hacer ruido. Al abrirla me encontré con un estrecho tramo de escaleras que llevaban a la parte inferior. En el techo, una bombilla de poca potencia irradiaba una luz mortecina.

Apagué la linterna y empecé a bajar.

El aire estaba cargado y hedía. Reconocí en él la pestilencia de la muerte, pero intenté no pensar en lo que eso podía significar. La escalera giraba sobre sí misma y desembocaba en un sótano alargado y de techo bajo. Parecía mucho mayor que la estructura de hormigón de la superficie, como si el refugio se hubiera construido sobre unos cimientos ya existentes. La oscuridad no permitía ver la pared del fondo. Había un banco de trabajo sobre el que colgaba una bombilla cuya luz revelaba toda suerte de formas y sombras.

Lo que vi ante mí me dejó petrificado.

El techo estaba cubierto de cadáveres de animales y aves: zorros, conejos, patos, todos ellos colgando como trofeos macabros. Muchos se habían podrido hasta convertirse en momias de piel y hueso, otros presentaban un estadio de descomposición más reciente, pero todos estaban mutilados y les faltaba la cabeza o las extremidades. Oscilaban con una lentitud hipnótica mecidos por alguna corriente de aire.

Me esforcé por apartar la vista y examiné el resto de la bodega. Vi más cosas que me llamaron la atención. Sobre el banco de trabajo había un flexo encarado hacia una esquina en la que no había nada. En el suelo, iluminada por su fuerte luz, había una cuerda, uno de cuyos extremos estaba anudado a una argolla metálica. Sobre el banco había un sinfín de viejas herramientas que, en un escenario como ese, adquirían un nuevo y espantoso significado. A continuación vi un objeto que se me antojó mucho más siniestro y fuera de lugar.

Doblado encima de una silla, había un traje de novia decorado con unos encajes con forma de flor de lis. Estaba manchado de sangre.

Al verlo, salí de mi asombro.

—¡Jenny! —grité.

Percibí un movimiento entre las sombras de la parte del fondo. Poco a poco emergió una figura; cuando la luz la enfocó, reconocí en ella al nieto de George Mason.

Tenía la misma expresión inofensiva que de costumbre, solo que en ese momento no parecía inofensivo. Me di cuenta de que era bastante corpulento, y más alto y ancho de espaldas que yo. Vestía unos vaqueros y una cazadora militar manchados de sangre.

No me miraba a la cara, sino que movía la vista entre mi pecho y mis hombros. Tenía las manos vacías, pero pude ver que de debajo de la chaqueta asomaba la funda de un cuchillo.

—¿Dónde está? —pregunté con la voz quebrada al tiempo que levantaba la llave inglesa.

—No debería haber bajado, doctor Hunter —dijo en tono apologético.

Lentamente, acercó la mano a la funda del cuchillo. Su sorpresa no fue menor que la mía al encontrarse con que estaba vacía.

—¿Qué le has hecho? —dije dando un paso al frente.

Se puso a buscar por el suelo, como si esperara encontrar el arma.

—¿A quién?

Giré el flexo y lo enfoqué hacia él, que se protegió los ojos con una mano. Cuando la luz iluminó la parte del fondo, distinguí una figura desnuda medio escondida tras un tabique.

Me quedé sin aliento.

—No haga eso —dijo Mason mirándome con los ojos entrecerrados.

Corrí hacia él con la llave en alto dispuesto a golpear su dócil rostro con todas mis fuerzas, pero al hacerlo el brazo se me enganchó con los animales que colgaban del techo. Quedé envuelto en una avalancha mefítica de pieles y plumas que no me dejaban respirar. Las aparté justo a tiempo para ver a Mason arremetiendo contra mí. Procuré esquivarlo, pero consiguió poner las manos sobre la llave. En la otra mano todavía tenía la linterna, y descargué un golpe sobre su cabeza. Mason soltó un grito y comenzó a lanzar puñetazos, uno de ellos me hizo tambalear y la llave y la linterna fueron al suelo con gran estrépito. Terminé cayendo sobre el banco de trabajo y entonces sentí una terrible punzada: me había clavado una de las herramientas en la espalda.

Mason me dio un codazo en el estómago que me hizo perder la respiración. Me doblé hacia delante, con la herramienta aún clavada en la espalda. Lo miré a la cara y vi que sus plácidos ojos azules se mantenían imperturbables mientras apoyaba el antebrazo sobre mi garganta para estrangularme. Conseguí liberar una mano e intenté resistir la presión. Con un breve movimiento, cargó todo su peso en el brazo y con la otra mano intentó coger algo del banco. Oí el roce de un instrumento metálico: trataba de arrancar un formón de un bloque de madera. Intenté inmovilizarle el brazo, pero al hacerlo dejé desprotegida la garganta. La presión iba en aumento y él me miraba fijamente sin dejar de buscar el formón con la otra mano. Empecé a ver unas chispas de luz. Entonces él giró la vista hacia el formón y en ese instante vi que algo se movía a su espalda.

Era Jenny. Avanzó con una lentitud agónica hacia lo que parecía una montaña de plumas y se puso a buscar algo debajo. Yo dejé de mirarla y clavé los ojos en el imperturbable rostro de Mason. Intenté darle un rodillazo en la entrepierna pero estábamos demasiado cerca el uno del otro; sin embargo, logré clavarle un puntapié en la espinilla. Soltó un gruñido y sentí que la presión en mi garganta disminuía ligeramente. A nuestro lado, el bloque donde estaban los formones cayó haciendo un ruido sordo. Los dedos de Mason se abrían y se cerraban como las patas de una araña descomunal, acercándose cada vez más a una de las herramientas a pesar de que yo intentaba tirar de su brazo hacia mí. Un movimiento me distrajo. Con el rabillo del ojo vi a Jenny que intentaba levantarse. Estaba de rodillas apoyada contra la pared e intentaba recoger algo que había frente a ella.

Finalmente Mason logró hacerse con uno de los formones, y yo, en vez de tirar de su brazo hacia mí, empecé a hacer fuerza por apartarlo. El pánico se iba adueñando de mí a medida que comprobaba lo fuerte que era. Tenía el formón cada vez más cerca y el brazo empezaba a temblarme. El sudor resbalaba por su cara y caía sobre la mía, pero aparte de eso sus anodinas facciones no traslucían ningún otro signo de fatiga. Mantenía la misma expresión impávida y concentrada que cuando se ocupaba de las plantas.

De repente, dio un tirón con el brazo en dirección contraria y se liberó. Al ver que el formón se levantaba sobre mi cabeza, intenté agarrarlo, aun sabiendo que no podría detenerlo. En ese momento dejó escapar un grito y arqueó la espalda. El brazo que me apresaba la garganta había desaparecido. Al levantar la vista vi a Jenny, que, desnuda y bañada en sangre, se esforzaba por mantener el equilibrio detrás de Mason. En la mano tenía un cuchillo de grandes dimensiones, pero mientras la miraba se le escurrió entre los dedos. Cuando tocó el suelo, Mason rugió y le propinó un revés.

Jenny se desplomó y yo me arrojé sobre él. Rodamos por el suelo y Mason volvió a gritar. Me apartó de un empellón y empezó a arrastrarse. En la espalda tenía una mancha de sangre que se hacía cada vez mayor. Intentaba recuperar el cuchillo. Me lancé hacia él, y al hacerlo golpeé un objeto duro con el pie. Bajé la vista y vi que era la llave inglesa. Al mismo tiempo que Mason recogía el cuchillo, yo levanté la llave y descargué un golpe sobre la herida de puñal que tenía en la espalda. Soltó un alarido, y cuando volvió la cara hacia mí le di un segundo golpe en la cabeza.

El impacto fue tal que hasta me hice daño en la mano. Mason cayó al suelo sin hacer ruido. Levanté la llave para golpearlo nuevamente, pero no hubo necesidad. Jadeando, esperé para asegurarme de que no volvía a moverse y luego fui hacia Jenny. Seguía tendida en el mismo lugar donde se había desplomado. Le di la vuelta con cuidado y el corazón me dio un vuelco cuando vi toda aquella sangre. Tenía cortes por todo el cuerpo, algunos superficiales, otros más profundos. El de la mejilla llegaba casi hasta el hueso, y al ver lo que Mason le había hecho en el pie, quise soltarle otro mazazo. Al detectar que todavía tenía pulso, a punto estuve de exhalar un gemido de alivio. Era débil e irregular, pero estaba viva.

—Jenny, Jenny, soy yo, soy David.

—David... —dijo abriendo los ojos dificultosamente.

Su voz era poco más que un susurro, y mi alivio quedó congelado cuando olí el regusto dulzón de su aliento. «Cetoacidosis.» Su cuerpo había empezado a descomponer grasas, elevando hasta cotas tóxicas la concentración sanguínea de cetona. Necesitaba insulina y la necesitaba enseguida.

Pero yo no tenía.

—No hables —dije como un imbécil al ver que se le cerraban los ojos.

Las fuerzas que había reunido para apuñalar a Mason se le habían extinguido. Incluso el pulso parecía perder intensidad. «Dios mío, ahora no, no me hagas esto ahora.»

Sin hacer caso del dolor que me atenazaba la espalda y la garganta, la alcé en brazos. Me sorprendió su ligereza. Pesaba menos que una pluma. Mason seguía sin moverse, pero cuando llegué a la escalera pude oír su resuello quejumbroso. Una vez arriba, abrí la puerta de una patada y salí al bosque. Diluviaba, pero después de las aberraciones de aquel sótano me pareció una bendición. Senté a Jenny en el asiento del copiloto del Land Rover. La cabeza le colgaba sobre el pecho y tuve que ajustarle el cinturón de seguridad para que no se precipitara hacia delante. Abrí el maletero para coger la manta que llevaba como parte del botiquín de emergencias y se la eché por encima. Puse el motor en marcha y di la vuelta al coche, maniobra durante la que rayé el lateral de la furgoneta de Mason y partí algunas ramas. Ya enderezado, tomé por el camino a toda velocidad.

Conduje lo más rápido que pude. Jenny llevaba dos días sin inyectarse insulina y padeciendo solo Dios sabe qué atrocidades. Además había perdido mucha sangre. Necesitaba tratamiento urgente, pero el hospital más cercano quedaba a varios kilómetros, demasiado lejos para arriesgarme a llevarla en esas condiciones. Torturándome con la idea de que en la consulta había llegado a tener la insulina en mis manos, consideré las alternativas. No eran muchas. Era posible que Jenny estuviera a punto de entrar en coma. Si no se estabilizaba pronto, moriría.

En ese momento me acordé de la ambulancia medicalizada que Mackenzie había dispuesto para el asalto al antiguo molino. Con un poco de suerte, seguirían allí. Busqué el teléfono, preparado para llamarlos pidiendo ayuda en cuanto diera señal. No estaba en el bolsillo. Lo busqué frenéticamente por el resto de los bolsillos, pero allí tampoco estaba. Intenté contener el pánico y pensé que tal vez se me hubiera caído al suelo durante el forcejeo en el refugio. La situación me superaba. «¿Doy media vuelta o sigo? ¡Vamos, decídete!» Al fin pisé bruscamente el acelerador. Si volvía a buscarlo, perdería un tiempo precioso.

Tiempo que Jenny no podía permitirse.

Llegué al final del camino y torcí hacia la carretera. En la consulta había insulina. Allí por lo menos podría empezar a tratarla mientras esperábamos a la ambulancia. Seguí acelerando, observando la noche a través del cristal mientras los limpiaparabrisas se esforzaban por apartar la cortina de agua que caía. Llovía con tal fuerza que, incluso con las luces largas, no podía ver más que unos pocos metros de carretera. Lancé una mirada a Jenny, y lo que vi me bastó para aferrar el volante con fuerza y acelerar todavía más.

Parecía que no íbamos a llegar nunca a Manham. De pronto, el pueblo surgió bajo la lluvia como salido de la nada. La carretera estaba desierta a causa de la tormenta y la prensa que antes abarrotaba las calles había desaparecido. Contemplé la posibilidad de detenerme en el furgón de policía, que seguía aparcado junto al prado, pero enseguida lo descarté. No había tiempo para explicaciones, la prioridad en esos momentos era conseguir insulina para Jenny.

Al embocar la entrada de la casa vi que todo estaba a oscuras. Todavía tuve el aplomo suficiente para aparcar en un lateral, dejando espacio para que la ambulancia pudiera llegar hasta la puerta. Salí y fui corriendo a la puerta del acompañante. Aunque respiraba de forma rápida y superficial, Jenny alcanzó a moverse cuando la levanté y notó la lluvia en la cara.

—¿David...? —susurró.

—No pasa nada, ya estamos en la consulta. Aguanta un poco más.

Pero no parecía oírme. Empezó a resistirse débilmente, con la mirada perdida y llena de temor.

—¡No! ¡No!

—Soy yo, Jenny, ya ha pasado.

—¡No dejes que me coja!

—No le dejaré, te lo prometo.

Estaba a punto de perder el sentido otra vez. Golpeé la puerta, incapaz de llevarla en brazos y abrir al mismo tiempo. Transcurrió una eternidad hasta que al fin se encendió la luz del vestíbulo. En cuanto Henry abrió la puerta, me precipité al interior.

—¡Llama a una ambulancia!

—David, pero ¿qué...? —empezó a decir al tiempo que apartaba la silla de ruedas con una expresión de asombro estampada en el rostro.

—Está entrando en coma diabético —contesté mientras entraba en el vestíbulo—, ¡necesitamos una ambulancia ahora mismo! Diles que tal vez haya una con la policía.

Abrí la puerta del despacho de Henry de una patada mientras él hacía la llamada desde el vestíbulo. Cuando la tendí sobre el sofá, Jenny ni se inmutó. Bajo la máscara de sangre, su rostro estaba pálido. El pulso del cuello era cada vez más débil. «Aguanta, por favor, aguanta.» La situación era desesperada; los riñones y el hígado tal vez ya hubieran sufrido daños y, si no actuaba enseguida, el corazón podía fallarle en cualquier momento. Aparte de la insulina, también necesitaba suero y fluido intravenoso para expulsar las toxinas que la estaban envenenando, pero en la consulta no disponía del instrumental necesario. Lo único que podía hacer era esperar que la insulina la mantuviera con vida el tiempo suficiente para que la ambulancia la trasladara al hospital.

Abrí el frigorífico, pero con tantos nervios no podía encontrar nada.

—Ya lo hago yo, tú busca la jeringa —ordenó.

Los marcos con las fotografías que había en lo alto del armario metálico de los medicamentos temblaron al abrir las puertas y empecé a hurgar los estantes en busca de las jeringas.

—¿Qué pasa con la ambulancia?

—Ya viene de camino. Aparta, no estás en condiciones. Déjame a mí —dijo Henry en tono perentorio a la vez que me alargaba la mano para que le diera la jeringa. No discutí—. ¿Se puede saber qué demonios pasa? —preguntó atravesando el precinto con la aguja.

—Era Tom Mason. La tenía encerrada en un antiguo refugio antiaéreo cerca de su casa. —El corazón me dio un vuelco al ver que Jenny seguía inmóvil—. Fue él quien mató a Sally Palmer y a Lyn Metcalf.

—¿El nieto de George Mason? —repuso Henry con incredulidad—. ¿Bromeas?

—A mí también ha intentado matarme.

—¡Por Dios bendito! ¿Y dónde está ahora?

—Jenny lo ha apuñalado.

—¿Quieres decir que está muerto?

—Tal vez. No lo sé.

En ese momento tampoco me importaba. Consumido por la impaciencia, vi que Henry miraba detenidamente la jeringa y fruncía el ceño.

—¡Maldita sea! La aguja está taponada, no se llena. Coge otra, rápido.

Regresé al armario de los medicamentos intentando reprimir las ganas de gritar. Las puertas se habían cerrado y volví a abrirlas con tanta violencia que uno de los retratos se precipitó al suelo. No le di importancia, pero mientras buscaba las jeringas me pareció advertir algo extraño.

Miré otra vez, pero no el retrato que había caído, sino el que había junto a este. Era una fotografía de Henry con su esposa el día de la boda. La había visto infinidad de veces y me había conmovido pensando en ese instante de felicidad inmortalizado. Sin embargo, lo que me llamaba la atención esta vez era otra cosa.

La esposa de Henry llevaba un vestido exactamente igual al que había visto en el sótano de Mason.

Me dije que no eran más que imaginaciones mías, pero el diseño, con la ornamentación de encajes en forma de flor de lis en la parte delantera del vestido de novia, no dejaba lugar a dudas. Eran idénticos. No, idénticos no, pensé. Era el mismo vestido.

–Henry... –empecé a decir, pero de repente sentí un dolor en la pierna que me dejó sin voz.

Bajé la mirada y vi que Henry se alejaba de mí sobre la silla de ruedas con una jeringa vacía en la mano.

–Lo siento, David, lo siento de veras –dijo mirándome con una mezcla de pesar y resignación.

–Pero qué... –empecé a protestar, pero las palabras no acudían a mi boca.

A mi alrededor todo comenzaba a desvanecerse, los contornos de la habitación empezaron a desdibujarse. Me desplomé en el suelo, de pronto sentía una gran ligereza. Estaba perdiendo la noción de la realidad, lo último que vi fue la imagen imposible de Henry levantándose de la silla de ruedas y caminando hacia mí.

Luego todo se difuminó en las tinieblas.

30

El lento tictac del reloj llenaba la habitación con un sonido como el del polvo al caer a través de la luz del sol. Las pulsaciones sonaban lentas y un siglo entero parecía transcurrir entre una y la siguiente. A pesar de que no podía verlo, mi mente proyectaba la imagen del viejo y pesado reloj, cuya madera olía a cera y tiempo. Pensé que lo conocía hasta el último detalle, que podía sentir el tacto de la curva de la llave antes incluso de tocarla para darle cuerda.

Podría haberme quedado escuchando su majestuosa cadencia toda la eternidad.

En la chimenea ardía un leño que desprendía un dulce aroma a pino. Una de las paredes estaba repleta de anaqueles con libros y las esquinas de la estancia estaban iluminadas con el suave resplandor de unas lámparas. En el centro de la mesa de madera de cerezo había un cuenco lleno de naranjas. La habitación irradiaba un aura familiar, igual que el resto de la casa, aunque sabía que nunca había puesto los pies en ella en la vida. Era el lugar en el que Kara y Alice vivían en mis sueños. Era nuestro hogar.

Me embargó una alegría tan desbordante que creí que no podría contenerla. Kara estaba sentada frente a mí en el sofá y Alice, cual gatita, estaba hecha un ovillo en su regazo. Me miraban con ojos tristes. Quería decirles que no había razón para estar tristes. Todo había terminado. Volvía a estar con ellas.

Para siempre.

—Fuera hay otra niña, sal a jugar con ella —dijo Kara apartando a Alice de sus rodillas.

—¿No puedo quedarme con papá?

—Ahora no. Papá y yo tenemos que hablar.

Alice hizo un mohín de disgusto. Vino hacia mí y me abrazó. Al estrecharla entre mis brazos pude sentir el calor y la presencia de su cuerpo menudo.

—Vamos, no pasa nada —dije besándola en la frente. Sus cabellos parecían de seda—. Estaré aquí cuando vuelvas.

—Adiós, papá —dijo mirándome con solemnidad.

La seguí con la mirada mientras salía de la sala. Al llegar a la puerta, se dio la vuelta, me saludó con la mano y se marchó. Tenía el corazón tan henchido de emociones que no podía ni hablar. Kara seguía mirándome al otro lado de la mesa.

—¿Qué pasa? —pregunté—. ¿No eres feliz?

—Esto no está bien, David.

No pude contener la risa.

—Claro que está bien. ¿No lo notas?

A pesar de mi felicidad, la tristeza de Kara era inconfundible.

—David, es la droga lo que te hace sentir así. Pero es una sensación falsa, debes resistir.

No comprendía su preocupación.

—Estamos juntos otra vez. ¿No es eso lo que querías?

—Así no.

—¿Por qué no? Estoy aquí contigo, eso es lo que importa.

—Ya no se trata solo de nosotros. Ni de ti. Ya no.

Un gélido soplo de brisa aplacó mi euforia.

—¿Qué quieres decir?

—Ella te necesita.

—¿Quién? ¿Alice? Pues claro que me necesita.

Pero sabía que no era a nuestra hija a quien se refería. La felicidad que sentía hasta entonces comenzaba a desmoronarse, pero estaba decidido a aferrarme a ella. Me puse en pie, me acerqué a la mesa y cogí una naranja del cuenco.

—¿Quieres una?

Kara se limitó a sacudir la cabeza mirándome en silencio. Sostuve la fruta en la mano. Podía sentir su peso y ver la trama ondulada de la piel. Podía imaginar el jugo que salpicaría al pelarla, podía casi saborear su intenso gusto. Sabía que sabría dulce, lo sabía, como sabía que comerla, morderla, implicaría de algún modo un acto de aceptación. Y que no habría vuelta atrás.

Me asaltaron las dudas y volví a colocar la naranja en el cuenco. Noté una opresión en el pecho y volví a sentarme. Kara tenía los ojos llenos de lágrimas, pero sonreía.

—¿A esto te referías entonces, cuando dijiste que tuviera cuidado? —pregunté.

No contestó.

—¿No es demasiado tarde?

Una sombra cruzó por su rostro.

—Tal vez. No falta mucho.

Sentí un nudo en la garganta.

—¿Y qué pasa contigo y Alice?

—Nosotras estamos muy bien —dijo con una sonrisa llena de candor—. No tienes que preocuparte por nosotras.

—No voy a volver a verte, ¿verdad?

Ella lloraba en silencio, pero sin perder la sonrisa.

—No es necesario. Ya no.

Las lágrimas empezaron a resbalar también por mis mejillas.

—Te quiero —dije.

—Lo sé.

Vino hacia mí y me abrazó. Hundí la cabeza en sus cabellos por última vez y respiré su perfume. No quería soltarla, pero tenía que hacerlo.

—Cuídate, David —dijo.

Y cuando noté el gusto salado de mis lágrimas en los labios, me di cuenta de que ya no oía el reloj…

… y me desperté en medio de la oscuridad, estaba inmovilizado y me costaba respirar.

Intenté tomar aire, pero no pude conseguirlo. Mi pecho parecía comprimido con bandas de hierro. Me entró el pánico. Jadeando, logré al fin coger oxígeno, primero una vez, luego otra. Tenía la sensación de estar envuelto en una nube de algodón, aislado del mundo exterior. Habría sido tan fácil claudicar y sumirse una vez más en…

«Resiste.» Las palabras de Kara volvieron a mí con la fuerza de un torbellino. La euforia de antes se había convertido en cenizas. El diafragma me palpitaba, como si protestara con cada aliento. Sin embargo, a medida que inhalaba la respiración se hacía menos dificultosa.

Abrí los ojos.

El mundo se había inclinado hasta quedarse en una posición absurda. Intenté mirar a mi alrededor, pero todo me daba vueltas. Me di cuenta de que, por encima de mi cabeza, Henry me hablaba.

—... no quería que las cosas fueran así, David, por favor, tienes que creerme. Pero en cuanto él se hizo con ella, la situación se me escapó de las manos. ¿Qué podía hacer?

Vi que me movía. A mi lado se deslizaba una pared. Caí en la cuenta de que estaba sentado en la silla de ruedas de Henry y que avanzaba por el vestíbulo. Intenté enderezar la espalda, solo para volver a escurrirme en la silla. La habitación empezó a dar vueltas todavía más deprisa, pero poco a poco iba recordando.

Henry. La aguja.

«Jenny.»

Intenté gritar su nombre, pero apenas si logré proferir un gemido.

—Chsss... David.

Giré la cabeza para mirar a Henry, lo que me provocó otro ataque de vértigo. Tenía su peso apoyado sobre la silla y me empujaba como podía por el vestíbulo.

Caminaba.

Nada tenía sentido. Intenté incorporarme, pero mis brazos no fueron capaces de sostenerme y volví a caer sobre el respaldo.

—Jenny... la ambulancia... —pude farfullar arrastrando las sílabas.

—No hay ninguna ambulancia, David.

—No... no entiendo nada...

Pero sí lo comprendía. O por lo menos empezaba a entenderlo. Recordé la reacción de Jenny al llevarla a la casa, lo mucho que se había asustado. «¡No dejes que me coja!» Creía que deliraba, que se refería a Mason.

Pero no deliraba.

Intenté levantarme otra vez. Los miembros no me respondían, como si estuviera suspendido en gelatina.

–Vamos, David, no sigas –dijo Henry con un sonsonete sardónico.

Me dejé caer de nuevo sobre la silla, pero al pasar por delante de la escalera me agarré al pasamanos. La silla estuvo a punto de volcar. Henry, aunque tambaleándose, logró conservar el equilibrio.

–¡Maldita sea, David!

La silla había quedado ladeada en medio del vestíbulo. Yo seguía aferrado al pasamanos. La habitación empezó a dar vueltas otra vez, así que cerré los ojos. La voz de Henry, entrecortada y furiosa, flotaba a mi alrededor.

–Suéltate, David. Esto no sirve de nada, y tú lo sabes.

Cuando volví a abrir los ojos, Henry estaba apoyado contra la pared frente a mí. Sudaba y estaba despeinado.

–Por favor, David. –Parecía verdaderamente afligido–. Lo único que vas a conseguir es que las cosas se compliquen todavía más.

Como yo seguía asido a la baranda, suspiró, se llevó la mano al bolsillo y sacó de él una jeringa. Me la mostró para que viera que estaba llena.

–Aquí hay diamorfina suficiente para tumbar a un caballo. Preferiría no tener que administrarte más, porque sabes tan bien como yo qué pasaría entonces. Pero si me obligas, tendré que hacerlo.

Mi mente se tomó su tiempo para procesar la información. La diamorfina es un analgésico, un derivado de la heroína que puede provocar alucinaciones y hasta inducir el coma. Esa había sido la droga elegida por Harold Shipman para sumir a sus pacientes en un sueño del que nunca despertarían.

Y Henry me había inyectado ya una buena dosis.

Poco a poco el rompecabezas iba adquiriendo forma.

–Tú y él... Érais... tú y Mason...

Una parte de mí todavía esperaba que lo negara, que de alguna forma me diera una explicación razonable. En vez de ello, se quedó observándome unos instantes, hasta que al fin bajó la jeringa.

—Lo lamento, David. Nunca pensé que esto acabaría así.

Aquello superaba mi capacidad de comprensión.

—¿Por qué, Henry...?

—Me temo que no me conoces del todo bien —dijo sonriendo maliciosamente—. Deberías dedicarte en exclusiva a los muertos. Son mucho menos complicados.

—¿De qué...? ¿De qué me estás hablando...?

Henry frunció el ceño con un gesto de desprecio que le acentuaba las arrugas de la cara.

—¿Crees que me he divertido haciéndome el tullido? ¿Encerrado en este agujero? ¿Soportando la condescendencia de esos... esos animales? Treinta años interpretando el papel de médico solícito, y ¿para qué? ¿Gratitud? ¡Esa gente no sabe ni lo que significa esa palabra!

Por su rostro cruzó un espasmo de dolor. Apoyándose en la pared, se acercó con paso torpe hasta la silla de mimbre que había al lado de la mesita del teléfono. Se sentó soltando un suspiro de alivio y entonces se percató de mi mirada interrogativa.

—No creerías que me iba a rendir, ¿no? Siempre he dicho que demostraría que los especialistas estaban equivocados —dijo casi sin aliento a causa del esfuerzo; antes de continuar se enjugó el sudor de las cejas—. Créeme, no hace ninguna gracia ser un inválido, que todo el mundo sea testigo de tu impotencia. ¿Tienes la menor idea de lo degradante que es? ¿De cómo te consume el alma? ¿Te imaginas quedarte de por vida tal como estás ahora? ¡Y entonces, de repente, se te presenta la oportunidad de tener literalmente, casi literalmente, poder sobre la vida y la muerte! ¡Jugar a ser Dios! —Me lanzó una sonrisa de complicidad—. Vamos, David, admítelo. Eres médico, tienes que haber sentido esa sensación alguna vez. ¿Nunca has tenido la tentación?

—¡Tú... tú las mataste...!

De pronto parecía ofendido ante mi acusación.

—Yo nunca les puse un dedo encima. Fue Mason, no yo. Yo únicamente le soltaba las bridas.

Deseaba cerrar los ojos y que todo terminara. Solo al pensar en Jenny, y en lo que pudiera haberle hecho, reuní fuerzas para seguir resistiendo. No obstante, por más que deseara saber qué había sido de ella, no estaba en condiciones ni de ayudarla ni de ayudarme a mí mismo. Si conseguía ganar tiempo haciéndole hablar, el efecto de la droga iría disminuyendo.

—¿Cuánto... cuánto hace...?

—¿Cuánto tiempo hace que lo sé, quieres decir? —preguntó encogiéndose de hombros—. Su abuelo lo trajo a la consulta un día cuando no era más que un chiquillo. Le gustaba torturar y hacer pequeños rituales antes de matar. Claro que por entonces solo lo hacía con animales. No tenía conciencia de estar haciendo nada malo, en absoluto. Es más, para él era algo fascinante. Le propuse al viejo mantener el asunto en silencio y suministrarle tranquilizantes al chico para corregir sus... inclinaciones. Con la condición de poder hacerle un seguimiento. Un proyecto extraoficial, si quieres llamarlo así. Lo sé, lo sé —dijo levantando las manos afectando humildad—, no es muy ético. Pero ya sabes que siempre había querido ser psicólogo. Y habría sido de los buenos, ya lo creo, pero al venir aquí me cerré las puertas. El caso de Mason por lo menos era más interesante que la artritis o la gota. Además, creo que no lo hice nada mal. De no ser por mí, hace años que se habría descarriado.

El temor por Jenny me impelía a pasar a la acción, pero el más leve cambio de posición en la silla hacía que todo me diera vueltas y me producía náuseas. Empecé a tensar los músculos de los brazos y las piernas, intentando despertarlos con la fuerza de mi voluntad.

—¿Mató... mató también a su abuelo...?

—¡No, por Dios, no! —dijo Henry realmente escandalizado—. ¡Adoraba al viejo! No, murió por causas naturales. Del corazón, me imagino. Lo que pasó fue que, una vez muerto el viejo George, nadie podía asegurarse de que Mason se tomara la medicación. Dejé de visitarlo como profesional hace varios años. Lo creas o no, después de un tiempo oyendo descripciones de mutilaciones a animales uno acaba por aburrirse. Me aseguraba de que el viejo George siempre tuviera tranquilizantes a mano, pero aparte de eso me temo que perdí el interés. Hasta que una noche se presentó en la puerta de casa diciendo que había encerrado a Sally Palmer en el antiguo taller de su abuelo.

En ese momento se le escapó la risa.

—Resulta que le había echado el ojo encima a la muchacha uno o dos años atrás, cuando ella los había contratado para que le arreglasen un poco el jardín. La cosa no supuso un problema mientras tomaba tranquilizantes, pero cuando los dejó volvieron a aflorar los instintos. Empezó a acosarla. Seguramente ni él mismo tenía muy claro qué se proponía, pero una noche el perro de Sally lo vio y empezó a armar jaleo. Mason le cortó el cuello y a la chica le dio una paliza para hacerla callar y se la llevó.

Henry movió la cabeza casi admirado. Yo no podía creer que tuviera delante al mismo hombre al que había conocido años atrás y a quien había llegado a considerar mi amigo. Entre la persona que yo había conocido y aquel degenerado había un abismo insalvable.

—¡Por el amor del cielo, Henry...!

—Oh, no me mires así. ¡Esa zorra tuvo lo que se merecía! La famosilla de Manham, la que se mezcla con los palurdos del pueblo cuando no anda pavoneándose por Londres o vete a saber dónde. ¡Una furcia perdonavidas! ¡Dios sabe que no podía mirarla sin acordarme de Diana!

La mención de su esposa muerta me cogió por sorpresa y Henry se dio cuenta de mi confusión.

—Oh, no me refiero físicamente —añadió irritado—. Diana tenía mucha más clase, tengo que admitirlo. Pero en otros aspectos eran tal para cual, créeme. Ambas igual de arrogantes, como si se creyeran mejores que los demás. ¡Muy propio de las mujeres! ¡Todas terminan siendo iguales! ¡Te exprimen y luego se burlan de ti!

—Pero tú querías a Diana...

—¡Diana era una puta! —rugió—. ¡Una jodida puta!

Tenía el rostro retorcido en una mueca que lo hacía irreconocible. Me pregunté cómo una amargura tan enconada podía haberme pasado inadvertida durante tanto tiempo. Janice había insinuado más de una vez que su matrimonio no había sido feliz, pero yo lo había interpretado como celos.

Me había equivocado.

—¡Lo di todo por ella! —espetó Henry—. ¿Quieres saber por qué me dediqué a la medicina general en vez de a la psicología? Porque se quedó embarazada, así que tuve que buscar empleo. ¿Y sabes lo más divertido? Que tenía tanta prisa por conseguirlo que ni siquiera terminé mi formación.

Aquella confesión parecía producirle un placer morboso.

—Así es. Ni siquiera soy un médico cualificado. ¿Crees que me he quedado en este pueblo de mala muerte por propia voluntad? Si decidí quedarme aquí, fue porque el viejo borracho que llevaba la consulta andaba demasiado ocupado para comprobar mi documentación —confesó riendo amargamente—. No creas que no me pareció irónico cuando supe que también tú me habías mentido. La diferencia entre nosotros es que yo estaba atrapado. No podía marcharme ni buscar otro puesto sin correr el riesgo de que me descubrieran. ¿Todavía te extraña que odie este maldito lugar? ¡Para mí Manham ha sido una prisión!

Me miró enarcando una ceja; una macabra parodia del Henry al que creía haber conocido.

—¿Y crees tú que la adorable Diana me apoyó? ¡Oh, no! ¡Todo era culpa mía! ¡También el aborto! ¡Y que ya no pudiera tener hijos! ¡Y que se follara a otros hombres!

Quizá la droga me hubiera aguzado los sentidos, pero de repente comprendí adónde quería ir a parar.

—La fosa del bosque... El estudiante muerto...

Henry se interrumpió en seco. De pronto parecía cansado.

—Dios bendito, cuando lo encontraron, después de todos esos años... —dijo sacudiendo la cabeza ante el recuerdo—. Sí, era uno de los amantes de Diana. Por entonces creía que podía soportarlo todo, pero ese chico no era un paleto como los demás. Era inteligente, guapo. Y jodidamente joven. Tenía toda la vida por delante, un futuro ante él, ¿y qué tenía yo?

—Por eso lo mataste...

—Fue sin querer. Fui al lugar donde acampaba y le ofrecí dinero para que se marchase. Pero no quiso aceptarlo. El muy tontaina se creía que la relación iba en serio. Como es natural, quise dejarle claro que Diana era una zorrilla ligera de cascos. Entonces discutimos, y una cosa llevó a la otra.

Henry se encogió de hombros, como declinando toda responsabilidad.

—Todo el mundo dio por hecho que había hecho los bártulos y se había marchado. Incluso Diana. Sustitutos no le iban a faltar, esa era su filosofía. Nada cambió. Seguí siendo el cornudo del pueblo, el hazmerreír de Manham. Finalmente, una noche que volvíamos en coche de una cena decidí que ya estaba harto. Llegamos a un puente de piedra, y en vez de girar para pasar por encima, pisé el acelerador.

Todo el entusiasmo que había demostrado hasta entonces parecía haberse extinguido y se hundió en el sillón. Parecía viejo y exhausto.

—Pero no tuve agallas. En el último momento intenté dar un volantazo. Demasiado tarde, por supuesto. De modo que así se produjo el famoso accidente. Mi enésimo fracaso. E incluso entonces Diana logró reírse de mí. Ella por lo menos murió en el acto, ¡pero yo soy un tullido! —exclamó descargando un golpe sobre la pierna.

»¡Inútil! La vida en Manham ya era insoportable, pero a partir de entonces, cuando miraba a la gente del pueblo, a este rebaño, con sus patéticas vidas intactas y mofándose a mis espaldas, sentía... ¡un enorme desprecio! ¡Te juro, David, que a veces sentía impulsos de matarlos a todos! ¡A todos! Solo que me faltaban narices para hacerlo. Las mismas que para suicidarme. Entonces Mason se presentó en mi puerta, como un gato que le trae un pájaro a su amo. ¡Mi gólem particular!

Su rostro reflejaba una expresión casi extasiada. Dirigió la vista hacia mí con renovada intensidad.

—Arcilla, David, era como arcilla en mis manos. Ni el más mínimo asomo de conciencia ni de temor a las consecuencias. Estaba esperando a que yo lo moldease, que le dijera lo que debía hacer. ¿Puedes imaginarte lo que es eso? ¿Te das cuenta de las posibilidades? ¡Cuando iba a ese sótano y veía a Sally Palmer me sentía poderoso! Por primera vez en años no me sentía como un patético tullido. Miraba a esa mujer, tan llena de suficiencia y arrogancia, y la veía llorar bañada en sangre y mocos, ¡y entonces me sentía fuerte!

Sus ojos habían adquirido un brillo demoníaco. Con todo, comparado con sus demenciales actos, parecía terroríficamente cuerdo.

—Sabía que era mi oportunidad. No solo para tomarme la revancha con Manham, sino también para deshacerme de Diana, ¡para exorcizar su recuerdo! Ella siempre se había jactado de su gracia para bailar, así que le di a Mason su traje de novia y la caja de música que le regalé en nuestra luna de miel. ¡Cuánto odiaba ese trasto, por Dios! Cuando se arreglaba para ir a ver a quien se le hubiera antojado follarse aquel día, oía sonar *Clair de Lune* hasta la saciedad. Le dije a Mason que obligara a Sally a ponerse el vestido mientras yo esperaba fuera. Cuando bajé, la encontré bailando. Tenía tanto miedo que apenas podía moverse. ¡Humillada, al fin! Una tontería, si quieres, pero para mí fue una verdadera catarsis. Casi daba igual que no fuera Diana.

—Estás enfermo, Henry... Necesitas ayuda...

—Oh, no me vengas con mojigaterías, no me jodas —espetó—. Mason iba a matarla de todos modos. Y una vez que se hubiera manchado las manos de sangre, ¿crees que se detendría? Si te sirve de consuelo, por lo menos no las violó. Le gustaba mirar, pero no se atrevía a tocar. Con el tiempo seguramente habría acabado haciéndolo, pero por alguna extraña razón las mujeres casi le daban pavor. —La idea parecía divertirlo—. Qué irónico, la verdad.

—¡Las torturaba! —grité.

Henry se encogió de hombros pero no me miró a los ojos.

—La peor parte llegaba cuando ya estaban muertas: las alas de cisne, las crías de conejo... —Hizo una mueca de repulsión—. Todo aquello formaba parte de los rituales de Mason. Hasta el traje de novia pasó a ser un elemento más. Cada nueva incorporación pasaba a formar parte del ceremonial. ¿Sabes por qué las mantenía vivas durante tres días? Porque es lo que tardó en matar a la primera. Intentó escapar y el chico perdió los nervios, si no, podrían haber sido cuatro o cinco.

Así que por eso Sally Palmer había recibido una paliza y Lyn Metcalf no. No se había debido a un intento de ocultar su identidad, sino simplemente al arrebato de un perturbado.

Apreté con fuerza los brazos de la silla al recordar las palabras de Henry poco antes de la incursión de la policía en el molino: «¿No crees que deberías prepararte?». Él sabía que iban al lugar equivocado, sabía lo que iba a ocurrirle a Jenny. De haber podido, lo habría matado allí mismo.

—¿Por qué Jenny? —masculló—. ¿Por qué ella?

—Por lo mismo que Lyn Metcalf —dijo intentando parecer indiferente pero sin conseguirlo—. Mason le había echado el ojo encima.

—¡Mientes!

—¡Muy bien, me sentía traicionado! —gritó—. ¡Te consideraba un hijo! Tú eras la única persona decente en este jodido pueblo, ¡y entonces vas y la conoces! Sabía que era cuestión de tiempo que te marcharas y emprendieras una nueva vida, ¡y eso me hacía sentir un puto carcamal! Por eso cuando me dijiste que habías estado ayudando a la policía y revolviendo a mis espaldas, me... me puse...

Calló. Despacio para no llamar su atención, intenté cambiar de posición en la silla procurando no hacer caso de la habitación, que se volvía a ondular y dar vueltas en torno a mí.

—Aunque jamás quise hacerte daño, David —insistió—. ¿Recuerdas la noche en que Mason vino por más cloroformo, la noche del «robo»? Yo estaba en el estudio cuando tú estuviste a punto de entrar, pero te juro que no sabía que había intentado acuchillarte. Me di cuenta luego, cuando creíste que yo acababa de asomarme al vestíbulo. ¿Y recuerdas la mañana siguiente, cuando me sorprendiste intentando subirme al bote?

Su mirada transmitía a la vez remordimiento y orgullo.

—No estaba intentando subir. Estaba saliendo.

Pensándolo bien, la cosa era evidente. Tanto la casa de Henry como la de Mason estaban al borde del lago, y a menos que se tuvieran motivos de sospecha, difícilmente iba a fijarse nadie en un pequeño bote que cruza las aguas en silencio.

—Había ido a disuadirlo —continuó—, a decirle que había cambiado de idea. Tardé horas en llegar, pero no tiene teléfono, así que no había otra forma. Fue una pérdida de tiempo. Cuando a Mason se le mete algo en la cabeza, no hay forma de quitárselo. Como lo de abandonar los cuerpos en el marjal. Intenté convencerlo para que se deshiciera de ellos con más cuidado, pero no escucha. El muy imbécil se me quedaba mirando con esos ojos inertes y lo hacía igualmente.

—Así que dejaste que se llevara a Jenny... Y fuiste con él... Y la miraste...

—Nunca pensé que las cosas acabarían así —dijo levantando las manos y dejándolas caer en un gesto de impotencia—. Por favor, David, créeme: ¡yo no quería hacerte daño!

Escrutaba mi cara buscando desesperadamente algún signo de comprensión. Luego vi que la esperanza desaparecía de sus ojos y que esbozaba una sonrisa malvada.

—En fin, la vida nunca es como uno quiere, ¿no?

De repente, descargó un puñetazo sobre la mesita.

—¡Maldita sea, David, por qué no te has asegurado de que Mason estuviera muerto! ¡Podía haberme arriesgado, incluso con la chica! Pero ¡ahora no tengo elección!

Su frustración reverberaba en las paredes del vestíbulo. Se pasó una mano por la cara y se quedó inmóvil mirando un punto en el infinito. Poco después, pareció volver en sí.

—Acabemos con esto de una vez —dijo con indolencia.

Y mientras intentaba ponerse en pie, reuní todas mis fuerzas y me lancé contra él.

31

Fue en vano. Las piernas me fallaron al levantarme y me di de bruces contra el suelo, mientras que, tras de mí, la silla caía de lado. La brusquedad del movimiento había hecho que la habitación empezara a girar de nuevo. Cerré los ojos con fuerza para no marearme y ahí terminó mi conato de rebelión.

—Oh, David, David —dijo Henry afligido.

El suelo ondeaba y daba vueltas y yo seguía ahí tendido, esperando impotente el pinchazo de la aguja y la oscuridad definitiva que le seguiría. Pero no ocurrió nada. Abrí los ojos y, pese a los vértigos, intenté mirar a Henry. Estaba mirándome con una expresión similar al desasosiego. Su mano, insegura, todavía sostenía la jeringa.

—Me lo pones muy difícil. Si te inyecto esto, morirás. No me obligues a hacerlo.

—Moriré de todos modos... —murmuré.

Intenté ponerme en pie, pero no tenía fuerza en los brazos y el esfuerzo hizo que empezaran a dolerme las sienes. Me desplomé al suelo otra vez y una bruma empezó a enturbiarme la vista. A través de ella vi que Henry se agachaba y me tomaba de la muñeca. No me quedaban energías para soltarme, y no pude más que contemplar cómo introducía la aguja bajo la piel de mi antebrazo. Intenté concentrarme para luchar contra los efectos de la droga, aunque sabía que de nada me valdría.

Sin embargo, Henry no presionó el émbolo. En vez de ello, volvió a sacar la aguja despacio.

—No puedo, así no —susurró.

Se guardó la jeringa de nuevo en el bolsillo. La bruma iba haciéndose más espesa y oscureciendo el vestíbulo. «¡No!» Me resistía, pero, por más que intentaba escapar de ella, la niebla se cernía sobre mí. Todo desapareció, a excepción de un golpeteo rítmico. Confuso, reconocí en él los latidos de mi corazón.

A través de la distancia, sentí como si me levantaran y me movieran. Abrí los ojos y los cerré de nuevo al ver ante mí un calidoscopio de colores y formas que me hacían entrar náuseas. Intenté resistirme, decidido a no perder de nuevo el conocimiento. Se oyó un golpe seco y sentí una brisa fresca sobre la cara. Abrí los ojos y vi sobre mí una bóveda celeste de color añil. Las estrellas y las constelaciones brillaban como el cristal y aparecían y desaparecían entre las nubes, movidas por un viento invisible.

Respiré hondo e intenté ordenar mis pensamientos. Ante mí estaba el Land Rover y la silla de ruedas chocaba contra él produciendo un ruido seco. Las ruedas de la silla hacían crujir la grava de la entrada al jardín. En ese momento, todas las sensaciones me parecían de una claridad meridiana: oía el rumor del viento entre las ramas, olía el aroma de la tierra mojada. Los arañazos y salpicaduras de barro del coche parecían grandes como continentes.

La entrada al jardín describía una pendiente y podía oír la respiración entrecortada de Henry, que se afanaba empujándome cuesta arriba. Rodeó la parte trasera del coche y se paró para recobrar el aliento. Sabía que debía intentar moverme, pero los miembros no me respondían. Cuando se recuperó, volvió a colocarse detrás de la silla y se apoyó sobre ella hasta que consiguió reclinarse en el coche. Caminaba con torpeza y tenía las piernas tan rígidas que apenas podía moverlas. Abrió el maletero del Land Rover y se agachó hasta sentarse en el borde del portaequipajes. Estaba empapado de sudor y la palidez provocada por el agotamiento era visible incluso a la luz de la luna.

Sin dejar de jadear, levantó la vista. Cuando me vio, su rostro se iluminó con una leve sonrisa.

—Veo... veo que has vuelto con nosotros, ¿eh? —dijo inclinándose en mi dirección pero sin levantarse del maletero del coche. Noté sus manos bajo mis axilas—. Un último esfuerzo, David. A la una, a las dos...

Los años que había pasado empujándose en la silla de ruedas le habían conferido una fuerza física considerable, y de ella se estaba sirviendo para ponerme de pie. Intenté zafarme, sin éxito. Henry bufó y me aferró con más fuerza. Cuando me hubo levantado de la silla me cogí a la puerta del maletero, de modo que se cerrara conmigo.

—Vamos, David, no seas estúpido —dijo entre jadeos, intentando que me soltara.

Yo seguía asido con todas mis fuerzas.

—¡Suelta la puta puerta!

Dio un tirón y mi cabeza impactó contra el canto de la puerta. El golpe me hizo una brecha y me quedé tendido sobre el duro suelo metálico de la parte trasera del Land Rover.

—Dios mío, David, ha sido sin querer —dijo.

Sacó un pañuelo para taponarme la herida. Cuando lo apartó, tenía un color oscuro y brillante. Henry se quedó mirándolo y luego se apoyó contra el marco de la puerta tapándose los ojos.

—Cielo santo, qué desastre.

La cabeza me dolía horrores, pero era un dolor limpio, casi vivificante tras el aturdimiento provocado por la droga.

—No... no lo hagas, Henry...

—¿Crees que me divierto? Lo único que quiero es acabar con esto de una vez. No es pedir mucho, ¿no? —dijo haciendo un gesto de agotamiento—. Cielos, estoy hecho polvo. Mi intención era llevarte en coche hasta el lago y rematar el trabajo ahí para luego subir al bote e ir a ver a Mason. Pero creo que eso ya no es posible.

Se inclinó por encima de mí y se puso a buscar en el oscuro interior del vehículo. Cuando se enderezó vi en sus manos un trozo de manguera.

—La he cogido del jardín mientras estabas inconsciente. No creo que Mason vuelva a necesitarla —dijo haciendo una macabra concesión al sentido del humor. Ya más serio, agregó–: No me hace ninguna gracia que te encuentren aquí, pero no tengo alternativa. Con un poco de suerte, creerán que te has suicidado. No es un plan perfecto, pero servirá para salir del paso.

Cerró el maletero de un portazo y todo quedó a oscuras. Oí que cerraba con llave y que caminaba alrededor del coche. Intenté incorporarme, pero el mareo me lo impedía. Alargué una mano en busca de un punto de apoyo y di con algo sólido y rugoso. Una manta. Debajo había algo. Al darme cuenta de lo que era me quedé paralizado.

Jenny.

Estaba hecha un ovillo en el suelo, debajo del asiento trasero. La oscuridad era casi completa y solo pude distinguir el brillo de su cabello rubio. No se movía.

–Jenny... ¡Jenny!

No obtuve respuesta. Le destapé la cabeza y comprobé que tenía la piel helada. «Oh, no, Dios mío, no, por favor.»

De pronto se abrió la puerta del conductor. Entre quejidos, Henry logró acomodarse sobre el asiento.

–Henry... Por favor, ayúdame.

El motor se puso en marcha y mi voz quedó ahogada por el ruido hasta convertirse en poco más que un murmullo indistinguible. Henry bajó un poco el cristal de su ventanilla y se dio media vuelta para mirarme. Con la oscuridad se hacía difícil distinguir su rostro.

–Lo siento, David, lo siento de verdad. Pero no veo otra solución.

–¡Por el amor de Dios!

–Adiós, David.

Se levantó trabajosamente, salió y cerró la puerta. Momentos después algo asomó por el resquicio de la ventanilla.

Era la manguera. En ese momento comprendí por qué había dejado encendido el motor.

–¡Henry! –grité.

El miedo le había devuelto la potencia a mi voz. Lo vi pasar fugazmente por delante del parabrisas, de camino a la casa. Me di media vuelta e intenté abrir la puerta del maletero, aun sabiendo que estaba cerrada con llave. No cedió. Me pareció empezar a oler el humo del tubo de escape. «¡Vamos! ¡Piensa!» Intenté arrastrarme hasta la parte delantera del habitáculo, por donde la manguera entraba en el vehículo. Ante mí se alzaban los asientos del acompañante y el conductor como barricadas insalvables. Intenté aferrarme a ellos para levantarme pero en ese instante sentí que la niebla se abatía de nuevo sobre mí y volví a caer al suelo. «¡No! ¡No te desmayes!» Giré la cabeza, vi a Jenny, todavía inmóvil, y me opuse con todas mis fuerzas al avance de las tinieblas.

Volví a intentarlo. Entre ambos asientos había un pequeño espacio. Conseguí introducir el brazo y alzarme a medias. Podía sentir la bruma dentro de mí, amenazando con envolverme una vez más. Decidí parar y recuperar fuerzas, hasta que al final pasó. En mi pecho, el corazón latía desbocado. Apretando los dientes, hice un esfuerzo por levantarme un poco más y me pareció que el Land Rover se movía y rodaba. «¡Aguanta!» Había conseguido incorporarme y apoyar el pecho en la guantera que separaba ambos asientos. Las llaves del coche colgaban en el contacto, pero parecían estar a años luz. Busqué a tientas el botón de la ventanilla, pero sabía que estaba demasiado lejos. Pese a que la cabeza me daba vueltas, logré alzar la vista hacia el lugar donde asomaba desafiante el extremo de la manguera. No tenía la menor idea de si lograría llegar hasta ahí antes de asfixiarme con el humo. Y aunque lo lograra, ¿de qué serviría? Henry volvería a introducirla. Siempre y cuando no se le agotara la paciencia y decidiera inyectarme el resto de la diamorfina.

No se me ocurría qué más podía hacer. Me agarré al freno de mano y tiré para deslizarme un poco más entre los asientos. En ese momento vi a Henry frente a mí a través del parabrisas. Empujaba lentamente la silla de ruedas hacia la casa, y por la forma de recostarse en ella, parecía al borde de la extenuación.

Yo seguía agarrado al freno de mano. Sin pensar siquiera en lo que estaba haciendo, lo solté.

Noté que el Land Rover se había movido de forma casi imperceptible, pero a pesar de que hasta la casa había desnivel, el vehículo no avanzaba. Desplacé mi peso hacia delante para vencer la inercia que mantenía frenado el coche, pero no sirvió de nada. Entonces vi el cambio de marchas automático. Estaba en el modo de aparcar, y el tubo de escape seguía llenando de humo el habitáculo.

Avancé un poco más y moví la palanca al modo de conducción.

El Land Rover empezó a rodar con suavidad. Yo seguía encajado entre ambos asientos y a través del parabrisas vi que Henry oyó avanzar el vehículo. Miró hacia atrás y abrió la boca desconcertado. Aunque el coche iba ganando velocidad, tenía tiempo suficiente para apartarse, pero tal vez hubiera agotado todas las fuerzas, o sus piernas lisiadas no le respondieran a tiempo. Por un momento, nuestras miradas se encontraron; acto seguido, el Land Rover lo arrolló.

Oí un golpe seco y Henry desapareció de mi vista. Noté una sacudida que me puso el vello de punta, luego otra. Me abalancé hacia delante y así el freno de mano para no colisionar contra la casa, que ya era visible a escasa distancia. Demasiado tarde. Chocamos con fuerza y el coche se detuvo. Salí despedido hacia delante y quedé tendido sobre uno de los asientos. El motor continuaba en marcha. Alargué el brazo, le di la vuelta a la llave y, tras sacarla del contacto, conseguí abrir la puerta.

Entró una ráfaga de aire fresco y puro. Respiré con ansia y me dejé caer sobre el jardín. Pasé unos instantes tendido en la grava hasta que por fin recobré las fuerzas. Me puse a cuatro patas y, tras recostarme en el coche, conseguí ponerme en pie. Apoyándome en él como Henry poco antes, logré llegar a la parte trasera.

Henry estaba unos metros más atrás, pero era poco más que un bulto oscuro e inmóvil echado en el suelo junto a una silla de ruedas. No tenía tiempo para pensar en él. Introduje la llave en la puerta del maletero y me subí para intentar sacar a Jenny.

Seguía en la misma posición. Pese a la dificultad para coordinar mis movimientos, logré quitarle la manta. «Por favor, por favor, vive.» Estaba pálida y fría, pero gracias al olor preocupantemente dulzón de la cetona me di cuenta de que todavía respiraba. «Gracias a Dios.» Estaba deseoso de abrazarla, transmitirle algo de mi calor, pero necesitaba mucho más que eso, y con urgencia.

Volví a salir del coche, y esta vez no me costó tanto trabajo porque la adrenalina y la desesperación contrarrestaban el efecto de la droga, cada vez más tenue. La puerta principal de la casa seguía abierta y proyectaba en el suelo un rectángulo de luz. Entré en el vestíbulo y, apoyándome en la pared, conseguí llegar hasta la mesita del teléfono en la que Henry había estado apoyado poco antes. Por poco me desplomo sobre el sillón de mimbre, pero logré mantener el equilibrio. Sabía que si me sentaba, tal vez no volvería a levantarme, así que me mantuve en pie y levanté el auricular. Como era incapaz de acordarme del número de Mackenzie, llamé a emergencias, aunque tenía los dedos tan entumecidos que incluso eso me resultó difícil.

Cuando el operador contestó, sentí un vahído. Cerré los ojos y empecé a hablar. Hice un esfuerzo por concentrarme y darle todos los detalles posibles, consciente de que la vida de Jenny dependía de que yo articulara un discurso coherente. Puse atención en pronunciar las palabras «emergencia» y «coma diabético», pero me di cuenta de que después empezaba a divagar. Cuando el operador empezó a hacerme más preguntas, colgué el auricular. Mi intención era ir al frigorífico por la insulina, pero sabía que no lo conseguiría: tenía pérdidas de visión y mantenerme en pie me costaba penas y trabajos. Por lo demás, aunque lo lograra, no podría inyectársela en ese estado.

Trastabillando como un borracho, salí de nuevo al jardín. Cuando llegué junto al Land Rover, me embargó una repentina sensación de cansancio y a punto estuve de renunciar. Jenny seguía tendida de costado en el mismo lugar donde la había dejado. Estaba inmóvil y terriblemente pálida. Desde donde estaba podía oír que su respiración había empeorado: jadeante, desigual y rápida, demasiado rápida.

–David.

La voz de Henry era apenas un susurro. Me di la vuelta y lo miré. No se había movido pero tenía la cabeza apuntada hacia mí.

Su ropa, empapada en sangre, despedía un brillo oscuro y hasta la blanca grava en torno a él estaba manchada de rojo. Aun a pesar de la penumbra, vi que tenía los ojos abiertos.

—Lo sabía... eres una caja de sorpresas...

Me di la vuelta de nuevo hacia Jenny.

—Por favor...

No quería seguir mirándolo. Lo odiaba, no solo por lo que había hecho, ni siquiera por lo que había resultado ser, sino por lo que sabía que no era. Con todo, vacilé. Incluso ahora, cuando pienso en ese momento, no estoy seguro de qué hubiera hecho.

Pero en ese momento Jenny dejó de respirar.

El aliento se le había cortado de repente. Por un momento no fui capaz más que de mirarla, esperando inmóvil a que volviera a inspirar. Pero no fue así. Como pude, me subí al maletero de nuevo.

—¿Jenny? ¡Jenny!

Cuando le di la vuelta, la cabeza se le cayó hacia atrás. Tenía los ojos entreabiertos, medias lunas blancas enmarcadas por unas pestañas dolorosamente hermosas. Me apresuré a buscarle el pulso. En vano.

—¡No!

Aquello no podía ser real. El pánico me tenía prácticamente paralizado. «Piensa. ¡Piensa!» La adrenalina me ayudó a recuperar la lucidez; puse a Jenny boca arriba y le coloqué la manta debajo de la cabeza. En la universidad había aprendido a hacer reanimación cardiopulmonar, pero nunca había tenido que ponerla en práctica. «¡Vamos!» Maldiciéndome por mi impericia, le eché la cabeza hacia atrás, le tapé la nariz e introduje mis torpes dedos en su boca para apartar la lengua. La cabeza me daba vueltas, pero la agaché hasta tocar sus labios y le insuflé aire en los pulmones una vez, dos, luego coloqué las manos sobre el esternón y empecé a presionar y contar rítmicamente.

«¡Vamos! ¡Vamos!», suplicaba en silencio. Volví a hacerle el boca a boca y a presionarle los pulmones. Luego otra vez. No reaccionaba. Yo había roto a llorar y las lágrimas me empañaban la vista, pero no por ello cejé en mi intento de devolverla a la vida. Su cuerpo seguía flácido y exánime.

«No sirve de nada.»

Negándome a aceptar lo que parecía evidente, le hice el boca a boca una vez más, conté y le comprimí el pecho rítmicamente. Luego otra vez. Y otra más.

«Se ha ido.»

¡No! Estaba furioso, no quería reconocerlo. Cegado por las lágrimas, seguí intentándolo. El mundo entero se había reducido a esa cerril repetición. «Respira, aprieta, cuenta. Respira, aprieta, cuenta.»

Perdí la noción del tiempo. Ni siquiera me di cuenta del sonido de las sirenas ni del reflejo de los faros en el coche. Lo único que existía para mí era el cuerpo inerte y frío de Jenny y mis movimientos desesperados. Sentí unas manos sobre mí, pero aun entonces me negaba a renunciar.

—¡No! ¡Soltadme!

Forcejeé, pero lograron sacarme del Land Rover y apartarme de Jenny. La entrada de la casa estaba llena de coches y luces. Los paramédicos me llevaron a una ambulancia, donde se agotó mi última reserva de energías y caí al suelo. Frente a mí apareció la cara de Mackenzie. Vi que me hacía preguntas, pero no le presté atención. En torno al Land Rover, la actividad era frenética.

Poco después, entre la confusión general, distinguí unas palabras que por poco me paran el corazón.

—No hay nada que hacer. Demasiado tarde.

EPÍLOGO

La hierba crujía bajo mis pies como cristales rotos. La escarcha de primera hora de la mañana había teñido el paisaje de blanco, convirtiéndolo en un gran páramo monocromo. Por el cielo blanco cruzó un cuervo solitario con las alas inmóviles a los lados, planeando gracias a las corrientes de aire fresco. Las batió una vez, dos veces, y luego desapareció tras la copa deshojada de un árbol; una mancha más en la maraña de ramas desnudas.

Hundí las manos en los bolsillos y pateé el suelo con fuerza para deshacerme del frío que penetraba a través de las suelas de las botas. En la distancia, poco más que una mancha de color, se veía un coche alejándose en un recodo de la carretera. Lo observé mientras se alejaba y envidié a ese conductor que se encaminaba a la calidez de la vida y las casas.

Con la mano me froté la cicatriz blanca de la frente. Con el frío me dolía, y esa molestia me recordaba la noche en que me había golpeado la cabeza contra la puerta del Land Rover. Habían pasado varios meses desde entonces, y la herida se había curado hasta dejar tan solo una fina cicatriz. Las cicatrices más profundas eran las menos visibles, aunque sabía que incluso esas terminarían por cerrarse y sanar.

Con el tiempo.

Todavía me resultaba difícil echar la vista atrás y contemplar con un mínimo de objetividad los sucesos ocurridos en Manham. Las imágenes de la noche de la tormenta, el descenso al sótano, Jenny bajo la lluvia y todo lo que siguió me asaltaban cada vez con menor frecuencia, pero cuando se presentaban, su impacto todavía me cortaba el aliento.

Mason seguía con vida cuando la policía lo encontró. Vivió tres días más; recuperó la conciencia el tiempo necesario para sonreírle a la agente que custodiaba su cama en el hospital. Por un tiempo, temí que se presentaran cargos contra mí, siendo como es la ley inglesa; sin embargo, las alegaciones de defensa propia y el descubrimiento del sótano fueron dos sólidos atenuantes a mi favor.

En caso de necesitar más pruebas, contaba con el diario que la policía había encontrado en el fondo de un cajón cerrado con llave del escritorio de Henry. En él podía leerse la descripción pormenorizada de su autoridad sobre el jardinero de Manham, un estudio extraoficial del caso que, a efectos prácticos, equivalía a una confesión póstuma. Las notas de Henry traslucían su fascinación por el caso, desde el precoz sadismo de Mason —de adolescente había causado la matanza de gatos de la que me había hablado Mackenzie— hasta la perversa alianza de ambos.

No quise leer el diario, pero hablé con uno de los psicólogos de la policía que sí lo había leído y que no pudo disimular su fascinación ante lo que, después de todo, era un testimonio único de dos mentes psicóticas. Y como él mismo dijo, la reputación de un profesional se cimentaba en casos como ese.

Me pareció que, en tanto que psicólogo frustrado, a Henry le habría hecho gracia la ironía.

En otro orden de cosas, tenía sentimientos encontrados respecto a mi antiguo colega. Por una parte rabia, desde luego, pero también tristeza. No tanto por su muerte como por la forma en que había echado a perder su vida y la de tantas otras personas. Me costaba conciliar al hombre al que había considerado mi amigo con aquella criatura amargada que se había revelado al final. Y resolver cuál de los dos era el verdadero Henry.

Si me atenía a los hechos, lo que veía era que mi amigo había intentado asesinarme, pero a veces me preguntaba si la verdad no sería más compleja. El examen post mórtem determinó que la muerte no se había debido a las heridas, aunque probablemente hubieran resultado mortales de necesidad, sino a una potente sobredosis de diamorfina. La jeringa que llevaba en el bolsillo estaba vacía y la aguja clavada en su carne. Pudo ser casualidad, tal vez se la clavara al atropellarlo con el Land Rover. O quizá, en su agonía posterior, se la clavó de forma deliberada.

Aquello, de todos modos, tampoco explicaba por qué no me había inyectado la dosis letal. Habría sido mucho más fácil, si lo que quería era fingir mi suicidio, y, por supuesto, mucho más efectivo.

Cuando empezó la investigación conocí otro dato que hizo cuestionarme sus verdaderas intenciones. Al examinar el Land Rover, la policía encontró un extremo de la manguera colgado en la ventana, pero el otro extremo, en vez de estar conectado al tubo de escape, arrastraba por el suelo.

Pudo separarse cuando el coche empezó a moverse. O tal vez se enganchó con el cuerpo de Henry al pasarle las ruedas por encima. Pero yo no podía evitar preguntarme si en algún momento llegó a estar conectado al tubo de escape.

Creer que Henry había planeado las cosas tal como fueron era pedir demasiado, pero me gustaba pensar que había acabado por arrepentirse. Si de veras hubiera querido asesinarme, habría tenido más de una ocasión. Además, una y otra vez recordaba que, al venírsele encima el Land Rover, ni siquiera había intentado apartarse. Acaso por cansancio, o porque sus débiles piernas no le habían permitido reaccionar a tiempo. O quizá simplemente tomó la decisión en cuanto vio que el coche se le venía encima. Él mismo había admitido que no tenía valor para quitarse la vida. Tal vez al final escogiera el camino más fácil y me dejara decidir por él.

Puede que todo eso sea sacar las cosas de contexto y concederle el beneficio de la duda, algo que no merece. A diferencia de Henry, no pretendo conocer los recovecos de la mente humana. Ese es un campo mucho más lóbrego que el mío, y por más que me empeñe en creer que en Henry surgió una chispa de redención, no hay forma de saberlo con seguridad.

Ni eso ni muchas otras cosas.

Después de darme de alta en el hospital, tuve varias visitas, algunas por obligación, otras por curiosidad y unas cuantas por preocupación sincera. Ben Anders fue de los primeros en visitarme y trajo consigo un excelente whisky de malta añejo.

—Sé que la costumbre es llevar destilados de uva, pero he pensado que uno de cebada te haría más ilusión —dijo mientras lo destapaba.

Sirvió dos vasos y cuando los levantamos para brindar en silencio, tuve la tentación de preguntarle si la mujer con la que había tenido un asunto años atrás estaba casada con un médico, pero me callé. No era de mi incumbencia. Y en el fondo tampoco quería saberlo.

Más me sorprendió la visita del reverendo Scarsdale. El encuentro fue incómodo para ambos. Las viejas rencillas seguían allí y ninguno de los dos teníamos gran cosa que decirnos. Debo decir, no obstante, que valoré el esfuerzo que había hecho. Al levantarse para irse, me miró con gravedad. Creí que diría algo, que expresaría algún sentimiento que venciera el antagonismo que siempre había parecido existir entre nosotros, pero al final se limitó a saludarme con la cabeza y desearme una pronta recuperación. Luego se marchó.

La única que me visitó de forma regular fue Janice. A falta de Henry, me había convertido en el nuevo centro de sus atenciones. Si me hubiera comido todo lo que me traía, habría engordado siete kilos solo en las dos primeras semanas. Como no tenía apetito, le daba las gracias, picaba un poco de sus excelentes platos tradicionales y en cuanto se marchaba tiraba el resto.

Tardé un tiempo en reunir el valor necesario para preguntarle por las aventuras de Diana Maitland. Janice nunca había ocultado su desaprobación del comportamiento de la difunta esposa de Henry y, tras la muerte de este, su opinión no había cambiado. La infidelidad de Diana era un secreto a voces, pero Janice se indignó cuando le pregunté si Henry era el hazmerreír del pueblo, como él mismo creía.

–Todo el mundo lo sabía, aunque miraban hacia otro lado –dijo ella en tono recriminatorio–. Por Henry, no por ella. A él siempre le tuvieron el máximo respeto.

Si no hubiera sido tan trágico, habría sido hasta gracioso.

No volví a trabajar en la consulta. Me hubiera resultado demasiado doloroso volver a Bank House, aun cuando la policía hubiera terminado sus pesquisas. Hice contratar a un suplente hasta que se encontrara a un sustituto definitivo o los pacientes se trasladaran a la consulta de otro médico de la zona. En cualquier caso, lo cierto era que mis días como médico en Manham habían tocado a su fin. Entre mis antiguos pacientes pude percibir cierta reserva. Para muchos yo seguía siendo un forastero que, durante un tiempo, había sido considerado sospechoso. Aun después de aclarados los hechos, mi implicación en el suceso los hacía recelar. Henry tenía razón, pensé: aquel no era mi lugar.

Nunca lo sería.

Una mañana me desperté y supe que era hora de marcharme. Puse la casa en venta y empecé a empaquetar mis cosas. La tarde anterior al traslado, alguien llamó a la puerta. Para mi sorpresa, al abrir me encontré con Mackenzie.

–¿Puedo pasar?

Le dejé entrar y lo acompañé a la cocina. Busqué un par de tazas. Cuando el agua empezó a hervir, me preguntó qué tal estaba.

–Muy bien, gracias.

–¿La droga no ha tenido efectos adversos?

–Por lo visto no.

–¿Duerme bien?

Sonreí.

–A veces.

Serví el té, le alargué una taza y empezó a soplar en ella para evitar mirarme.

–Oiga, sé que usted no quería mezclarse en todo esto –dijo encogiéndose de hombros. Era evidente que la situación lo incomodaba–. Supongo que tengo remordimientos por haberlo involucrado.

—No los tenga. De todos modos estaba metido en ello, solo que no lo sabía.

—Aun así, visto el desenlace... en fin, ya me entiende.

—No fue culpa suya.

Hizo un gesto de asentimiento, pero seguía convencido de que podía haber hecho más. No era el único que se sentía así.

—Y bien, ¿qué piensa hacer ahora? —preguntó.

—Buscar algún sitio para vivir en Londres —dije encogiéndome de hombros—. Aparte de eso no tengo planes.

—¿Cree que volverá a dedicarse a la medicina forense?

Por poco suelto una carcajada. Por poco.

—Lo dudo.

—Supongo que no puedo culparlo —dijo Mackenzie rascándose el cuello—. Sé que tal vez no le apetece oír esto, y menos de mí, pero no tome ninguna decisión todavía. Podría serle útil a mucha gente.

—Tendrán que buscarse a otro —dije apartando la mirada.

—Piénselo —repuso mientras hacía ademán de marcharse.

Nos estrechamos la mano. Antes de que se diera la vuelta, hice un gesto en dirección al lunar del cuello.

—Yo en su lugar iría a que le echaran un vistazo.

Al día siguiente dejé Manham para siempre.

Pero no antes de una despedida de otro tipo. La noche anterior había tenido el mismo sueño de siempre, y supe que sería la última vez. En la casa seguía reinando una atmósfera serena y familiar, aunque había una diferencia crucial.

Kara y Alice no estaban.

Caminé por las habitaciones desiertas sabiendo que no volvería a visitarlas y que así debía ser. Linda Yates me había dicho que si soñamos es por algo, aunque para describir lo que experimenté la palabra «sueño» no me parece la más indicada. Fuera cual fuese el motivo para mis sueños, ese día desapareció. Cuando me desperté, tenía las mejillas mojadas, pero no había nada malo en ello.

Nada en absoluto.

El timbre del teléfono me devolvió a la realidad. Exhalé una nube de humo en medio del aire frío y saqué el teléfono del bolsillo. Sonreí al ver quién era.

—Hola —dije—. ¿Va todo bien?

—Muy bien. ¿Te cojo en mal momento?

Sentí que el candor habitual de la voz de Jenny se introducía en mí.

—No, claro que no.

—He oído tu mensaje diciendo que venías. ¿Qué tal el viaje?

—Bien. Mucho calor. Lo peor fue salir del coche.

Oí que se reía.

—Entonces, ¿cuánto tiempo estarás fuera?

—Aún no lo sé. Pero no más del necesario.

—Me alegro. El piso está demasiado vacío.

Sonreí. En ocasiones me costaba creer que se nos hubiera concedido una segunda oportunidad, pero las más de las veces simplemente sentía gratitud de que así fuera.

Jenny había estado a punto de morir. A decir verdad, llegó a morir, aunque el dictamen que tanto me había asustado en su momento se refería a Henry, no a ella. Unos minutos más y habría sido demasiado tarde también para Jenny. Fue por puro azar que, tras el frustrado asalto al molino, nadie despidiera a las ambulancias y los paramédicos. Al hacer aquella llamada desde casa de Henry acababan de salir para la ciudad y dieron la vuelta enseguida. De no ser por eso, el hilo de vida que sin saberlo había logrado insuflar al corazón de Jenny se habría extinguido antes de recibir ayuda. El corazón había vuelto a parársele justo después de llegar al hospital, y de nuevo una hora más tarde, pero este se empeñaba en volver a latir. Al cabo de tres días recuperó la conciencia. Una semana después abandonaba la unidad de cuidados intensivos.

Yo sabía que había riesgo de ceguera y de lesiones cerebrales u orgánicas, y así nos lo advirtieron los médicos, pero el caso es que nunca se materializaron. Aunque el cuerpo empezara a sanar, durante un tiempo me preocupó que le quedaran secuelas de otro orden y más profundas, pero poco a poco descubrí que no había motivos de preocupación. Jenny se había retirado a Manham por miedo, y ahora el miedo había desaparecido. Se había enfrentado cara a cara con su pesadilla y había sobrevivido. Y, en cierto modo, también yo.

Cada cual a su manera, ambos habíamos vuelto a la vida.

Cuando guardé el teléfono, el cuervo volvió a alzar el vuelo. El batir de sus alas parecía ensordecedor en medio de ese silencio cristalino. Vi cómo se alejaba a través del helado paisaje escocés. Pese a lo inhóspito del lugar, aquí y allá se veían verdes tallos de hierba que pugnaban por salir de la tierra congelada, como heraldos de la inminente llegada de la primavera.

Cuando me di la vuelta, se me acercó una joven agente de policía. La escarcha crujía bajo sus pasos. Llevaba un abrigo oscuro que contrastaba con su rostro pálido y turbado.

—¿Doctor Hunter? Lamento haberle hecho esperar. Venga, es por aquí.

La seguí hasta un grupo de agentes. Nos estrechamos las manos y nos presentamos. Luego se apartaron y me dejaron acercarme al motivo que nos había congregado en aquel paraje.

El cuerpo estaba tendido en una depresión del terreno. Noté crecer en mí esa impasibilidad tan familiar y empecé a estudiar la posición, la textura de la piel y los mechones de pelo arrancados.

Me acerqué un poco más y me puse manos a la obra.

AGRADECIMIENTOS

La idea de *La química de la muerte* surgió de un artículo que escribí para el magacín del *Daily Telegraph* en 2002. En él hablaba de la Academia Forense Nacional de Tennessee, en la que agentes de policía y peritos forenses de Estados Unidos reciben un entrenamiento intensivo y de un realismo excepcional. Parte del curso se realiza en una singular instalación al aire libre conocida coloquialmente como *Body Farm*, la Granja de Cuerpos. Fundada por el antropólogo forense Bill Bass, es la única que existe en el mundo. En ella se emplean cadáveres humanos para investigar el proceso de la descomposición y los métodos para determinar con precisión el tiempo transcurrido desde la muerte, ambos decisivos en las averiguaciones sobre casos de asesinato.

La visita al lugar resultó una experiencia aleccionadora y a la vez fascinante, y sin ella el doctor David Hunter no habría existido nunca. Vaya, pues, mi agradecimiento a la Academia Forense Nacional y a la Unidad de Investigación Antropológica de la Universidad de Tennessee por su colaboración a la hora de permitirme escribir el artículo original.

Varias personas me prestaron una ayuda de valor incalculable durante la investigación para la novela. El doctor Arpad Vass, del Laboratorio Nacional de Oak Ridge, Tennessee, solventó un sinfín de preguntas acerca de los entresijos de la antropología forense y, a pesar de su apretada agenda, encontró tiempo para leer el manuscrito. En Gran Bretaña, la profesora Sue Black, de la Universidad de Dundee, fue también de gran ayuda y siempre encontró el momento para devolverme las llamadas. La oficina de prensa del cuerpo de policía de Norfolk, la Autoridad de los Broads y el Consorcio de Norfolk para la Fauna y Flora de los Broads de Hickling merecen también mi agradecimiento por responder a ciertas preguntas que sin duda debieron de parecerles sospechosas. Huelga decir que cualquier inexactitud o error técnico se debe a mí y no a ellos.

Gracias también a mi esposa Hilary, a Ben Steiner y a SCF por sus aportaciones y comentarios; a mis agentes, Mic Cheetham y Simon Kavanagh, no solo por su dura labor, sino por no perder la fe; a Paul Marsh, Camilla Ferrier y los trabajadores de Marsh Agency por su invalorable trabajo, y a mi editor Simon Taylor y el equipo de Transworld por su entusiasmo.

Quisiera, por último, dar las gracias a mis padres, Sheila y Frank, por su constante apoyo. Espero y deseo que haya valido la pena.

SIMON BECKETT